à Guy Drouin

en gage d'amitié
et pour l'assurer de
mon plus chaleureux
souvenir.

Cordialement

B.G.

LE TEMPS
D'UN RÈGNE

Le bouc décorné
Sylvain Rivière

Bertrand B. Leblanc

Le temps d'un règne

ROMAN

ÉDITIONS TROIS-PISTOLES

Éditions Trois-Pistoles
31, Route Nationale Est
Paroisse Notre-Dame-des-Neiges
Québec
GOL 4KO
Téléphone : 418-851-8888
Télécopieur : 418-851-8888
C. électr. : ecrivain@quebectel.com

Saisie : Bertrand B. Leblanc
Couverture : *Hibou par temps neigeux*, Basque
Conception graphique et mise en page : Plume-Art
Révision : Victor-Lévy Beaulieu

Les Éditions Trois-Pistoles bénéficient des programmes d'aide à la publication du Conseil des Arts du Canada, du ministère du Patrimoine
(PADIÉ), de la Société de développement des entreprises culturelles du
Québec (SODEC) et du programme de crédit d'impôt pour l'édition de
livres du gouvernement du Québec (gestion Sodec).

EN EUROPE (COMPTOIR DE VENTES)
Librairie du Québec
30, rue Gay-Lussac
75 005 Paris France
Téléphone : 43 54 49 02
Télécopieur : 43 54 39 15

ISBN 2-89583-148-3
Dépôt légal : Bibliothèque nationale du Québec, 2006
Dépôt légal : Bibliothèque nationale du Canada, 2006

— T'as pas le choix.
Reviens cet été
avec un ministère.

PROSPÈRE RODRIGUE

Chapitre 1

« La peur viendra, frère, elle est déjà là, on sent
son souffle froid. Une immense peur de la terrible
solitude réservée à l'espèce humaine qui a détrôné
la grand-mère et le Bon Dieu pour démolir des atomes
et faire partir les fusées dans la lune. »

Ernst Wiechert

L e 8 mai 1945, l'armistice suspendait les combats en
Europe, mais la guerre continuait dans le Pacifique
où les Américains, sautant d'une île à l'autre pour en
chasser les Japonais, progressaient lentement vers le
nord. La tâche était rude et risquait d'être longue parce
que les fils du Soleil Levant vendaient chèrement leur
peau. Truman était donc placé devant l'alternative de continuer une guerre « propre » et d'y perdre des dizaines de
milliers d'hommes, ou d'en finir en utilisant la bombe
atomique. C'était une décision d'autant plus difficile à
prendre qu'elle répugnait à la morale et que, ne l'ayant
jamais utilisé, on ignorait le véritable potentiel de des-
truction de l'engin. On le savait considérable, mais une
équation mathématique n'a toujours donné qu'une idée
approximative de la réalité. La seule certitude était que
trop de civils innocents seraient sacrifiés et que l'Histoire
en tiendrait les États-Unis et son président comptables.
Voilà pourquoi Truman hésitait à jouer les apprentis sor-
ciers et à passer à l'Histoire comme un assassin de sang-
froid. Peut-être ne se serait-il pas résigné si les Russes,

9

libérés des contraintes de la campagne européenne, n'avaient montré une impatience fébrile à marteler l'Extrême-Orient de leurs gros sabots. Ils n'avaient pas oublié la raclée que les Nippons avaient servie au tzar en 1905 et leur défaite imminente était l'occasion rêvée de leur rendre la monnaie de la pièce. Mais surtout, ils considéraient le contrôle géopolitique de cette partie du monde encore en guerre, essentiel à leur sécurité et à l'expansion de la doctrine du Komintern. À partir de Vladivostok, ils pouvaient dans un saut de puce prendre pied au Japon, devancer les Américains à Tokyo et de là, avancer leurs pions sur l'échiquier du sud-est asiatique. Ne voulant à aucun prix leur laisser partager une zone d'influence aussi vitale, ou, pire encore, leur en laisser le contrôle, Truman autorisa l'apocalypse qui força le mikado à déposer les armes. Quelques seigneurs de la guerre jusqu'au-boutistes s'agenouillèrent vers le palais impérial et, dans un ultime hara-kiri, lavèrent leur honneur souillé.

Au Canada, Mackenzie King avait profité de la prolongation de la guerre pour reporter des élections qu'il jugeait indécentes dans un pareil contexte (opinion partagée par tous les partis fédéraux qui avaient convenu en 1939 de ne pas en appeler au peuple avant la fin de la guerre, quelle que fût la durée des hostilités). On se donnait même un an de plus pour rompre avec un gouvernement d'union nationale. À Québec, Adélard Godbout, élu le 25 octobre 1939 et achevant la cinquième année de son mandat, ne pouvait invoquer la raison d'État avancée par le chef fédéral. N'osant plus atermoyer, il fixa les élections au 8 août.

Dénonçant les reculs du gouvernement libéral qui avait toléré les empiétements d'Ottawa sur les champs de juridiction provinciale, exploitant la Conscription que King avait décrétée et Godbout combattue sans conviction, laissant ses lieutenants demander des nouvelles de Camillien Houde emprisonné sans procès par Ernest Lapointe et exiger des comptes pour la mort de Georges Guénette, tué par un prévôt, Duplessis réussit à vaincre la machine libérale. Mais la victoire n'avait pas été facile. On n'avait récolté que quarante-sept sièges sur quatre-vingt-douze et, pire encore, on n'avait pas obtenu la majorité des voix. Duplessis n'allait toutefois pas chicaner sur un détail aussi anodin. Pour une fois que la démocratie était du côté du bon Dieu, la saine minorité allait prévaloir sur la majorité corrompue et Maurice Le Noblet allait saisir le pouvoir sans la moindre gêne et l'user jusqu'à la corde. Il n'allait surtout pas le gaspiller en répétant les erreurs commises au cours de son premier mandat.

Il s'était débarrassé des tire-au-flanc, des tièdes, des contestataires et des prétentieux qui se croyaient de taille à partager la gloire avec lui. Il avait formé une équipe qu'il aura bien en main et qui lui obéira aveuglément. Même Onésime Gagnon, évincé de la chefferie à laquelle il avait des titres au moins égaux à ceux du député des Trois-Rivières et qui aurait pu ruminer des idées de vengeance avec des relents d'amertume, avait levé le bras du vainqueur, façon contemporaine de se reconnaître l'homme lige du seigneur Duplessis. Surveillant tout, contrôlant tout, ne déléguant rien, exigeant que tout revienne sur son pupitre, imposant le silence aux bègues, volant au secours des hésitants empêtrés dans un discours mal contrôlé ou figés par une saillie trop vive de l'opposition, en prenant à son aise avec le président de la Chambre et avec le règlement, terrorisant les journalistes à la solde des journaux rouges et poursuivant ceux du *Devoir* de ses sarcasmes, tenant la dragée haute aux syndicats, autorisant une caisse occulte opulente et fermant les yeux sur les moyens de la remplir, encensant le clergé et aspergeant les « amis d'en face » de calembours, remplaçant le gin par le jus d'orange, Duplessis s'était juré de mourir sur le siège du Premier ministre de la belle province que la Providence surveillait d'un œil jaloux et que saint Joseph, en communication journalière avec le bon frère André, comblerait de ses bienfaits à condition que les Communisses en fussent bannis comme des pestiférés.

Du lundi au vendredi, il se pointait au Parlement avec la ponctualité d'un petit fonctionnaire et passait la journée à compulser des dossiers, signer des arrêtés, donner des ordres, recevoir des fidèles, éconduire des Gentils, dresser des plans, cajoler des indécis, faire résonner la Chambre de son verbe puissant. Après quoi, il rentrait au Château Frontenac où il avait ses appartements. Il y dormait seul, y mangeait sobrement, s'y faisait faire la barbe chaque matin, y fumait des havanes oubliés sur son bureau par une multinationale désintéressée, y écoutait religieusement les symphonies de Beethoven, y contemplait une toile de Fortin ou de Yacurto, offerte par un ami esthète (surtout pas les barbouillages du jeune Borduas : « aucun avenir »), y épluchait les journaux du jour et se mettait sagement au lit après avoir récité sa prière du soir. Une vie édifiante…

Le soir du scrutin, il avait chaleureusement remercié ses électeurs des Trois-Rivières pour lui avoir confié un cinquième mandat, puis une fois la victoire de l'Union nationale confirmée, il avait transmis à la radio sa gratitude à l'endroit de la province, particulièrement aux députés des comtés qui avaient eu l'élémentaire sagesse de voter pour lui. Quant aux autres, il leur suggérait de s'amender et les prévenait qu'en attendant, sa charité, parce qu'elle était bien ordonnée, irait à ceux qui l'avaient méritée. Enfin, livrant son analyse du scrutin, il avait décrété que la victoire de l'Union nationale était «la punition infligée par la province à ceux qui ont abandonné ses droits». Puis coupant court aux célébrations, il avait convoqué ses troupes dans la Capitale. Dans l'intervalle, il avait composé son conseil des ministres, nettoyé les écuries d'Augias et appelé les serviteurs fidèles aux tâches que leur zèle avait forcées. Les députés battus mettaient leurs dossiers en boîte avec leur fugace prestige. Bien au fait du sort réservé aux vaincus, les régistrateurs avaient vidé les bureaux d'enregistrement, les commis de la Commission des Liqueurs avaient servi leurs derniers clients, les policiers de la route avaient fermé les yeux sur les infractions au code, les bureaux d'immatriculation avaient changé d'adresse, les cantonniers étaient rentrés à la maison sans y traîner la gratte, les hauts fonctionnaires attendaient de se faire montrer la sortie, les juges se préparaient à changer d'affectation, bref : la Colline parlementaire était en ébullition et les organisateurs de comté préparaient les voies aux thuriféraires du parti. Il y en avait malheureusement davantage que de sinécures disponibles, ce qui consolait médiocrement ceux qui devaient céder la place. Afin de ne pas passer pour un tyran sans entrailles, Duplessis avait épargné la piétaille qui ne s'était pas compromise dans des activités trop partisanes. Les bienheureux survivants de la purge seraient d'autant plus attentifs à ne pas décevoir le Magnanime et à lui témoigner une reconnaissance agissante. «C'est avec des Rouges qu'on fait des Bleus.» À tout péché, miséricorde. Non ?

Le notaire Bérubé qui s'attendait à faire partie de l'équipe ministérielle fut très déçu de se voir ignorer. On lui avait laissé entrevoir davantage et l'enthousiasme de ses amis, pour qui un ministère était chose acquise, avaient excité son ambition jusqu'à le convaincre que la consécration lui viendrait dès la première fournée de pain bénit. C'était présumer de ses forces. Quand votre seule expérience politique se résume à la rédaction des procès-verbaux d'une municipalité et à la présidence de quelques élections scolaires, que vous n'avez jamais mis les pieds en Chambre, que vous ignorez ses règlements, que vos collègues ne vous connaissent ni d'Ève, ni d'Adam, que vous habitez un comté que la plupart arrivent à peine à situer sur la carte, que vous êtes aussi pauvre que le saint homme Job, qu'aucun fait d'armes ne vous a signalé aux instances du parti, il faut, en effet, beaucoup de présomption pour penser envahir aussi facilement le saint des saints.

Ce n'était pas la première fois, ce ne serait pas la dernière qu'un candidat valeureux serait écarté. Question de haute stratégie qu'un des prédécesseurs du notaire au siège de Matapédia illustrait parfaitement. Député pendant un quart de siècle, il avait été un homme d'une conduite irréprochable, un orateur supérieur à la plupart des ministres du gouvernement, un industriel forestier connaissant intimement la forêt, les phases de son exploitation et les besoins de ses travailleurs. Il aurait pu faire un ministre des Terres et Forêts tout à fait convenable. Seulement, il était d'un comté reculé, peu populeux, acquis depuis toujours au parti et se satisfaisant de peu. Alors, pour consolider un comté en péril, pour équilibrer la représentation ministérielle entre les régions de la province, pour contenter un député aux bords de la défection, on avait confié le ministère à un avocat qui, n'y connaissant rien, était devenu le haut-parleur de son sous-ministre et des multinationales. Un exemple entre plusieurs d'une nomination répondant à des impératifs géopolitiques. Il est aussi arrivé qu'un chef jaloux de ses prérogatives élimine les personnalités assez fortes pour lui faire ombrage et les tienne dans le rang grâce à des promesses toujours différées.

Voilà pourquoi, à défaut d'un vaste bureau au rez-de-chaussée avec un sous-ministre protecteur, un chef de cabinet déférent, une secrétaire empressée, des fonctionnaires obséquieux et des tapis moelleux, on avait assigné au notaire Bérubé un bureau du dernier étage, là où les pas s'entendent depuis le début d'un long corridor laminé de bois franc. Les visites y sont à ce point espacées qu'on a rien d'autre à faire que de noircir les cases des mots croisés du journal du matin. On y a tout le temps de rêvasser en espérant qu'un solliciteur se rendra jusqu'à la chambre où on perd déjà beaucoup d'illusions. Surtout si, à l'exemple du notaire Bérubé, on est entré en politique comme on entre en religion, c'est-à-dire avec l'ambition de changer le monde.

La réalité est moins idyllique. Le comté est loin, les électeurs ne sont pas riches et pas plus qu'ils n'entrent à l'hôpital pour une mauvaise grippe ils ne viennent au Parlement pour des questions qu'ils estiment trop modestes. N'ayant que de petits intérêts à défendre, ils préfèrent les confier au bureau de comté où ils ont habitué de voir le député alors qu'il était avocat, médecin ou notaire. Quant aux rares barons du comté, brasseurs d'affaires, de passe-droits et de gros sous, ils n'ont pas de temps à perdre avec un simple député. Ils forcent plutôt la porte du ministre et parfois, tel Prospère, ils intercèdent auprès du Premier ministre lui-même.

N'ayant pas encore trouvé la façon d'utiliser ses nombreux temps libres, François Bérubé s'ennuyait à mourir. Tel un planton figé dans l'attente d'une mission importante, il n'osait même pas lire, un divertissement qu'il jugeait indécent alors qu'il était payé pour ne rien faire. Il lui manquait encore l'audace du député de Bonaventure qui, lassé de faire tapisserie et refusant de se voir comme une machine à voter, s'était installé dans la Bibliothèque nationale pour compulser des livres d'histoire et de généalogie, plutôt que de perdre son temps en Chambre à l'audition de débats oiseux et trop souvent inutiles. Cela lui servira plus tard… Après avoir épuisé dans la monotonie de jours toujours pareils la somme d'enthousiasme qu'il avait apportée à Québec, le petit notaire en était venu à se demander s'il n'avait pas fait un mauvais choix et si son entrée en politique n'avait pas été une erreur capitale. Au Val, il n'était pas grand-chose, mais il était quelqu'un. Il était un notable que les gens venaient consulter, à qui ils confiaient leurs biens les plus précieux et leurs secrets les plus intimes. Les gens le saluaient avec déférence et murmuraient des propos élogieux sur son passage.

Il avait la réputation d'un professionnel méticuleux jusqu'à la manie, droit comme l'épée du roi et discret comme un confesseur. On le savait scrupuleusement fidèle à son épouse, dévoué à ses enfants et sûr à ses amis. Le matin, il chantait la messe de monsieur le curé. Le dimanche, il était soliste attitré de la chorale que dirigeait son épouse. Il buvait très modérément, ne jurait jamais, communiait régulièrement, jeûnait sans récriminer. Bref, il était un citoyen exemplaire et était estimé en équipollent. Tandis qu'à Québec, il n'était rien, il n'était personne. Il était enveloppé dans l'anonymat le plus imperméable et n'importe quel fonctionnaire un peu titré avait davantage que lui l'oreille des ministres.

En Chambre, on l'avait relégué à l'arrière-ban d'où il entendait à peine les vocalises du Premier Ténor et ratait la plupart de ses facéties les mieux senties. Quand le tumulte s'installait, il ne percevait qu'une rumeur incompréhensible et devait se contenter de la gestuelle des principaux acteurs pour deviner la teneur des propos, un peu comme s'il avait assisté à un spectacle de mimes ou à un film muet. En votant selon la ligne du parti serinée par un whip tyrannique contrôlant ses troupes avec la rigueur d'un pion, il devait se contenter d'un pâle rôle de soutien, pour ne pas dire de celui d'un accessoire. Il n'y avait pas là de quoi ranimer un prosélytisme tiédissant. Rabâchant ses sujets d'amertume, il mesurait combien il y avait loin de ses rêves à la réalité. Il se rappelait les longues marches solitaires au cours desquelles il échafaudait des théories lumineuses, bâtissait des discours à faire pâmer d'admiration les plus désabusés des ringards de la chose publique, épurait un monde en corruption, faisait régner l'harmonie, érigeait une province modèle et finissait ses jours auréolé de gloire, la poitrine encombrée de décorations prestigieuses. À voir où il en était en 1945 et à mesurer le chemin à parcourir, il était forcé d'admettre qu'il avait été un fumiste d'une naïveté déconcertante. Il était d'autant plus enclin à se remettre en question qu'avant sa rencontre avec Duplessis en 1939, l'idée d'une carrière politique ne l'avait même pas effleuré. Il était encore assez humble pour ne pas se croire de la race des dieux. En conséquence, sa décision de se porter candidat n'avait pas été une résolution fixée depuis longtemps et poursuivie avec ténacité jusqu'à sa réalisation. L'insistance de ses amis lui faisait un cas de conscience de ne pas se soustraire à son devoir. Toujours les grands mots là où il ne faut pas et quand il ne faut pas. S'ils avaient su ce que c'est que d'être un simple député, ils n'auraient pas tant déifié sa mission. Par ambition, mais peut-être plus encore par vanité, il avait accepté. Mais sans le hasard, rien de tout cela ne se serait produit. Que peut-on espérer de bon du hasard ? Certes, il avait eu le dégoût du népotisme et de la corruption d'un régime qui, après quatre décennies de règne, en était venu à considérer la province comme la bonne à tout faire qu'on fait travailler le jour et qu'on baise la nuit, mais de là à se croire capable de corriger la situation à lui seul, il y avait un abîme. Le notaire s'était contenté de faire comme la bonne. On avait eu beau protester qu'on l'aimait, un jour elle s'est persuadée qu'il n'en était rien. Déçue dans ses illusions, elle s'était révoltée et avait quitté un amant menteur pour un autre qu'elle espérait plus fidèle. Le notaire avait fait de même. En 1936, il avait voté pour l'Union nationale et secondé Prospère dans la campagne qu'il avait orchestrée pour le candidat de Duplessis, un homme qu'il savait intègre. Ne pouvant rien faire de plus, il était retourné à son étude. En 1939, l'organisateur en chef du comté qui l'avait entendu fouetter la fierté nationale à la Saint-Jean-Baptiste de l'année précédente, lui avait demandé un discours pour le passage du Premier ministre dans le comté. Un peu pour boucher un trou d'ailleurs, le député démissionnaire n'ayant jamais été un foudre d'éloquence et, lui-même devant assumer la présidence de l'assemblée. Les talents oratoires du notaire avaient alors convaincu le Chef d'en faire son candidat dès que l'occasion se présenterait. Battu en 1939, le député de Matapédia avait signifié sa décision de ne pas se présenter en 1944 et le notaire s'était laissé convaincre d'assurer la relève. L'insistance de ses amis, les encouragements de madame notaire, mais surtout, l'avantage d'avoir à Québec un pied-à-terre qui faciliterait les études de ses enfants, avaient vaincu ses dernières hésitations. Enfin, ses nouveaux succès de tribune lui avaient soufflé l'espoir de jouer un rôle important sur la grande scène provinciale. Vanité !

Cependant, s'il n'y avait pas eu dans sa nouvelle situation des avantages pécuniaires importants, est-ce bien l'endroit où il aurait souhaité écouler les plus belles années de sa vie professionnelle ? Autrement dit, avait-il les défauts qui font un bon politicien ? Certes, il était ambitieux, mais l'était-il assez pour devenir retors, menteur, tortueux et cynique jusqu'à faire taire une conscience qui l'avait jusque-là gardé dans les voies du conformisme le plus rigide ? Il avait l'âme trop candide pour ne pas en douter.

Perdu dans la vacuité de journées creuses où l'impression d'inutilité se renouvelait jour après jour, amèrement déçu par le vaudeville qui se jouait en Chambre, étrangement ignoré par le Chef qui lui avait promis de veiller sur sa carrière, il en était vite venu au désenchantement, puis à questionner le sens et la valeur de sa décision.

Après une analyse impitoyable, non pas seulement de l'orientation de sa carrière mais de sa vie en général, il en était venu au constat qu'il l'avait ratée. Même s'il n'avait été en rien responsable de la crise économique qui avait perduré jusqu'à la guerre, il n'en avait pas moins été un notaire besogneux arrimant les fins de mois avec ses minces salaires de chantre et les modestes émoluments de ses secrétariats à la Commission scolaire et au Conseil municipal. Bilan on ne peut plus modeste pour un homme dévoré par le désir de réussir sa vie. Jusqu'à maintenant, il avait voilé la vérité par la passion de lire qui lui avait fait oublier la réalité. Au plan familial, il pouvait heureusement se consoler de sa réussite. Sa femme l'aimait jusqu'à la dévotion et il le lui rendait bien. Ses enfants poursuivaient des études fort honorables, ce qui le récompensait de tous leurs sacrifices. Au plan moral, il était resté candide et sa foi était celle d'un enfant sans tache. Quant à son étude, il pouvait au moins se dire qu'il l'avait tenue avec la rectitude d'un homme scrupuleusement correct. Enfin, il avait mérité l'amitié inconditionnelle de l'élite de son village et la confiance de son homme d'affaires le plus important. Ce n'était pas rien et un esprit moins tatillon s'en serait contenté, mais c'était peu, compte tenu des rêves d'excellence qu'il avait nourris depuis l'université. Mais voilà qu'au moment où il aurait enfin pu donner sa mesure, l'indifférence du Chef le reléguait à un rôle de subalterne anonyme. D'où l'immense déception qui le submergeait et l'amenait à se demander s'il n'avait pas mal orienté sa vie.

Au fond, qu'aurait-il dû faire pour se sentir en harmonie avec ses aspirations les plus intimes ? Féru de lecture, passionné par l'Histoire, n'aurait-il pas dû y chercher sa voie, y pousser ses études jusqu'à la Sorbonne et en revenir avec une licence ou un doctorat qui lui aurait ouvert les portes de l'Université Laval ? Il se serait endetté, certes, il aurait dû repousser son mariage, mais il vivrait son rêve. Il avait eu peur. Peur des dettes, peur que sa fiancée se lasse d'une attente trop longue, peur du risque, peur du modeste traitement versé aux professeurs, peur de la vie. Il avait choisi le droit. Si encore, il avait opté pour le prétoire et choisi un théâtre prestigieux comme Québec ou Montréal, il aurait pu y briller et s'y tailler un succès à la mesure de ses talents. Il était méticuleux, précis, studieux, ordonné, vif à la répartie, autant de qualités précieuses. Mais il était timide, n'aimait pas la bagarre et surtout, il doutait de lui. Faute d'un terreau propice à leur éclosion, il avait ignoré ses talents oratoires et, partant, ne les avait pas cultivés. Il avait fallu l'accolade du Speaker suprême pour le convaincre qu'il avait dans son jeu cet atout sans lequel on ne peut percer dans un milieu où le verbe est tout et l'action rien. Alors, doutant de ses capacités, il avait opté pour le notariat où il voyait de meilleures chances de réussite. Mais encore là, n'avait-il pas fait le mauvais choix ? Plutôt que d'entrer dans une étude établie, d'y faire patiemment ses classes et d'en émerger avec une réputation solide et des dossiers à l'avenant, il avait jeté son dévolu sur un bled perdu, parce que le vieux notaire Gendron, désireux de mettre un terme à sa carrière, s'était adressé à la Chambre des notaires pour lui trouver un successeur. Les conditions modestes, la bonne volonté du vieux praticien désireux de lui faciliter la tâche, la beauté de l'endroit, l'apparence d'aisance du milieu et la chaleur des gens l'avaient convaincu de s'installer au Val. Il ne pouvait rêver y devenir millionnaire, ce que d'ailleurs il n'ambitionnait pas, mais au moins, il ne partirait pas à zéro. Il héritait d'une clientèle modeste, mais qui, somme toute, avait bien fait vivre son prédécesseur. Que demander de plus à la vie ? Sa fiancée, en tout cas, n'en attendait pas davantage. Il l'avait mariée et s'était amené confiant dans sa nouvelle patrie.

Au début, il n'avait aucunement questionné son choix. La communauté l'avait accueilli avec chaleur et lui avait accordé la même confiance qu'au vieux notaire. Son goût pour la musique et le théâtre l'avait vite plongé au cœur de la petite vie artistique de la paroisse. Son prestige s'en était accru d'autant. Puis était venue l'amitié généreuse du maire. Quand le secrétaire de la municipalité avait démissionné pour prendre la direction de la Caisse populaire naissante, il l'avait invité à prendre sa place. Puis il l'avait convié à ses samedis et une amitié indéfectible s'était installée entre les deux hommes que des goûts communs portaient naturellement l'un vers l'autre. Ils étaient devenus inséparables. Enfin, il avait connu Prospère et le vétérinaire à la table de poker du maire et la complicité avait vite soudé le quatuor d'un ciment qui devait résister à tous les soubresauts de leur vie.

Pour un homme moins fier, il y aurait eu là les ingrédients du bonheur. Cependant, malgré les efforts qu'il faisait pour donner le change, un observateur averti aurait su déceler les signes qui trahissaient la frustration du notaire. Une remarque apparemment anodine, un silence, une plainte enrobée d'un rire forcé, en disaient en effet assez sur ses états d'âme. Certains soirs où l'enthousiasme des joueurs faisait monter la mise, il s'abstenait et cachait des cartes qui lui auraient donné le pot. La crainte de trop perdre l'empêchait de courir le risque. Il avait beau changer souvent de cravate, l'habit restait le même deux ans de trop et des souliers éculés usaient une troisième semelle. Sa femme en était venue à fuir les invitations, faute de pouvoir étrenner une robe nouvelle. Les termes de l'étude et le pensionnat des enfants étaient une hypo-thèque trop lourde en des temps où l'argent était rare pour tout le monde. La Crise durait trop. Le vieux notaire avait profité de l'âge d'or de la petite municipalité, alors que quatre scieries donnaient de l'emploi à tout le monde, que le chemin de fer bourdonnait d'activité, que les agri-culteurs arrivaient à peine à fournir un marché en infla-tion et que les contracteurs forestiers manquaient de main-d'œuvre. Mais 1929 était arrivé et le krach avec lui. Les moulins avaient fermé les uns après les autres, les contracteurs avaient coupé trois fois moins de bois, les fail-lites s'étaient multipliées et le chômage s'était installé. Forcément, le notaire en avait subi les conséquences. Il avait fallu se serrer la ceinture et pire, priver sa femme du bijou, du manteau de fourrure ou du meuble nouveau qu'il aurait tant voulu lui offrir.

De ne pouvoir le faire le peinait et l'humiliait, parti-culièrement quand il se retrouvait parmi ses amis où il pouvait mesurer la richesse de Prospère et l'aisance rela-tive des autres. Il ne voyait alors que trop combien il était leur parent pauvre, et il en souffrait parce qu'il lui répugnait de profiter d'eux. Il savait bien qu'ils n'y pensaient même pas, mais d'être à la traîne de leur générosité l'humiliait. Il aurait aimé apporter un gin à l'occasion, les inviter chez lui de temps en temps, accompagner Prospère et le vétérinaire à l'hôtel et régler la facture, ne serait-ce qu'une fois sur dix. Tout cela avait influé sur sa décision, et même s'il n'était pas satisfait de la façon dont les choses se déroulaient, il pouvait au moins se consoler à l'idée qu'il pourrait désormais tenir son rang et prouver qu'il n'était ni un pique-assiette, ni un ingrat. Vivement, que viennent les Fêtes pour les recevoir avec la gratitude et l'amitié qu'il couvait depuis si longtemps pour chacun d'eux.

⊕

Il en était là de ses réflexions quand Prospère se planta dans le chambranle de la porte du bureau 308 et se dérhuma discrètement. François, qui pensait précisément à lui, resta bouche bée. Moins ému, le compagnon du notaire se leva, se présenta et demanda au contracteur s'il désirait des laissez-passer pour une séance de la Chambre. Prospère riposta qu'il ne savait pas qu'il en fallait et que de toute façon ça ne l'intéressait pas. Il était simplement venu voir son ami le député de Matapédia. L'autre s'excusa, remit les billets dans son bureau et, prétextant une visite au ministre de la Voirie, regarda sa montre et se dépêcha de laisser les deux amis seuls.

— Qui c'est, ce serin-là ? demanda Prospère.

— Le député de Témiscouata, répondit François.

Prospère resta la bouche ouverte d'étonnement et s'assit avant de dire :

— Ça parle au baptême ! Vous v'là deux par bureau asteurre ?

— Tu le savais pas ?

— Jamais mis les pieds dans un bureau de député avant aujourd'hui.

Puis il se releva et fit lentement le tour de l'appartement. Il n'y avait pas grand-chose à voir, mais c'est précisément ce que Prospère voulait mesurer : le vide, le dénuement et la propreté douteuse d'un bureau de simple député. Les murs qui avaient été blancs jadis étaient devenus gris sous la saleté et la poussière accumulées. Ici et là ils se pelaient comme mue une bête. On avait dû faire des réparations à la porte à moins que, manquant de peinture pour couvrir toute la chambre, on se soit contenté d'en beurrer seulement le tour. Face à la porte, des fenêtres douteuses filtraient une lumière où dansait la poussière. Le mur du fond était nu, mais celui qui donnait sur le corridor était orné des photos encadrées de Flynn, de Gouin et de Taschereau. « Belle gang », commenta Prospère. Quant au mur arrière, on y avait accroché le chromo d'une scène d'hiver dans les Laurentides. Il n'était même pas de niveau. Au-dessous du tableau, deux classeurs probablement vides attendaient les dossiers des députés. À voir le peu d'encombrement des pupitres, ils ne risquaient pas de les dépeinturer. Alignés près du mur où souriaient les anciens premiers ministres, quatre fauteuils nus. Au centre de la pièce mais légèrement en retrait vers la porte, deux immenses bureaux, du même bois bon marché que les chaises, étaient adossés l'un sur l'autre. Deux députés vivaient face à face à huit pieds l'un de l'autre avec une lampe de table, une photo de l'épouse et un encrier pour tout paravent. Quand, par extraordinaire, un électeur venait, l'un des deux s'excusait et quittait le bureau pour aller prendre un café, se dégourdir les jambes ou tout simplement quitter la platitude de la prestigieuse fonction de député du peuple. Une lumière sans abat-jour pendait du plafond et éclairait la tristesse infinie de ce lieu sans âme.

Écœuré, Prospère s'écria :

— Envoye, viens-t-en. Même pas un siège bourré pour la visite.

François se dépêcha de se vêtir pour rattraper son ami qui fuyait les lieux à grandes enjambées. Il ne dit pas un mot de tout le trajet qui les mena au Clarendon où il avait sa chambre. Quand il en eut refermé la porte, il jeta son manteau et son chapeau sur le lit, passa dans le petit salon adjacent, dévissa le capuchon de la bouteille de gin et se laissa tomber dans un fauteuil. François se dévêtit à son tour et vint trouver son ami.

— Sers-toé !

— Non merci !

— Envoye ! Envoye, faut que j'te parle, pis ça risque d'être long.

Le notaire versa un doigt de gin dans un verre et s'assit à son tour.

— Santé ! murmura Prospère avant d'avaler d'un trait. Baptême ! s'exclama-t-il, j'en reviens pas encore !

— De quoi ?

— De la manière que le gouvernement traite ses députés. L'autre, y vend des tickets, y as-tu pensé ? Y vend des tickets ! Moé, j'arais honte, baptême. J'arais honte à me cacher la tête dans une poche vidante d'avoine. Toé, qu'est-ce que tu fais ?

— Rien !

— Pis, t'es pas écœuré ?

— Si tu savais jusqu'à quel point . . .

Prospère hocha la tête, se servit à nouveau et, les yeux lourds de tristesse, il regarda son ami muet et aussi triste que lui. Alors, Prospère débonda longuement pour laisser s'écouler l'écœurement dont sa courte visite au troisième l'avait empli. Le député l'écoutait, se contentant d'un signe de la tête, d'un geste de la main, d'un oui, d'un non. Il n'avait rien à ajouter. Prospère traduisait tout avec une exactitude impeccable et débridait la plaie avec la précision d'un chirurgien. Pour pénible qu'elle fût, l'opération soulagea François. *Au moins*, pouvait-il se dire, *quelqu'un pense comme moi et mon découragement n'est pas le fait d'un enfant capricieux.*

Il était le constat d'un homme encore capable de prendre la mesure de son humiliation et de juger combien l'aréopage ministériel fait bon marché d'un simple député. Pour ces gens qui tirent les ficelles, les députés d'arrière-ban cessent d'exister le lendemain de l'élection, sauf pour voter en assez grand nombre pour maintenir le parti au pouvoir. On ne leur demande rien de plus et surtout pas ce qu'ils pensent des politiques mises de l'avant par le Chef. Ils n'ont rien à proposer, même s'il s'agit d'une mesure intéressant leur propre comté ; aucune initiative à prendre, aucun commentaire à formuler. Voter selon la ligne de conduite du parti et se taire : telle est la consigne. Ils n'ont d'importance que dans la mesure où ils ont conquis un des sièges nécessaires à prendre le pouvoir. Maintenant que c'est chose faite, ils n'ont plus qu'à tuer le temps et laisser les grands assurer la manœuvre du bateau de l'État. Eux seuls sauront le mener à bon port, à condition que les mousses, toujours à pied d'œuvre, effectuent la manœuvre commandée. Parfois, on les encouragera en les nommant membres d'une commission parlementaire où ils n'auront, bien entendu, rien à dire. Être présents, assidus, attentifs, applaudir au moment opportun, chahuter l'adversaire, c'est tout ce qu'on exige d'eux. Si après un pareil traitement ils sentent le besoin de gonfler le thorax, de jouer au personnage important, c'est qu'ils apprennent bien. Ils deviennent une pâte docile qui se laisse pétrir au goût du grand Mitron. C'est avec ce genre de matière, plastique à souhait, qu'on fait les grands gouvernements. On ne leur impose pas le vœu d'obéissance, mais on leur interdit d'avoir une opinion personnelle et de l'exprimer. Ce qui est tout de même un peu beaucoup bonnet blanc, blanc bonnet. Poser des questions, essayer de comprendre, faire valoir son point de vue, douter de l'infaillibilité du capitaine, c'est de la mutinerie. Elle ne sera pas tolérée et les sanctions seront sévères. (Il y a cent façons de tuer un chat sans le noyer.) Qu'on se le tienne pour dit. Ne pas être d'accord et le dire, c'est semer une indiscipline condamnable. Ne pas suivre aveuglément les directives, c'est entraver la marche fluide du gouvernement. C'est attenter à la vie de la province. Le Chef sait où il va, il a un instinct sûr, un flair incomparable, une science accomplie des courants, des marées, des vents dominants, des récifs, personne mieux que lui ne saurait nous mener à un autre mandat. Alors, plus on se tiendra au pas avec lui, plus vite on y arrivera. Silence dans les rangs : une parade réussie est une parade silencieuse. Du moins dans l'armée. Et puis, un bon père de famille explique-t-il toujours ses désirs à ses enfants ? Ne suffit-il pas qu'ils sachent que ce qu'il leur demande est pour leur bien ? Un général explique ses plans à son état-major, il ne perd pas son temps à préciser le comment et le pourquoi à ses troufions. Ils se contentent d'obéir et c'est ce qui fait des armées victorieuses. Disponibilité, enthousiasme, discipline et soumission, voilà les vertus d'un bon soldat. Il n'a surtout pas à penser, encore moins à comprendre. D'autres et plus compétents que lui sont payés pour le faire à sa place. Voilà la conclusion à laquelle le notaire était arrivé. En résumé, les back benchers devaient se délester de leurs illusions et se contenter de l'insignifiance dans laquelle ils étaient confinés. Vouloir en sortir serait un geste aussi vain que condamnable

Prospère n'en revenait pas. Il n'était pas assez naïf pour imaginer qu'un député puisse peser le poids d'un ministre, mais il avait cru jusque-là qu'il avait une certaine voix au chapitre. Il comprit alors pourquoi le député Paradis n'avait pas voulu se représenter. Il était un homme assez valeureux pour ne pas accepter d'être un pantin aux ficelles tirées par des gens qui ne lui allaient pas à la cheville. Avant de quitter pour venir épauler son père dans son industrie, il avait été un journaliste qu'Olivar Asselin avait jugé digne de le remplacer durant la maladie qui l'avait forcé à prendre trois mois de congé. Mais qui le savait en haut lieu ? Et le Premier ministre lui-même l'eût-il su (il devait, puisque, comme l'Autre, il sait tout), en eût-il fait un ministre pour autant ? Comme tous les naïfs, Prospère avait vu la démocratie comme le droit pour chacun d'exprimer ses opinions. À plus forte raison s'il s'agit de celui que le peuple a choisi pour défendre ses intérêts et parler en son nom. Si chaque citoyen a le droit de critiquer le programme d'un parti, de l'accepter ou de le rejeter, pourquoi ce privilège serait-il marchandé à celui-là même qui est le porte-parole de la majorité ? Surtout lorsque, tel François, sa majorité dépasse celle de la plupart des ministres. De quel droit ont-ils le privilège d'être partie prenante aux décisions et pas eux ? De quel droit un comté est-il décrété omnipotent et l'autre insignifiant ? Et de voir qu'il n'en était pas ainsi, de constater que son député ne pouvait en rien infléchir des politiques stériles, qu'on ne lui demande même pas son avis, le sidérait.

Selon lui, les gouvernements devaient imiter les multinationales. Dans une multinationale bien structurée, les chefs de sections prennent les avis des contremaîtres, voire des simples ouvriers. S'ils sont intelligents, ils les sollicitent. Qui, mieux qu'un opérateur de grue, peut suggérer les améliorations susceptibles de la rendre plus performante ? Son expérience, si on est assez sage pour ne pas l'égarer en cours de route, cheminera jusqu'au sommet de la chaîne. Et la haute direction pourra ainsi profiter du plus humble de ses travailleurs, non seulement en lui permettant de faire son travail, mais en lui fournissant l'outil amélioré qui l'aidera à le faire mieux et plus vite, donc à meilleur coût

— Faudrait que les gouvernements marchent comme les grosses compagnies, s'écria Prospère, seulement les partis gâchent toute !

— Qu'est-ce que les partis viennent faire là-dedans ?

— Tu voés pas ?

— Non !

— M'as te faire un dessin.

— J'ai bien peur que ce soit nécessaire.

Prospère, qui n'était pas très à l'aise avec les notions abstraites, se leva, avala un troisième gin, ramassa ses idées, puis livra au notaire sa vision d'un gouvernement idéal. Cela se résumait à ceci : presque tout le monde et, bien entendu, les députés les premiers, veulent le bien du pays (sans oublier pour autant le leur), pourquoi les diviser pour autant ? Surtout que les étiquettes, rouge, bleu, au fond, c'est du pareil au même.

— Un Rouge pis un Bleu, notaire, ça se ressemble comme deux œufs du cul de la même poule. En tout cas icitte. Les Bleus dans l'opposition critiquent les Rouges au pouvoir, ça vient pas au poing pis c'est ben juste et la menute qu'y prennent le pouvoir, y font la même maudite affaire que les Rouges faisaient en l'appelant autrement. Tu trouves pas ça fou comme un trèfle dans le vent ?

— Peut-être.

— Y a pas de peut-être. C'est comme ça pis pas autrement.

— Admettons, mais où cela nous mène-t-il ?

— À dire qu'y devrait pas y avoir d'opposition. Y devrait y avoir cent députés qui travaillent ensemble pour faire avancer la province, pas à perdre leur temps à se crêper le chignon pour des maudites niaiseries. Un bon gouvernement devrait marcher comme les grosses compagnies : le meilleur homme à sa place, pis le moins bon itou.

— Tu rêves en couleurs.

— Tu penses pas que c'est mieux que laisser un homme comme toé se prendre le moine à rien faire dans le bureau 308 ?

Le notaire accusa le coup sans rien dire et Prospère continua sa démonstration. Pour déplorer le fait qu'un ministre et son équipe sont mis dehors après dix ou quinze ans par le hasard d'une élection. On ne peut nier qu'ils ont la connaissance intime de tous les rouages de la machine et qu'ils ont fait assez d'erreurs pour ne pas les répéter. C'est ça l'expérience. Si ceux qui les remplacent en font autant et prennent aussi longtemps à apprendre, combien d'années la province aura-t-elle perdues en chassant ceux qui ont acquis la maîtrise de leur ministère plutôt qu'en exploitant leurs talents à bon escient ?

— On ne peut quand même pas laisser le ministère de l'Agriculture au chef de l'opposition.

— Pourquoi pas ? Connais-tu un Bleu plus compétent qu'Adélard Godbout en agriculture ? C'est un maudit Rouge, mais ça y enlève pas ses capacités. C'est un agronome, un professeur, un cultivateur, un éleveur. Quand y parle d'un taureau de race, d'un labour en profondeur, de drainage, penses-tu qu'y connaît pas ça un peu mieux qu'un avocat ? Seulement, pas de saint maudit danger qu'on y offre la job. Duplessis va le laisser poireauter dans l'opposition, y va mettre la hache dans son usine de sucre de bettes, pis la province va engouffrer trois quatre millions dans un bon projet. Pendant ce temps-là, Lantic Sugar va nous vendre du sucre de nègres pis les Bleus vont rire de Godbout. Maudite politique !

— Admettons.

— Tu voés ben ! C'est ça les maudits partis. Y sont rien que bons pour toute fucker. On prend le meilleur homme pour la job, pis on le sacre à la porte. International Paper ferait pas ça avec son meilleur ingénieur même si y votait contre le président de la compagnie au fédéral, au provincial, au municipal pis au scolaire. C'est ça les partis, mon p'tit garçon.

— Qu'est-ce que tu préconiserais ?

— Quoi ?

— Qu'est-ce que tu recommanderais pour changer la situation ?

— C'est ben simple notaire, on devrait élire le meilleur homme qu'y a dans le comté. Bleu, rouge, vert, caille, communisse, ç'a pas d'importance. À condition qu'une fois rendu à Québec, y travaille pour son comté au lieu de perdre son temps à gueuler contre le gars d'en face qui veut la même maudite affaire que lui : sortir la province du trou. Si tu trouves pas ça bête à pisser dans un parapluie, fais-toé soigner, baptême !

— Il y a du vrai là-dedans.

— Y a rien que du vrai. Au lieu de tirer toute la gang dans le même sens, y en a un qui hale à hue, l'autre à dia. Ça fait qu'au lieu d'avancer, on vire en rond comme de l'eau de remous. Si les grosses compagnies faisaient la même chose, ça serait la banqueroute.

Le notaire admit qu'il y avait du vrai dans l'énoncé de son ami, mais qu'il voyait mal comment l'exercice de la démocratie pourrait donner des résultats bénéfiques, et surtout, en assurer la durée, sans une opposition en alerte constante pour dénoncer les excès, les irrégularités, les combines, bref, tout ce qui pollue la politique.

— Penses-tu qu'y en a pas d'opposition dans les grosses compagnies ? Ça se bat comme des chiens en chaleur dans les grosses compagnies. Pas toujours, ben sûr, mais ça arrive. Seulement, ça se bat pas pour faire semblant comme en Chambre, ça se bat pour gagner son point, pour faire avancer la compagnie. Après, la majorité décide. Mais pas une majorité de p'tits gars qui ont peur de la férule de la maîtresse d'école. Trouves-tu ça normal, toé, que cinquante députés pensent parcil tout le temps, qu'y en ait jamais un qui pense comme l'opposition ou qui pense pour lui tout seul ? On n'est pas toujours du même avis nos deux, ça nous empêche-tu d'être les meilleurs amis du monde ? Non monsieur, cent députés qui pensent pis qu'y disent ce qu'y pensent, pis qui votent comme y pensent, ça ferait avancer la province pas mal plus vite qu'un parti au pouvoir pis l'autre qui y met des bâtons dans les roues.

— En théorie, ça peut se défendre, mais en pratique, je vois mal Duplessis se priver du plaisir de mettre le chef de l'opposition en boîte à la Chambre.

— Y pourrait le mettre en boîte la même maudite affaire si y avait pas d'opposition. Seulement, Godbout aurait tet ben la chance d'y prouver qu'y connaît l'agriculture mieux que lui, pis le convaincre, tandis qu'en Chambre y perd son temps pis y fait perdre son temps à la province. Because les partis, mon vieux.

— De toute façon…

— De toute façon, c'est pas ça qui règle ton problème. Pis faut le régler.

Prospère n'était pas homme à s'éterniser dans le développement de théories qui ne le menaient nulle part. Il s'était ébroué de la déception qui l'avait envahi à la vue de son ami malheureux, mais il ne perdait pas le nord pour autant. Et le nord, c'était le chemin qu'il lui restait à parcourir. Maintenant que son parti était au pouvoir, il avait l'intention d'en tirer tous les avantages possibles. S'il avait travaillé d'arrache-pied pour faire élire le notaire, c'était, bien entendu, à cause de l'amitié profonde qu'il avait pour lui, mais l'anonymat de son petit député n'arrangeait pas ses affaires. Au lieu d'avoir un lieutenant dans le fort, il se retrouvait avec une sentinelle qui en gardait seulement la porte et qui ne pouvait lui être d'aucune utilité. Pire, il ne pouvait que gêner ses mouvements comme un blessé ralentit la marche du peloton. Au moment où il choisirait de faire bouger les choses, il devrait passer par-dessus la tête du député, voir le ministre ou le Premier ministre seul et cela blesserait son ami. Il prendrait pour de la désinvolture, voire du mépris, ce qui ne serait que de la prudence. Mais oui, le traîner avec lui l'obligerait à changer sa stratégie, rendrait plus difficiles, sinon impossibles, certaines manœuvres, certaines approches. Comment un ministre pourrait-il accepter un pot-de-vin en présence d'un député à qui on prêche la vertu et à qui on a édicté que toute contribution faite au parti doit passer par le grand argentier, seul autorisé à délivrer un reçu officiel ? Cela est excellent pour la comptabilité, pour la réputation du parti, mais y a-t-il un homme d'affaires assez rétrograde pour ignorer qu'arroser à la fois le ministre et la caisse officielle est une opération plus rentable que d'ignorer le premier au profit de la seconde ? Oui, tout cela s'imbriquait mal dans les plans de Prospère. Mais, il n'avait pas le choix : *business first. Business as usual*, également. Il verrait les gens qu'il faudrait voir et, au besoin, sans son député. Le problème, c'était de lui expliquer, sans le meurtrir davantage, qu'il était plus susceptible de lui nuire que de l'aider… Tôt ou tard, il apprendrait la démarche. Un ministre en mal de publicité alerterait la presse, se ferait photographier en compagnie de l'homme d'affaires que son ministère viendrait de favoriser. Un autre serait trop heureux d'informer le petit député du service éminent rendu à son commettant. Une autre façon de lui montrer combien il y a loin de l'arrière-ban au salon des ministres !

Ruminant tout cela, Prospère en conclut que la seule façon d'assurer sa position et de ne pas vexer son ami, c'était d'en faire un ministre.

— Tu peux pas rester comme ça, François.

— Rester comment ?

— P'tit député. Te faut un ministère.

— Je ne demande pas mieux. Mais comment ?

— En allant voir Maurice.

— Je me vois mal relancer Duplessis.

— Maurice a rien qu'une parole, notaire. T'as rien qu'à y rappeler.

— Et me faire mettre à la porte ! Non, merci !

— Tu sais ben qu'y ferait pas ça.

— Qu'est-ce que tu en sais ? Il en a mis de bien plus importants que moi. Non, Prospère : je n'ai pas d'autre choix que d'attendre, et sagement.

— Veux-tu que j'aille y en parler, moé ?

— Surtout pas ! Ce serait me condamner à la médiocrité pour le reste de ma vie.

— Tu connais mal Maurice.

— Et je ne veux surtout pas le connaître et lui mettre le feu là où tu sais.

— Puisque j'te dis…

— N'insiste pas, Prospère. Le Chef n'aime pas qu'on lui force la main et ce n'est pas moi qui vais le faire. Je suis peut-être neuf en politique, mais j'ai au moins appris ça.

— Dans ce cas-là, qu'est-ce qu'on fait ?

— On attend. Le Chef n'a qu'une parole. Tu l'as dit. Il se souviendra bien de moi.

— Oua… la semaine des quatre jeudis, tet ben.

— En attendant…

— En attendant, mon Irish setter pourrait prendre ta place. On aurait rien qu'à y montrer à japper bleu quand vient le temps de voter.

— Je te remercie. C'est d'une délicatesse…

— C'est pas le temps de s'endimancher, François. Tu fais ce qu'y faut pour te faire nommer ministre, ou ben tu démissionnes. J'ai honte de toé, baptême ! J'sais ben que c'est pas de ta faute, mais te voir comme ça, j'ai honte pour toé. Tu vends pas de tickets toujours ? Dis-moé que tu vends pas de tickets.

— D'abord, on ne les vend pas, on les donne. Et je précise que on exclut la personne qui parle.

(Il mentait, trop humilié pour lui avouer que lorsque le député de Témiscouata s'absentait du bureau, c'est lui qui distribuait les laissez-passer. Un service qu'on leur avait demandé. Ils n'avaient pas osé refuser.)

— C'est au moins ça de pris, repartit Prospère, mais ça change rien à l'affaire. Tu peux pas rester dans ce maudit bureau-là. J'aurais honte de loger mon commis dans un maudit trou comme ça. C'est cheap, c'est sale, c'est triste comme la tombe. Faut que tu sortes de là. Au plus sacrant.

— Et qu'est-ce que tu veux que je fasse ?

— J'le sais pas, mais fais quèque chose, ou bedon, démissionne.

— J'y ai pensé.

— Dans ce cas-là, qu'est-ce que t'attends ? Ça serait l'occasion de dire pourquoi à Duplessis. Si y tient à te garder, y va faire ce qu'y faut.

— Je suis pauvre, Prospère, l'aurais-tu donc oublié ? Je gagne maintenant le double de ce que je gagnais au Val, sans compter que mes enfants sont externes au lieu d'être pensionnaires. Ils me coûtaient les yeux de la tête et ça va être pire quand ils seront à l'université. Pour la première fois de ma vie, et j'arrive à cinquante ans, je suis en mesure de mettre de l'argent de côté. Et tu voudrais que je renonce à ça ?

— J'voudrais que t'en fasses plus, c'est pas pareil pantoute.

— Moi aussi, mais démissionner serait une folie.

— Comme ça, tu te résignes à mourir trou de cul ?

— Non monsieur. Je veux être ministre, et je le serai.

— Comment ?

— Pour le moment je l'ignore, mais sois certain que je trouverai.

— Ben, trouve ! Trouve, mon vieux, parce que t'es pas faite pour donner des tickets pour assister aux débats. Tu vaux mieux que ça.

— C'est ce que je pense.

— Envoye, habille-toé, j't'emmène souper.

Chapitre 2

« C'est une erreur que de regarder trop loin
devant soi. Dans la chaîne du destin, on ne peut
s'occuper que d'un maillon à la fois. »

André Maurois

Prospère retourna à ses affaires, le notaire Bérubé à la monotonie de son bureau. Jusqu'à la fin de la session, il attendit un signe de Duplessis. En vain. À croire que le Premier ministre avait oublié jusqu'à l'existence de l'orateur qui lui avait donné un comté et qu'il avait pressé sur son cœur. Un moment d'égarement, peut-être ? Un enthousiasme mal contrôlé, sans doute. Dans le feu d'une campagne électorale, il est excusable de succomber à l'euphorie d'une assemblée survoltée. Maintenant dégrisé, le Chef donnait l'heure juste à son député. En Chambre, la première moitié de la session avait servi à souligner (très lourdement) les capitulations du parti libéral durant la guerre ; à ridiculiser ses politiques, mais à les reconduire assez nombreuses en les coiffant de titres différents. Après un léger maquillage, elles pouvaient, pour un œil crédule, passer pour des primeurs. C'est toujours ainsi, tant il est vrai qu'un gouvernement bleu et un gouvernement rouge se ressemblent comme deux corneilles de la même couvée et peinent à élaborer un programme différent de celui du prédécesseur.

Le 18 décembre, la Chambre ajourna ses travaux pour la période des Fêtes. Le soir même, monsieur le notaire et madame prirent le train pour Val-de-Grâces. Les enfants suivraient à la fin du trimestre. Le notaire était à ce point heureux de retourner dans son patelin qu'il se laissa aller à une folie. Il se paya une chambrette, un luxe qu'il n'avait jamais osé s'offrir. Madame détaillait encore son petit palace quand le porteur vint demander s'il devait préparer les deux lits. Le notaire traduisit et madame, rougissant un peu à l'idée de le faire dans un train lancé dans le mystère de la nuit, murmura qu'elle n'en voyait pas l'utilité. «I understood», répondit Leslie avant de basculer le premier lit de la cloison. Puis il sortit en souhaitant une bonne nuit à ses clients. Il avait encore le sourire un peu équivoque que l'évocation du sexe dessine toujours sur le visage d'un homme. Comme il aimait poivrer son service d'un soupçon de tape-à-l'œil, le lendemain à sept heures, il frappait à la porte en criant de sa voix de basse-taille :

— Mister deputy! Mister deputy! Breakfast is ready!

— We are coming! répondit le député.

— Is that so?! rétorqua le Noir, en éclatant de rire.

Saisissant le double sens, le notaire pouffa à son tour. Madame lui demanda comment ils avaient pu dire quelque chose d'aussi drôle en si peu de temps. «Je t'expliquerai…» Mais une femme curieuse ne capitule pas aussi facilement, surtout quand elle est légitime. Le notaire dut traduire, puis il ajouta :

— J'aurais dû me contenter de le remercier au lieu de lui dire que nous venions.

— Mais il n'y a rien de drôle là-dedans.

— Ma chère, *we are coming* peut, en sollicitant un peu le texte, vouloir dire *nous sommes en train de venir*. Tu saisis?

— Mais c'est un cochon, ce garçon-là !

— Je dirais plutôt un homme en santé doué d'un certain sens de l'humour.

— On sait bien, les hommes. Dès qu'il s'agit de la chose…

— Serions-nous seuls à être portés sur ladite chose, très chère ?

— Tu es pire que lui, tiens.

— À ce que je sache, tu ne t'en plaignais pas cette nuit…

— Viens déjeuner, ça va te changer les idées.

De fort bonne humeur, le député de Matapédia et madame son épouse passèrent au wagon-restaurant où, déjà, de nombreux voyageurs étaient attablés. Quelques personnes le reconnurent qui se firent un devoir de venir lui serrer la main et s'incliner devant madame. Sous ces compliments inédits, elle rayonnait. Son mari, moins. En fait, toute la joie qu'il avait eue de quitter la froideur de l'Hôtel du Parlement pour se retrouver enfin dans un milieu chaleureux, s'estompa devant les marques d'estime réservées au député, ou plutôt, à ce qu'il représentait. Au lieu de se réjouir comme il l'aurait dû, il mesurait plutôt le contraste entre l'indifférence qu'on lui accordait à Québec et le respect qu'il suscitait dans son comté. Et de conclure combien les gens s'illusionnaient sur l'importance de leur député. Qu'est-ce qu'il était en réalité ? Une estafette portant les messages, un fantassin marchant docilement au combat, une sentinelle surveillant le fort, pas un chef qui donne des ordres, siège à l'état-major et dresse les plans de campagne en compagnie du général. Si les gens savaient, ils cesseraient de se tenir au garde-à-vous devant le pauvre soldat qu'ils confondent naïvement avec un officier supérieur.

Mais on approchait de Val-de-Grâces et le train commençait à ralentir. Valises en mains, Leslie piétinait devant leur chambrette. C'est qu'il fallait traverser une dizaine de wagons pour arriver à celui qui évacuait les passagers. Le temps pressait.

— Yes ! Yes ! We are coming.

— Not again ! ? s'écria le porteur.

Rougissant comme les pivoines de monsieur le curé, madame notaire lui donna une tape sur la main.

— Vous ! Vous !

— Mister, you are a mischievous guy, plaisanta le notaire.

— Call me Leslie, please.

— O.K. Leslie, mais vous êtes quand même un très vicieux personnage.

Riant, le porteur partit avec les valises. Quand il arriva au dernier wagon, le train traversait le village. Les gens murmuraient sur le passage du trio, en se demandant qui pouvaient bien être ces personnages qui n'avaient même pas à toucher à leurs valises. Sans doute des riches. En tout cas, des personnages importants. L'air compassé de madame qui passait hautaine en regardant au-dessus des têtes assises le laissait supposer. Le train s'immobilisait en gare. Leslie sauta sur le quai et donna les valises à un taxi empressé. Le notaire remit deux dollars à Leslie. Difficile pour un député de faire moins. Noblesse oblige, même si le blason est un tantinet terni. Il n'en pensait pas moins que la mise en scène un peu voyante de Leslie était moins naïve qu'il n'y paraissait. Dans la dévotion mise au service de ses clients, il savait doser juste assez de théâtre pour forcer la générosité des pourboires. En tout cas, sa poignée de main était chaleureuse et sa révérence à madame tout à fait grand monde. Rougissant encore, madame lui dit :

— Vous me mettez à la gêne, vous !

Ne comprenant pas, Leslie lui dit :

— Don't be shy, madam, after all, you are married.

Le notaire traduisit. Elle répliqua :

— Après tout, c'est vrai. Nous l'avons fait dans le train.

— Et refait, coupa le notaire.

— Mais c'est toujours pas un péché. Je vois pas pourquoi je rougirais.

— Sorry, I must leave.

Le notaire n'eut pas le temps de traduire, le train repartait. Escaladant le marchepied, Leslie tonitrua :

— Merry Christmas, Mister deputy ! And a very happy New Year !

— Same to you, Leslie !

Madame envoyait la main vers les dents éclatantes qui illuminaient le visage d'ébène s'éloignant.

Les badauds adossés à la gare se gourmaient. Le député du comté était un gars du Val et il parlait anglais. Que demander de plus pour être bien représenté dans la capitale ?

❀

Une heure plus tard, tout le village savait que monsieur le député et madame étaient de retour pour les vacances des Fêtes.

— Ça adonne ben, commenta Désirée, j'ai justement affaire à lui.

— Qu'est-ce que tu peux ben y vouloir ?

— Ça, c'est pas de tes affaires !

— On sait ben…

Il savait, en effet, que toute insistance serait vue comme une indiscrétion. Il se contenta de bourrer sa pipe. *C'est ça, contente-toé de faire de la boucane. T'es à peu près plus rien que bon à ça.*

La naissance du Christ pouvait venir, Désirée resplendissait de tendresse et l'atmosphère était tout à fait propice aux festivités chrétiennes.

— C'est pas toute, ça, va falloir que j'invite ma p'tite sœur à réveillonner. C'est ben ça le pire.

— Ç'a l'air à te faire plaisir, c'est effrayant.

— C'est pas ça, mais la cuisine, moé…

— Comme a pas dû jeûner durant les Avents, fais-y la récette qui me fait maigrir à vue d'œil depuis un mois.

— C'est toute ce qu'a mériterait.

— Elle, tet ben, mais le vieux notaire…

— Y est pas question que je l'invite.

— Pourquoi ça ?

— D'abord, y est trop fancy pour nous autres.

— Mais non ! Mais non ! Y est pas frais pour deux cennes.

— Tet ben, mais y est pas question que j'encourage le vice.

— Le vieux notaire, vicieux, asteurre. C'est du nouveau, ça.

— Comment t'appelles ça, toé, un vieux cochon qui devrait penser à ses fins dernières, mais qui aime mieux être collé sus ma p'tite sœur comme une gale ?

— Crains pas, a partira pas pour la famille.

— Maudit innocent ! Tu pourrais pas te farmer la trappe au lieu de dire des niaiseries ?

— Depuis quand l'amour est une niaiserie ?

— Depuis toujours ! À part de ça, l'amour avec des maudits cochons comme vous autres, on sait comment ça finit.

— Dans la couchette, ma belle. Dans la couchette.

— Pis ça te fait rire, comme de raison.

— Ça devrait-tu me faire brailler ?

— Oui monsieur ! Si t'étais pas un catholique à gros grains, tu t'inquiéterais pour Clémence. Avec son infractus a peut péter au frette n'importe quand.

— Connaîtrais-tu une plus belle mort ?

— Pis l'enfer, tu y as pensé ?

— J'pense rien qu'à ça…

— Innocent heureux !

— J'sus tet ben un innocent heureux, mais j'peux te dire que si t'invites pas le notaire, ta p'tite sœur va rester chez eux.

— Ben, a restera ! Y est pas question que j'encourage le vice. Encourager le vice…

— C'est péché mortel, oui.

— Justement !

— Ça règle l'affaire.

— J'vas l'inviter pareil. Par politesse.

— C'est ça. De même t'auras rien à te reprocher.

— Tu m'enlèves les mots de la bouche.

— Qu'est-ce que je ferais pas pour toé, ma belle Désirée d'amour !

— Doux Seigneur Jésus. Qu'est-ce que j'vous ai donc faite, moé, pour m'avoir mariée à un pareil gréement…

— Tu m'aimais à perdre la tête, tu sais ben.

— À perdre la vue, oui ! Aveugle comme une patate renchaussée que j'étais. Envoye, viens te coucher, grand coq fendant.

— Si tu me promets que…

— Penses-y même pas !

La réplique ne tolérait aucune rébellion. Tancrède se contenta donc de secouer la cendre de sa pipe dans le poêle (« Mets pas de bois dans le poêle, c'est dangereux pour le feu, innocent ! ») et de rejoindre la sèche moitié agenouillée devant le crucifix qui trônait dans la chambre nuptiale. La fréquence des ébats que Désirée y distillait chichement à Tancrède n'autorisait pas souvent le Christ crucifié à se voiler la face.

— *Mystère douloureux, premier mystère : l'agonie de Jésus. Demandons la contrition de nos péchés.* On va dire c'te dizaine-là pour ma p'tite sœur. Pour qu'a s'ouvre enfin les yeux. Non mais, c'est vrai, y a toujours des limites à vivre dans le scandale. Qu'a le marisse son maudit notaire, ou ben qu'a le sacre à la porte avant de se ramasser en enfer.

— La miséricorde de Dieu est infinie, Désirée.

— Toé, j'te demande pas l'heure. Contente-toé de répondre. *Je crois en Dieu le Père tout puissant…*

Après avoir égrainé consciencieusement la première dizaine pour sa sœur Hortense, Désirée passa à ses parents défunts, puis aux pécheurs de la paroisse, c'est-à-dire les blasphémateurs, les voleurs, les ivrognes, les lâches, les fornicateurs, sans oublier les calomniateurs, les avaricieux, les hypocrites, les langues de vipère, en somme, à peu près tout le monde. Puis elle pria aux intentions des pauvres. Elle avait momentanément oublié les filles mères pour lesquelles elle avait toujours une pensée spéciale en énumérant les cinq mystères douloureux. Enfin, ne trouvant personne pour qui prier, elle ajouta la dernière dizaine pour sa sœur. Si, après un tel effort, la pécheresse persistait dans la débauche, c'est un exorciste qu'il faudrait pour lui sortir le vice du corps. Comme tous les soirs, elle termina par la prière pour une bonne mort et, fermant des livres qui balançaient à une indulgence plénière près, elle se glissa entre les draps. Puis elle ordonna à Tancrède d'éteindre, de rester de son bord de la crèche, de se tourner vers la porte : « Tu pues la pipe à plein nez », et surtout, de ne pas ronfler, parce que…

— T'as le sommeil léger, je sais ça.

— Si tu le sais, oublie-le pas !

Tout étant en ordre, elle s'endormit d'un sommeil aussi profond qu'elle le prétendait léger.

Pendant ce temps, le notaire Bérubé jouait au poker avec ses amis et les dames veillaient au salon. Yvonne n'arrivait pas à répondre à toutes les questions, à décrire comme elle trouvait la vie belle à Québec (pensez donc ! elle avait tous ses enfants à la maison, ce qui n'était pas arrivé depuis dix ans) et combien, sans vouloir vexer Aurélie, il y avait de beaux magasins pour dames dans la capitale. Dans les appartements du docteur, la partie était tout aussi animée et les questions aussi drues. Bien sûr, monsieur le député était heureux d'être de retour avec ses chers amis, mais sa joie n'était pas sans ombrage.

Même s'il essayait de montrer un bel enthousiasme, on aurait pu discerner que sa joie était un peu feinte. Prospère qui savait son état d'âme n'était pas dupe. Aussi s'efforçait-il de faire ricocher les sujets trop délicats vers les généralités. Mais il savait qu'il ne pourrait empêcher le moment où le député déçu viderait son sac. Il espérait seulement qu'il ne se confesserait pas immédiatement, ce qui gâcherait les retrouvailles et jurerait trop avec la joie tapageuse qu'on entendait depuis le salon. Heureusement, la soirée se passa bien. On luncha un peu avant minuit (la plupart communiaient à la grand-messe) et on continua la veillée jusqu'à 2 heures. Après avoir chanté *Le temps des cerises* que le docteur affectionnait tout particulièrement, Yvonne et François durent y aller du *Mortel baiser*, le préféré de tous. Requinqué par quelques verres, monsieur le député oublia son triste bureau de Québec pour le reste de la soirée. Comme il lui faisait bon se retrouver dans la chaude amitié des gens qu'il aimait !

— À nous voir tous ensemble, je regrette presque de ne pas être resté ici.

Prospère le regarda avec une telle supplication dans les yeux, que le notaire comprit le message.

— Pas de nostalgie, s'écria-t-il, la soirée est trop belle, l'amitié trop bonne. Soyons heureux, mes amis, et permettez-moi de le dire, cher docteur, merde aux Rouges.

Bon prince, le docteur leva son verre, mais précisa :

— Sachez tout de même, monsieur le député, que vous êtes en sursis, l'arbre sera jugé à ses fruits. J'espère seulement qu'ils seront aussi beaux que la promesse des fleurs.

— Pas de politique, clama Prospère. Envoye doc, chante-nous quèque chose.

Le vétérinaire s'exécuta de bonne grâce et chanta *Le credo du paysan*. Quand il eut fini, Prospère se tourna vers le député et lui dit :

— J'voudrais pas te faire de peine, notaire, mais y a pas un maudit ténor pour accoter une basse de même.

— Question de goût, reprit le vétérinaire.

— Non ! Non ! Non ! protesta Prospère. Une basse, y a rien que ça. Avoir une voix de même, moé, j'lâcherais la business, pis j'me ferais artisse.

— J'voés ça, ricana Aurélie. Avec les cheveux sus le dos, pis une guitare, tu serais aussi beau à voir que le soldat Lebrun.

— N'empêche que j'ai de la voix.

— Pour sacrer, oh oui !

— Quand y faut…

— Contente-toé donc de faire de l'argent, c'est encore ça que tu fais le mieux.

— T'as pas toujours dit ça, toé.

— J'te demande ben pardon !

— Va-tu falloir que j'te fasse un dessin. Pas plus tard qu'hier la nuitte…

— Ah ! Ça ?

— Oui ! Ça !

— Mettons.

— À part de ça, un homme peut rêver, non ? Chanter dans la chorale du Val, c'est ben beau, mais chanter en Europe, aux États, comme Raoul Jobin, tu penses pas que c'est un peu mieux ?

— Mesdames et messieurs, coupa le docteur, depuis le Metropolitan Opera, monsieur Prospère Rodrigue, la célèbre basse canadienne dans *L'Air de la calomnie*.

— C'est ça, c'est ça, riez de moé gang d'innocents. Essayez donc de vous sortir du trou quand tout le monde vous embarque sus le dos… Santé pareil, baptême !

Le lendemain aux prônes, monsieur le curé informa les fidèles que monsieur le député était au Val pour un mois et que son bureau serait ouvert dès le lendemain pour la durée de son séjour dans le comté. Sa première cliente fut Désirée. Elle n'avait pas affaire au notaire mais plutôt au député. Elle avait une revendication pressante, mais ne demandait rien pour elle-même. Invitée à préciser, elle informa le député que durant son absence, deux lettres pastorales de monseigneur l'archevêque avaient été lues en chaire aux messes du dimanche. La première dénonçait les journaux jaunes qui prennent plaisir à soulever le faisandé et à étaler le vice ainsi retourné à la vue de gens avides de sensations fortes et de situations réprouvées par la morale et par le bon goût. Les crimes les plus odieux, allant jusqu'à l'inceste et le meurtre, sont décrits avec complaisance par des journalistes en mal de sensationnalisme et faisant fi de la plus élémentaire décence pour dévoiler dans les détails les plus scabreux écarts de la dépravation humaine. Et comme si cela ne suffisait pas, le tout était explicité par des photos à donner la nausée et à susciter l'indignation des cœurs généreux. En conséquence, il fallait que ce commerce scandaleux cesse sur-le-champ. Un chrétien digne de ce nom n'achète pas de pareilles feuilles, ne serait-ce que pour envelopper ses déchets. C'est un péché grave que d'encourager de pareilles parutions et si vous croyez, mes très chers frères, que de telles souillures ne peuvent pas vous atteindre, pensez, avant de satisfaire à une curiosité malsaine, que ces torchons pourraient tomber et tomberont fatalement dans les mains de vos enfants. Rappelez-vous la terrible menace de l'Évangile : *Malheur à celui par qui le scandale arrive, car il eut mieux valu qu'on lui attachât une meule au cou et qu'on le plongeât au fond de la mer.*

Le député confirma qu'il était en tout point d'accord avec le mandement de l'évêque, mais qu'il ne voyait pas ce qu'il pouvait faire pour renforcer le décret. Faire saisir ces journaux indignes ? Fort bien, mais il faudrait d'abord faire passer une loi pour en interdire la publication, la circulation et l'achat. À partir de là, la police et les procureurs pourraient, en appliquant la loi, faire cesser ce trafic pernicieux. « Qu'est-ce que vous attendez d'abord ? » Le député précisa que c'était là une responsabilité qui incombait au procureur général, c'est-à-dire à monsieur Duplessis en personne et qu'il se voyait mal allant le voir pour lui dicter sa conduite. Par ailleurs, si madame voulait faire signer une pétition par des centaines, voire des milliers de chrétiens aussi dégoûtés qu'elle, le député se ferait un devoir de remettre le document à qui de droit.

— Vous avez votre homme, notaire, mais vous savez, moé, l'écriture, c'est pas mon fort.

— Vous avez votre sœur, une ancienne maîtresse d'école, une femme cultivée.

— A cultive d'autre chose par les temps qui courent… Non ! Faudrait que ça soye vous.

— Non ! Non ! Ce serait une très mauvaise stratégie. D'ailleurs, la plainte venant de l'évêque, il revient au clergé de la faire cheminer. Le curé a parlé en chaire, soit, mais est-ce que cela a empêché la vente de ces journaux ?

— Pas une miette.

— Vous voyez ! Il faut donc que monsieur Beaubien aille plus loin dans sa démarche.

— Fiez-vous sus moé, notaire, y va grouiller.

— Très bien. Autre chose ?

— Ben oui ! J'vous ai dit que j'venais pour deux affaires.

— Je vous écoute.

Désirée informa le député que la deuxième lettre pastorale, plus sévère s'il se peut que la première, dénonçait vertement la danse moderne, un passe-temps de païen, sur une musique de nègre dansée par des singes en contorsion. Le mal se répandait d'une extrémité de l'archidiocèse à l'autre et, avant qu'il ne devienne une pandémie, il fallait étêter l'hydre immonde. La guerre avait eu des conséquences graves. La défection de la campagne en faveur de la métropole, antre de tous les vices, terreau de toutes les corruptions, foyer de toutes les abdications, avait eu pour résultats que les ruraux, sans jusque-là, avaient malheureusement pris les mauvais plis des citadins. Ils avaient déserté la terre, la maison familiale, le clocher tutélaire et, même s'ils aiment toujours le village natal, on ne peut plus y offrir les salaires capables de les retenir. Cependant, ils reviennent visiter la famille et arrivent les valises pleines de mauvaises habitudes prises en ville. L'anonymat de la métropole autorise tout, ils ont tout osé. La pudeur, le bon goût, la modestie laissés la bride sur le cou, ont déserté nos saintes mœurs. Une première dévergondée a enfilé un pantalon d'homme, une seconde s'est mise à fumer, une troisième à négliger la messe du dimanche, une autre à fréquenter les bars, une autre encore à danser et c'est ainsi que le vice s'est propagé jusqu'à atteindre nos campagnes les plus reculées. Voilà ce qui se produit quand on fait bon marché des dures exigences de la vertu. Il faut être prêtre, il faut être confesseur pour comprendre la détresse des mères et la folie des filles. Ces pauvres mères dont l'autorité est bafouée et qui passent des nuits blanches à craindre le pire pour leurs filles inconscientes. Et il arrive, le pire. Nous ne le savons que trop. Les filles mères se multiplient au rythme de la prolifération des salles de danse où la luxure chemine avec l'ivrognerie, où l'automobile devient une alcôve, le chalet un lupanar et les salles de cinéma des maisons de passe. Nous ne serions plus dignes de dispenser les sacrements, mes chers frères, si nous laissions se détériorer davantage une situation devenue critique. En conséquence de quoi, toutes les danses, dites américaines, seront dorénavant interdites sous peine de péché mortel dont l'absolution sera réservée à votre évêque.

— Son Excellence va avoir beaucoup d'ouvrage, ne put s'empêcher de remarquer le député.

— Never mind ! répliqua la bigote. Quand c'est le temps de fesser, faut fesser.

—Monseigneur frappe en effet très fort, mais en quoi cela me concerne-t-il ?

— Êtes-vous au courant qu'y a un trou qui a ouvert l'autre bord du lac ? Un gars de Matane qui est venu ouvrir ça icitte.

— Non, je l'ignorais.

— Ben, là, vous le savez.

— Puis ?

— Pis ? Mais faut le faire farmer ! Ça swing là-dedans jusqu'aux p'tites heures du matin. Ça se soûle comme des cochons. Ça se bat comme des chiens pis, ben entendu, ça danse, rentrés un dans l'autre comme des œufs dans une omelette. Faut que ça cesse !

— Ma pauvre dame, tant que les hôtels ne seront pas déclarés illégaux, je ne peux rien faire. Le voudrais-je que je n'en aurais pas le droit.

— Comme ça, vous êtes en faveur du vice ?

— Mais pas du tout ! Croyez-vous que je voudrais voir mes enfants fréquenter un pareil lieu ? Si tant est que la description que vous m'en faites soit exacte.

— Traitez-moé donc de menteuse tant qu'à y être.

— Allons ! Allons ! Ne me faites pas dire ce que je n'ai pas dit.

— Ben faites quèque chose. On vous a élu pour ça.

— Je vous répète que je dois m'en tenir à la légalité.

— C'est ça ! Pis la paroisse va virer en bordel.

— Nous ne le souhaitons ni un ni l'autre. Voilà pourquoi il faut envisager les meilleurs moyens de faire cesser le scandale.

— Une autre pétition ?

— Ce serait un moyen, en effet, mais je crois qu'ici encore, le curé est beaucoup mieux placé que moi pour intervenir.

— On sait ben. Le gouvernement vend des permis, y est propriétaire de la Commission des Liqueurs, pis y empoche les taxes sus la boisson qui prive les enfants de manger pis de livres d'école.

— Je vous répète que le curé peut faire cesser ce commerce infiniment plus vite que moi. Si vos renseignements sont exacts et je ne doute pas qu'ils le soient, cet hôtel ne doit pas se gêner pour détourner la loi.

— Mon doux Seigneur Jésus! Ça boit là-dedans jour et nuitte, semaine et dimanche. C'est ben juste si y ont farmé pour le Vendredi Saint.

— Alors…

— C'est corrèque, m'as en parler à monsieur Beaubien, mais y aurait intérêt à se grouiller le cul.

— Désirée! Monsieur le curé!

— Laissez faire. Y est trop bon. Toujours prêt à passer l'éponge.

— Pas quand le salut de ses fidèles est en jeu, voyons!

— Mettons…

— Voyez-le. D'ailleurs je vais lui en parler moi-même. Il n'y a qu'à dénoncer les infractions à qui de droit.

— Jusqu'à temps de mettre ce trimpe-là en faillite. Après, y sera ben obligé de sacrer le camp d'icitte. C'est ça qu'y faut faire.

Satisfaite, la vieille rabat-joie prit congé. Un autre client attendait. Il avait affaire au notaire. Voilà le rôle que le député préférait. Du moins pour le moment…

⊛

Les affaires avaient en effet repris et l'économie s'était mise à tourner rond. L'exode rural avait rendu la main-d'œuvre plus rare. Pour se l'attacher, on avait dû augmenter les salaires. À la fin de la guerre, la construction résidentielle, qui avait pratiquement cessé au début des années 30, avait repris. Enfin, les gens qui s'étaient privés pendant deux décennies étaient pris d'un besoin irrésistible de dépenser, de changer d'ameublement, de suivre la mode, d'avoir une radio, même une automobile. L'électricité, qui commençait à pénétrer les campagnes, multipliait les besoins, les filles qui avaient travaillé dans les usines de guerre n'acceptaient plus les salaires de famine qu'on leur imposait avant la guerre, bref : les affaires étaient en plein essor. Au point que, tout à la joie de rédiger des contrats, le notaire en était arrivé à se demander s'il n'aurait pas dû rester au Val à grossir son étude. Il admettait que ses nouveaux clients, désireux de voir revenir l'ascenseur, seraient peut-être allés ailleurs, mais cela restait à prouver. Sans trop s'en rendre compte, le notaire cherchait les raisons qui le justifieraient de donner sa démission. Voilà combien il lui pesait de retourner dans la capitale. Comme il devait partir le lundi, madame docteur avait invité les dames à la soirée d'adieu. Comme on ne reverrait pas les Bérubé avant les vacances de Pâques, elle avait tenu à souligner le départ de ses amis. Le notaire était triste à l'idée de quitter sa maison, son étude, ses livres, mais il se ferait violence pour ne pas trop le faire voir. Cependant, si quelqu'un abordait le sujet, il ne se défilerait surtout pas. Il dirait toute la vérité sans cacher la déception qu'il éprouvait de se sentir complètement inutile à Québec. Si ses amis en convenaient, il aviserait en conséquence.

⊛

Le docteur avait bien voté pour l'Union nationale, mais il lui en était resté un arrière-goût mêlé d'amertume et d'incertitude. Il en avait toujours l'âme brouillée comme le foie d'un noceur le lendemain d'une cuite. En résumé, il n'était pas certain de ne pas avoir trahi. Même si la fin du règne de Taschereau avait été décevante, ce n'était peut-être pas une raison de douter des capacités de Godbout à redresser le grand parti. Durant la guerre, il avait sans doute manqué de fermeté avec le Parti libéral du Canada, mais on ne pouvait rien lui reprocher d'autre. Sa conduite avait toujours été irréprochable et peut-être méritait-il une deuxième chance… Pour justifier sa conduite, pour se prouver qu'il avait fait le bon choix, le docteur avait l'intention de presser le notaire, de le confesser un peu. Il aborda donc le sujet en demandant au député ce qu'il pensait du programme que l'Union nationale avait dévoilé à la lecture du trône. S'en était-on tenu à des énoncés analgésiques destinés à engourdir le bon peuple, ou à un programme capable de lancer la province sur la voie de la réussite ? Après de si beaux énoncés de principe, qu'en était-il de la réalité ? Il précisa enfin qu'il ne voulait pas l'opinion d'un député partisan, mais celle d'un honnête homme.

— En douteriez-vous, docteur ?

— Si j'en doutais, je ne vous aurais même pas posé la question.

— Alors, pourquoi la poser ?

— Parce que, si cela va sans dire, cela ira peut-être encore mieux en le disant.

— D'accord ! Voyons cela.

D'entrée de jeu, le notaire émit les réserves qui s'imposaient sur l'insistance de Duplessis à rappeler au chef de l'opposition les abandons dont il s'était rendu coupable face à Ottawa. Il déplora également la multiplication des calembours et des facéties qu'il servait à l'opposition.

— On ne le changera pas, commenta le docteur.

— Dommage, parce qu'à part amuser la galerie, ces brimades ne font pas du tout avancer le débat.

Cependant, mises à part ces lourdeurs avec lesquelles il avait ironisé sur la politique des Libéraux, le programme de Duplessis était solide. À commencer par le crédit agricole.

Avant la dernière guerre, le gouvernement fédéral avait confié au docteur Tory, président de l'Université d'Alberta, le mandat de dresser un plan pour venir en aide aux agriculteurs canadiens. Le plan était bon pour les fermiers de l'Ouest, propriétaires de grandes superficies, mais pas pour les agriculteurs du Québec dont les terres sont morcelées à l'extrême. Il est facile pour les ranchers de l'Ouest d'établir les titres de terres récemment acquises, mais il en va autrement au Québec où les titres, quand ils existent, remontent parfois jusqu'à dix générations. Très souvent, le bien a été transmis de père en fils sans actes notariés. Or, sans titres clairs, pas de prêts possibles. Enfin, le taux d'intérêt fixé par le fédéral à 6,5 pour cent est peut-être admissible dans l'Ouest, mais ici, il est prohibitif. Pour ces excellentes raisons, l'Union catholique des cultivateurs a réclamé pendant vingt ans l'établissement d'un crédit agricole ajusté aux besoins et aux capacités des agriculteurs québécois, mais Taschereau et Godbout ont toujours refusé. Pour compliquer encore la situation, l'U.C.C. s'est donnée le Comptoir coopératif pour écouler ses produits. C'était entrer en conflit avec la Coopérative Fédérée, créature du ministre Joseph-Édouard Caron. La guerre a ainsi duré quinze ans entre la Coopérative et le Comptoir, entre le ministre et l'U.C.C. Pour ajouter à l'acrimonie et à la confusion, chacune des armées avait son journal : *La Terre de chez nous*, organe du gouvernement, *Le Bulletin des agriculteurs*, celui de l'Union catholique des cultivateurs. Au lieu de faire front commun pour la défense de leurs intérêts, les agriculteurs québécois se desservaient ainsi mutuellement. Ce qui, bien entendu, excusait l'immobilisme du gouvernement Taschereau. Un gouvernement peu porté à seconder les politiques de Caron, même s'il était un homme compétent entièrement voué à son ministère et au bien des fermiers québécois, mais incapable de composer avec Noé Ponton et son groupe. Excellent exemple de beaux talents gaspillés à cause de conflits de personnalité. En 1936, Bona Dussault, nouveau titulaire dans le cabinet Duplessis, vit que le salut de l'agriculture québécoise dépendait de la réconciliation de ses chefs de file. Il réunit Abel Marion, président en titre de l'U.C.C., et J.N. Bérard, président de la Fédérée, et réussit à leur faire fumer le calumet de la paix le 26 avril 1938. *La Terre de chez nous* devenait l'organe officiel de tous les agriculteurs québécois, mais s'engageait à réserver une place à la Coopérative fédérée dans ses pages. La crise était enfin désamorcée. Malheureusement, le temps allait manquer pour exploiter la paix.

Avant même cette étape franchie, Duplessis demandait au notaire Eugène Poirier, à Édouard Asselin et à Wilfrid Guérin de préparer un texte de loi en coopération avec Laurent Barré, Aldéric Lalonde, Albert Rioux, anciens présidents de l'U.C.C., et Abel Marion, président en office. De cette coopération naquit le Crédit agricole québécois. Dans les grandes lignes, l'Office pouvait prêter jusqu'à 75 pour cent de la valeur de la ferme à un taux de 2,5 pour cent et trente ans pour rembourser. On mit la machine en marche dès 1937, mais la défaite de 1939 arrêta tout.

— À cause de la guerre, précisa le docteur.

— Je vous le concède, répondit le notaire, mais elle n'en arrêta pas moins. Voilà pourquoi nous la remettons en marche.

— Je n'y vois pas d'objection.

— J'pense ben, s'écria Prospère, c'est des bénéfices pour les Caisses, pour les banques, pour les marchands, pour tout le monde.

Le vétérinaire, qui connaît tous les cultivateurs du comté, conclut qu'il n'a entendu dire que du bien du Crédit agricole.

— On verra bien à l'usage, mais ne carillonnez pas trop vite, prévient le docteur. C'est au moment du remboursement qu'on verra si le gouvernement ne prête pas à fonds perdus.

— C'était l'argument de Taschereau pour refuser de créer le Crédit, précise le notaire.

— Taschereau était un vieux renard, réplique le docteur.

— On n'a pas encore réussi à le déteindre, cet animal-là.

— J'ai voté bleu, Prospère.

— Oua, mais le cœur y était pas.

— Faut pas trop m'en demander, tout de même.

— Docteur, coupa le notaire, je fais affaire depuis vingt ans avec les cultivateurs. Je prétends donc les connaître mieux que monsieur Taschereau.

— Oua, y doit pas voir ben ben des habitants dans son bureau de Québec.

— Exactement, affirma le notaire, et je peux dire à monsieur Taschereau que les cultivateurs québécois sont plus honnêtes qu'il pense.

— Ah pour ça… ils paient parfois en bois de chauffage, mais ils paient, concède le docteur. Quoi d'autre au programme ?

Pour compléter le programme agricole, l'Union nationale ajoutera le crédit à l'établissement, mesure destinée aux jeunes agriculteurs désireux d'acheter une terre ; elle entreprendra un vaste programme de drainage grâce auquel des dizaines de milliers d'acres présentement inutiles seront rendues à la culture.

Coupant, le docteur ironisa :

— Vous n'êtes pas en campagne électorale, notaire. Épargnez-moi le pathos, s'il vous plaît.

— Je cite seulement les faits, mon cher.

— Alors, tant qu'ils ne seront pas concrétisés, citez-les au conditionnel.

— J'ajoute, et ne vous en déplaise, à l'impératif, l'électrification rurale, lancée au cours du premier mandat de monsieur Duplessis et abandonnée par monsieur Godbout (oui, je sais ! la guerre…), nous allons multiplier, je dis bien multiplier, les écoles d'agriculture, les facultés de médecine vétérinaire, mais bon dieu docteur ! vous devez voir tout ça dans les journaux, à moins que les journaux rouges n'en parlent pas.

— Ils en parlent, mais je me suis toujours méfié des journalistes de la Colline parlementaire. Surtout depuis que Duplessis a repris le pouvoir.

— Pour quelle raison, je vous prie ?

— Parce que le Chef manie trop bien le bâton après avoir montré la carotte.

— C'est pourquoi, je voulais l'entendre d'un homme situé au cœur de l'action.

— Eh bien, vous êtes servi.

— Pour être servi, tu l'as servi all right, ricana Prospère.

— Je suis bien servi en effet, c'est un programme remarquable.

— Dis-moé pas qu'y va l'avouer !

— Je ne suis pas aussi fanatique que tu pourrais le croire.

— Non, mais t'as encore des grosses tendances, hein ?

— Je le répète, Prospère, je jugerai l'Union nationale sur ses actes, pas sur ses discours.

— Dans ce cas-là, tiens-toé ben, ça va faire des flammèches, c'est moé qui te le dis !

— Alors, notaire, vous devez être un homme comblé.

— Pas du tout !

— Je ne comprends pas.

— Moi, non plus.

— Ça y est, hen notaire ?

—Oui, Prospère, ça y est. Ça fait un mois que je me retiens, mais ce soir, tu ne m'empêcheras pas de vider l'abcès. Après tout, c'est vous qui m'avez poussé dans cette aventure. Vous en étiez rendus à vous quereller à propos du ministère que je n'aurais qu'à choisir. Eh bien, depuis trois mois que je siège à Québec, Duplessis ne m'a pas adressé la parole une seule fois. Je pourrais lui signer une procuration pour voter à ma place et rester ici que ça ne changerait strictement rien, parce que tout ce que je suis, c'est une machine à voter. Une machine qui n'a même pas le droit de penser... Normal pour une machine, une machine programmée par le whip et qui n'a droit à aucune erreur. Je suis notaire après tout, je connais les cultivateurs, je sais leurs besoins, il me semble que j'aurais pu être un peu utile à la préparation des projets de loi sur le crédit agricole, sur l'électrification rurale. On ne m'a même pas demandé mon avis. Qu'est-ce que je suis à Québec ? Un pauvre handicapé, sourd, muet, paraplégique.

Alors, je vous le demande mes amis, qu'est-ce que je fais dans cette galère ? Et ne devrais-je pas, ainsi que Prospère me l'a suggéré, démissionner après avoir dit ma façon de penser et la façon dont je conçois le rôle d'un député et d'un rural à Duplessis ?

— Tu lui as conseillé ça ? demanda le vétérinaire.

— Si tu l'avais vu comme je l'ai vu…

Et Prospère raconta longuement la surprise, puis l'écœurement que sa visite au 308 avait provoqués. Il décrivit la nudité et le délabrement du bureau, se scandalisa de l'incongruité imposée à deux députés de s'entendre pousser les cheveux à quelques pieds l'un de l'autre. Pour terminer sa lamentation, Prospère informa ses amis qu'on faisait distribuer les laissez-passer pour assister aux séances de la Chambre à des élus du peuple. Stupéfaits, le médecin et le vétérinaire regardèrent le notaire. Au bord des larmes, il opina de la tête et conclut qu'avant de perdre complètement sa dignité, il avait envie de tout envoyer promener. « Mes amis, j'attends votre avis avant de prendre ma décision. » Un long silence suivit, puis le docteur alluma un cigare, se leva et, arpentant le studio, commença par exprimer la surprise que les révélations du notaire lui causaient. Ayant toujours traité avec les ministres à titre de maire, il ne pouvait pas savoir la modestie du rôle réservé à un élu du peuple qui n'a pas le privilège de siéger au Conseil des ministres, mais il affirma qu'une démission serait lâche et pire, inutile. Il n'avait toujours pas changé d'avis, François Bérubé avait l'étoffe d'un ministre, et si Duplessis l'avait oublié, c'est qu'il était aveugle, ou qu'il manquait de parole. Après tout, il avait bien laissé entendre qu'un ministère était probable ?

— Sans l'ombre d'un doute ! affirma le notaire.

— On démissionne, clama Prospère.

— Je t'en prie, laisse-moi terminer. Eh bien notaire, vous n'avez qu'un choix : forcer Duplessis à respecter son engagement.

— Je veux bien, mais comment ?

— C'est votre affaire. Vous avez raison d'être déçu, mais si vous vous laissez abattre aussi facilement, ce sera la marque que vous ne méritez pas d'être ministre.

— Ouo, toé là ! Ouo, les moteurs.

— Prospère, je t'ai demandé de me laisser finir. Tu diras tout ce que tu voudras après. En attendant…

— J'me farme.

— Merci ! Après tout notaire, qu'est-ce que vous avez fait pour mériter un ministère ? Un discours qui a plu à Duplessis et qu'il vous a demandé de répéter dans une dizaine de comtés ? C'est mince. En réalité, c'est trop mince pour en attendre une consécration spontanée. Soit, nous nous sommes emballés. Dans notre enthousiasme, nous vous avons vu ministre. Mais c'est un mirage que nous avons contemplé, pas la réalité. Il y a dans le parti une quinzaine de vieux politiciens blanchis sous le harnais qui ont enduré quinze, vingt ans d'opposition. Et vous voudriez qu'ils cèdent leur place ? En politique, mon cher, ça ne marche pas comme ça. D'ailleurs, ça ne marche nulle part comme ça. Personne ne se tasse aussi facilement pour laisser passer les ambitieux. Il faut se battre, notaire ! Alors, battez-vous. Et gagnez votre ministère. Sinon, vous n'êtes pas l'homme que je pensais. Et croyez-moi, si vous ne l'êtes pas, vous baisserez beaucoup dans mon estime. Voilà.

— Tu parles ben en baptême, docteur. Tu m'as convaincu.

— Et toi, quelle est ton opinion ?

— Je suis de l'avis du docteur, répondit le vétérinaire.
Si tu t'attends à ce que Duplessis t'offre un ministère sur
un plateau d'argent, tu risques de passer ta vie simple
député.

— T'as pas le choix, conclut Prospère, reviens cet été
avec un ministère.

Chapitre 3

« La valeur personnelle, le talent, sont des chances
nécessaires, mais jamais absolument suffisantes.
Il faut toujours à l'homme pour s'élever parmi
ses semblables, une petite chance supplémentaire. »

Maurice Druon

À la fin de janvier, le notaire Bérubé laissa son étude
pour retourner dans la capitale où les travaux allaient
reprendre. S'il en avait eu le choix, il aurait volontiers prolongé ses vacances tellement la session à venir lui pesait,
mais le Chef ne tolérait aucune absence injustifiée. Il attendait de chacun de ses élus une conduite exemplaire et
partant, assiduité et ponctualité aux travaux de la Chambre
qui, après tout, ne duraient que trois ou quatre mois. Il
allait lui-même jusqu'à écourter une audience, reconduire
un quémandeur jusqu'à la sortie, bousculer un peu un
solliciteur qui ne savait pas prendre congé, pour être présent à tous les débats, et imposait la même discipline à ses
députés. Voter selon les directives que l'Ultime confiait à
son whip, c'était écrire l'Histoire. On ne se dérobe pas à un
pareil privilège. Par ailleurs, il importait pour la vision
que le peuple se faisait de son gouvernement, que la par-
ticipation au vote fût entière afin de bien témoigner de
l'intérêt que la députation portait à la chose publique. Le
mandat qu'on venait de confier à l'Union nationale avait
d'ailleurs été à ce point contesté que Duplessis ne souffrait aucune absence. Un laisser-aller qui se serait le moin-
drement généralisé pouvait mettre le gouvernement en

minorité. Il ne fallait à aucun prix donner une pareille chance à un parti avide de reprendre le pouvoir et qui s'y raccrocherait comme un naufragé à un bout de bille de bois.

La rigueur ne devra pas pour autant se relâcher aux jours où Duplessis jouira d'une majorité insolente. Un vote qui écrasera alors l'opposition sera la preuve que la députation reste sur la brèche et que, par voie de conséquence, la province entière appuie la direction que le grand Timonier donne à la barque de l'État. Le whip avait donc pour mission de secouer les indifférents qui musaient au café du Parlement ou fumaient dans les corridors plutôt que de suivre les débats. Quant à ceux qui avaient besoin de l'aiguillon du pion de service pour accomplir leur devoir, ils pouvaient faire le deuil définitif de tout avancement. Le Maître les avait à l'œil et il avait la vue pénétrante. Aussi, François se faisait-il un devoir de se dépêcher vers la Chambre dès que la cloche appelait les élus. Ainsi, Duplessis, qui était à peu près toujours le premier arrivé, ne pourrait ignorer son assiduité. Pour faire bonne mesure, François feignait de prendre des notes. En somme, un élève exemplaire espérant être décoré un jour par le maître bienveillant. Le conseil que Prospère lui avait donné de revenir ministre au Val était donc superflu, le petit député étant aussi dégoûté que lui de n'être qu'une machine à voter et de ne prendre aucune part à l'élaboration et à l'exécution des politiques du parti. En attendant le jour béni où il prêterait le serment d'office, il cherchait comment se signaler à l'attention du Dispensateur de toutes les grâces parlementaires. Il ne pouvait croire que les promesses qu'il lui avait faites n'étaient qu'un leurre. Le Premier avait une mémoire trop fidèle pour oublier sa parole. Il était trop intelligent pour ignorer les talents anxieux de participer avec lui à la grande œuvre. Il était trop magnanime pour ne pas aimer les cœurs généreux et les ignorer.

Pendant ce temps, le premier lundi de février ramenait le Conseil municipal du Val à sa réunion mensuelle. Le bruit d'une séance de la plus haute importance pour les payeurs de taxe avait en effet cheminé avant même de courir d'un bout à l'autre du village. Désirée, on s'en serait douté, faisait le pied de grue quinze minutes avant l'ouverture de la salle. Elle voulait être aux premières loges pour assister à un des rares moments historiques de la municipalité. À l'automne précédent, son Tancrède ne s'était pas représenté aux élections municipales. Il en avait assez des saillies que Désirée lui assenait chaque fois qu'il ouvrait la bouche. Il en avait plein le dos de faire les frais de la gaieté de la moitié du village. Avant de perdre le contrôle de ses nerfs et d'étouffer sa harpie sur la place publique, il avait préféré s'abstenir. Non sans tiraillements, toutefois, parce que le rôle de conseiller l'avait toujours grisé un peu. Être un des sept élus parmi quelques milliers de concitoyens était une satisfaction très douce au cœur d'un homme qui écrivait au son. Être partie prenante de décisions intéressant toute une population, n'était pas une mince consolation pour un homme qui ne décidait rien dans sa propre maison. Mais le prix à payer pour siéger à l'aréopage du village était décidément trop élevé.

Maudite bonne femme exécrable qui le poursuivait jusque dans les repaires réservés aux hommes. Godbout ne pouvait imaginer où sa mansuétude à l'endroit des bigoudis mènerait l'électorat. Autrement, un homme de son intelligence aurait laissé les cuisinières à leurs chaudrons au moins un autre siècle. Quant aux réunions auxquelles il avait été assidu pendant quarante ans, Tancrède préférait les ignorer maintenant. Assister au spectacle trivial que sa moitié donnait à chaque séance du Conseil le mettait trop mal à son aise. Son absence devait prouver au reste de la population que lui, au moins, gardait tout son bon sens.

Occupé à la construction de sa nouvelle usine de sciage, René Marchand avait, pour sa part, décliné l'offre que le maire lui avait faite de faire équipe avec lui une fois encore et, pour calmer la déception du gros docteur, il lui avait promis de revenir sur les rangs à la prochaine occasion. Le gérant de la Caisse populaire, qui avait autrefois été secrétaire-trésorier municipal, avait accepté de remplacer le député Bérubé, le temps de trouver un permanent. Le Conseil comptait donc trois figures nouvelles et l'arrivée de ces intrus n'était pas sans inquiéter monsieur le maire qui, pendant douze ans, n'avait eu que des alliés à la table du Conseil. C'est que les nouveaux élus qu'on n'a pas recrutés soi-même s'amènent généralement pour contester l'équipe en place avant de la chasser hors des lieux. D'où les séances acrimonieuses, la critique gratuite, la formation de clans, la circulation de bruits discordants, la perte de temps et d'énergie, autant d'irritants qui retardent le progrès et rendent désagréable une tâche autrement passionnante. Heureusement, le vétérinaire Hamel, Prospère, Sam Métivier et John Talbot étaient toujours là, de sorte que monsieur le maire était assuré de la majorité.

À condition, bien entendu, d'avoir mis les violons de ses fidèles au diapason avant d'affronter le public.

Cette fois, l'enjeu était de taille. Il s'agissait maintenant de construire une nouvelle salle municipale et d'engager un secrétaire permanent. Le départ du notaire Bérubé ne laissait pas d'autre choix. Le gérant de la Caisse avait bien voulu le remplacer pour les séances mensuelles, mais il n'avait pas le temps de faire la comptabilité, de collecter les taxes, d'envoyer les reçus, de rédiger les avis d'assemblée, les agendas, les procès-verbaux, d'expédier la correspondance, de dresser les papiers nécessaires à l'obtention des subventions, etc. Par l'habitude qu'il avait des dossiers, des programmes et des lois, de par sa qualité d'homme de robe, monsieur le notaire en était arrivé à les connaître et à posséder le Code municipal à la perfection. À telle enseigne qu'à travers sa besogne coutumière, il expédiait le travail de son office à la municipalité sans presque s'en rendre compte. Les gens peu versés dans ce genre d'affaires s'imaginaient que son travail se résumait à préparer les séances et que de ce fait, il jouissait plutôt d'une sinécure qu'il était astreint à un travail contraignant. Pour celui qui n'a pas l'habitude de ces charges, c'est cependant une toute autre histoire et monsieur le maire, habitué depuis de nombreuses années de faire équipe avec son ami intime, le regrettera longtemps. Faute d'une personne d'expérience, on projetait d'engager une veuve qui avait été maîtresse d'école avant son mariage. Elle avait toutes les qualités souhaitables, sauf l'expérience. Il faudra lui laisser le temps de l'acquérir.

Par ailleurs, monsieur le notaire avait son bureau, sa salle d'attente, son téléphone, son dactylographe. La remplaçante n'avait rien de tout cela. Elle habitait une petite maison dont le rez-de-chaussée était occupé par une cuisine, la chambre à coucher des maîtres et un salon qu'on ouvrait pour les Fêtes et la visite du curé. L'étage était réservé aux chambres des enfants. Le tout faisait à peine trente pieds par vingt. Il était donc impossible d'y aménager un bureau et une salle d'attente, d'y ménager l'intimité nécessaire à la confidentialité des échanges. Enfin, il fallait bien que les enfants fussent chez eux dans leur propre maison. On pouvait bien les pousser dehors par beau temps, mais l'hiver et les jours de pluie, il fallait bien les mettre quelque part. En résumé, on devait voir ailleurs. Or ailleurs, il n'y avait rien. Il fallait donc construire un local adéquat pour loger le secrétaire et réunir le Conseil. La salle dont on s'était contenté jusque-là était au mieux un pis-aller. Le premier étage était occupé par la caserne des pompiers, ce qui ne pouvait être changé, et le Conseil siégeait au deuxième, ce qui était déjà un inconvénient désagréable. De plus, la pièce servait de salle de classe durant le jour. À chaque réunion, il fallait déplacer les meubles, les remettre en place après la séance, bref, comme le précisait Prospère, c'était « une organisation de broche à foin » indigne d'une municipalité qui se respecte.

Comme bien on pense, Désirée s'était installée au tout premier rang et, chapeau noir enfoncé sur la tête, elle chassait d'une main gantée la fumée des pipes de quelques rentiers qui considéraient faire preuve de tout le civisme exigé en ne crachant pas à terre dans un lieu public. Que Désirée maudisse le tabac canayen, et elle ne s'en privait surtout pas, aurait plutôt incité les pipeux à recharger avant même que leur brûlot eût refroidi une minute. À 8 heures précises, monsieur le maire, qui était la ponctualité même, asséna un coup de maillet sur son pupitre et réclama le silence. Il se fit à l'instant parce qu'on avait hâte de voir si la rumeur, qui annonçait des dépenses somptuaires et des augmentations de taxes équivalentes, était fondée. Après la prière d'usage et la lecture du compte-rendu de l'assemblée de janvier, le secrétaire demanda un proposeur, puis un secondeur, et passa au premier item de l'agenda. On expédia rapidement les affaires courantes pour en arriver à la pièce de résistance. Après les attendus d'usage, le secrétaire annonça la construction d'un bureau municipal et l'engagement d'un secrétaire-trésorier.

— Si je l'entendrais pas de mes deux oreilles, j'le crairais pas, s'écria Désirée.

Un coup de maillet retentit sur le bureau et le maire apostropha l'intruse en précisant qu'il ne tolérerait aucune interruption tant qu'il n'aurait pas fini d'exposer les faits. Alors, il donnera la parole à ceux qui auront des commentaires à faire. Et cela s'adresse non seulement à madame Labbé, mais à tout le monde.

— Mon Dieu Seigneur ! s'exclama Désirée, c'est pas nécessaire de monter dans les rideaux. Y a rien qu'à le demander !

— Je peux continuer ?

— Beau dommage, docteur ! Vous savez ben que j'peux rien vous refuser.

— Merci !

Faisant cesser les rires d'un geste, le maire continua d'exposer la situation. En résumé, l'absence forcée du notaire Bérubé et le manque de disponibilité de monsieur Poitras l'empêchant de remplir adéquatement la charge, obligent la municipalité à engager un remplaçant. Et puisque le bureau du notaire, occupé par son clerc, n'est plus disponible, il faut un local pour le secrétaire.

— Si le Conseil est en faveur, nous engagerons madame Émile Beaulieu.

— Enfin, une femme ! approuva hautement Désirée. S'cusez, monsieur le maire, ça m'a échappé.

— Que ça vous échappe une fois encore, une seule, et je vous chasse de la salle. C'est bien compris ?

— Mon doux Seigneur Jésus ! Vous êtes donc ben marabout vous à soir. Qu'est-ce qui vous prend ?

— Silence dans la salle, tonne le maire.

Et se tournant vers Désirée :

— Il me prend que j'ai deux malades à voir aussitôt la séance terminée. En conséquence, je n'ai pas de temps à perdre avec vos commentaires intempestifs. Ça vous suffit comme raison ?

Rentrant la tête dans les épaules, Désirée garde un silence prudent et le maire reprend son exposé : la salle actuelle ne convenant que pour les assemblées, l'impossibilité d'y aménager un bureau comme de trouver ailleurs un local adéquat, force le Conseil à construire. Puis il invite les conseillers à exposer leurs points de vue. Les fidèles du maire n'ayant rien à ajouter à un résumé aussi lumineux, les deux nouveaux conseillers, qui se sont vantés aux quatre coins du village de mettre le gros docteur et sa clique au pas, sont bien obligés de passer à l'attaque. Oh, une attaque bien timide. D'abord, ils en sont à leurs premières armes et parler en public les intimide plus qu'ils ne voudraient le laisser paraître. De plus, ils ne peuvent pas oublier que le maire est également médecin et ils croient, bien à tort d'ailleurs, que le combattre trop rudement à la face de la communauté, pourrait un jour avoir des conséquences fâcheuses. Si on s'en fait un ennemi, il faudrait au moins prévoir des espèces sonnantes et trébuchantes si jamais on a besoin de ses soins. Et comme la femme accouche aux dix-huit mois, la prudence est de mise. Voilà pourquoi les deux dissidents puisent dans leur réserve de précautions oratoires pour ne pas blesser un homme qui, pour faire exprès, est ce soir d'une humeur massacrante : « On sait ben, mais… J'sus pas contre, en seulement… Y aurait pas moyen de moyenner autrement ?… » En résumé, les deux récalcitrants, qui récalcitrent un bémol plus bas que leurs supporteurs espéraient, précisent qu'ils ne sont pas contre le principe, mais qu'avant de signer un chèque en blanc à monsieur le maire, ils apprécieraient au moins de connaître le montant du sacrifice qu'on demande aux contribuables.

Avant de répondre à la question, le maire sort les plans et devis de sa serviette et les étale sur la table. Désirée et le reste de la salle aimeraient bien tenir un brin de la girafe pour pouvoir écornifler par-dessus l'épaule des heureux élus, mais ils doivent se contenter des commentaires des conseillers et des précisions de monsieur le maire. Une bien belle bâtisse ce sera : une grande salle d'attente, un vaste bureau pour le secrétaire, un autre pour le maire, une salle de conférence ; au sous-sol, un amphithéâtre de cent cinquante places, une chambre forte, des toilettes aux étages, bref : un édifice tout ce qu'il y a de plus fonctionnel et de plus moderne. « Comment ? » demande le conseiller numéro cinq.

— Quoi, comment ?

— Comment que ça va coûter ?

— Trente-deux mille.

— Eh bateau !

— Ça comprend-tu le terrain ?

— Non !

— Comment ?

— Cinq cents piastres.

— Où ?

— Ici, derrière la salle.

— Dans le clos à Arthur ?

— Oui !

— I est au courant ?

— Me prends-tu pour un débutant ?

— Mais non, docteur, mais on peut demander, non ?

— Évidemment que je l'ai consulté. Autrement, comment pourrais-je dire combien il en demande ?

— Oua, on sait ben…

L'autre dissident reprend :

— Ça va prendre un boutte de rue pour se rendre là ?

— Cela va de soi.

— Pis la caduque, les égouts, l'extricité ?

— Évidemment.

— On va se ramasser avec un compte de trente-cinq mille piasses avec tout ça.

— C'est à peu près ça, oui.

— Oua… c'est un pensez y ben…

— Je précise que notre député se fait fort d'obtenir une quinzaine de mille piastres de subvention et, parce qu'il a à cœur les intérêts de sa municipalité, il se charge de préparer lui-même le dossier, de le soumettre au Premier ministre et même de rédiger le règlement d'emprunt pour le solde.

— Va falloir qu'on crache vingt mille pareil, sans compter les intérêts.

— C'est le prix à payer pour vivre avec son siècle. D'autres questions ?... Personne ?

— Moé, dit crânement Désirée.

— Attendez votre tour ! Pour le moment, ce sont les conseillers.

— Après le vote ?

— Exactement !

— À quoi ça va servir, si toute est décidé avant qu'on parle ?

— À essayer de nous faire changer d'avis.

— Vous pouvez compter là-dessus !

— Bon, on peut passer au vote ?

— Oua, on a assez taponné comme ça, déclare Prospère en levant la main.

— Ceux qui sont pour ?

Trois autres mains se lèvent.

— Ceux qui sont contre ?

Les deux nouveaux lèvent la main à leur tour.

— Adopté, clame le maire, en rabattant le maillet. Maintenant, madame Labbé, vous avez la parole.

— Vous avez ben dit, docteur, que le notaire se faisait fort ?

— Tout à fait.

— Ben laissez-moé vous dire que le p'tit notaire peut ben crier jusqu'à demain matin qu'i est fort, tout le monde sait pareil que c'est un faluette. Cent quarante livres avec son coat d'hiver sus le dos, pis ses overshœs.

— Et son chapeau ! Et ses gants ! Quand je dis que le député se fait fort, je ne prétends pas qu'il est capable de se promener avec un homme entre les dents...

— Ça s'rait un miracle, oui…

— Ça veut dire qu'il a la quasi assurance de mener ses démarches à bien.

— Mais, i l'a pas la certitude. En tout cas, i l'a pas encore.

— Il ne peut pas l'avoir avant d'avoir fait la demande. Même vous, vous devriez comprendre ça.

— Pardon là, pardon ! J'en connais une maudite gang icitte qui sont pas mal plus bouchés que moé.

Et ce disant, elle promène un regard satisfait sur la salle, comme pour bien évaluer la médiocrité de l'assistance, puis autour de la table des conseillers, sans doute pour la même raison.

— Peut-être bien, reprend le maire, mais il semble n'y avoir que vous à faire de l'opposition.

— Parce qu'y en a les trois quarts qui pissent assis, ici-dedans. I's sont trop chieux en culotte pour dire qu'is sont de contre.

— Pis toé, rigole Prospère, tu pisses deboutte comme une grande, comme de raison ?

— En tout cas, j'me tiens deboutte autant que toé, Prospère Rodrigue.

— Si on revenait au sujet, coupe le maire.

— Oua. Bon, si j'ai ben compris, ça veut dire que le notaire va tet ben l'avoir son octroi, pis tet ben pas ?

— C'est exact.

— Pis, si i l'a pas, ça va nous coûter quinze mille de plus ?

— C'est encore exact.

— C'est des bidous, ça. Ça vous fait pas peur ?

— Pas spécialement, non.

— On sait ben, avec l'argent des autres…

Le poing du docteur s'abat sur la table.

— Ah ben tonnerre ! Je ne me laisserai pas insulter ici ! Sachez…

— Voyons donc, docteur : vous savez ben que j'vous aime trop pour vouloir vous insulter. Vous savez toujours ben que…

— Je sais que mon évaluation municipale est quatre fois plus élevée que la vôtre et que chaque fois que vous payez vingt-cinq cennes, je paie une piastre.

— Mettons. Comme ça le notaire va demander un octroi ?

— Oui ! Alors avant de paniquer et d'ameuter la population, laissez-lui faire ses démarches, s'il vous plaît.

— Le notaire va l'avoir, tu sais ben. On est pas au pouvoir pour rien.

— Toé, Prospère Rodrigue, c'est pas à toé que j'parle. Ça fait que mêle-toé de tes affaires.

— C'est toé, Désirée Labbé, qui se mêle pas de ses oignons. C'est Tancrède qui paye, pas toé.

— Pis tu penses que j'ai pas mon mot à dire pareil ?

— J'sais maudidement trop ben que tu t'en priveras pas, mais c'est Tancrède qui va grafigner le tchèque pareil.

— Penserais-tu, par hasard, que j'en ai pas gagné ma part de l'argent à Tancrède ?

— J'sais que t'endurer ça vaut tout le cash à Jules Brillant, pis l'intérêt avec.

Un autre coup de maillet pour calmer les gladiateurs et rétablir l'ordre dans une salle qui se passionne un peu trop au goût de monsieur le maire :

— Nous nous éloignons encore du sujet. Je disais donc, laissons le notaire Bérubé faire son travail. Il sera toujours temps d'aviser s'il ne réussit pas.

— Si i manque son coup, vous allez appeler un autre vote ?

— Je m'y engage.

— Bon, j'ai plus rien à dire.

— J'gagerais ma chemise, reprend Prospère, que le notaire va réussir ça la queue sus la fesse.

— Prends garde qu'i te reste juste tes bretelles Police sus le dos, Prospère. Un p'tit député…

— Bon, ça suffit ! Je n'ai pas que ça à faire.

Il en faudrait plus pour décourager Désirée :

— Mettons que le notaire réussit, docteur, nos taxes vont monter de comment avec ça ?

— Approximativement douze piastres par année par contribuable.

— Pis moé, j'vas payer quarante piasses, pis Bidon Bastarache trois piasses et demie.

— C'est pas la faute à Bidon si t'es grasse dur, Désirée. T'as assez gratté dans ta vie pour payer plus qu'un père de quinze enfants.

— Si i avait gratté plus, pis fourgaillé moins, j'serais pas obligée de payer pour lui.

Un autre coup de massue qui n'arrête cependant pas les rires de secouer l'assemblée.

— Vous vous éloignez encore du sujet ! D'autres questions ?

— Va ben falloir attendre après le notaire, soupire Désirée. On a pas ben ben d'autres choix.

— Exactement, reprend le maire.

— En attendant, j'veux dire, au cas où le notaire f'rait patate, me semble qui devrait avoir moyen de louer quèque chose de moins cher.

— Y aurait un moyen, jacte Prospère.

— Tiens donc ! Envoye, j'ai hâte de voir ça.

— On te parque à l'hospice avec Tancrède, pis tu nous loues ta maison.

La salle s'esclaffe malgré le marteau répétitif du maire.

— Avant que tu viennes empester ma maison avec tes maudits cigores, Prospère Rodrigue, les poules vont runner le bécyque du spotter.

Quand le silence revient enfin, le maire furibond se lève et, se plantant devant Désirée, il explique une ultime fois :

— Madame, quoi que vous pensiez, nous avons fait nos devoirs. Et après avoir passé en revue chacune des maisons du Val, nous avons été forcés de conclure qu'il n'y avait rien qui convenait à nos besoins.

— La maison à Zéphir est pas à vendre, tet ben ?

Prospère coupe la parole au maire :

— La maison à Zéphir, c'est au diable au vert, Désirée. Pis, c'est vieux comme ta première couche. C'est comme toé, à moitié écréanchée. Y a pas de chauffage central là-dedans. J'me demande même si y a une toilette. Tu voés ben que ç'a pas de maudit bon sens.

— Pour un gars qui a été élevé à chier dans une pelle dans la grange à Ugène Rodrigue, je te trouve pas mal fancy tout d'un coup.

Prospère va décocher une autre flèche que la foule regrettera parce que le docteur en a assez entendu.

— Silence dans la salle, nom de Dieu ! Ma parole, on se croirait à un spectacle de Tit-Zoune et Manda ! Nous discutons d'un sujet sérieux, grave, important. Serait-ce trop vous demander que de vous comporter en contribuables responsables ?

Les rires cessent, les fautifs se dérhument, Prospère adopte un maintien compassé, Désirée de même. Alors, s'adressant à la chipie :

— Je vous répète pour la dernière fois que nous avons envisagé toutes les solutions. Et tant qu'à réparer une cabane qui ne sera jamais qu'une cabane rafistolée et qui va nous coûter aussi cher qu'un bureau neuf, je préfère cette dernière solution. Et je précise que quoi que vous ajoutiez, cela ne changera strictement rien à la nature des choses. Le vote est pris et enregistré.

— Si c'est comme ça…

— C'est comme ça. Et puisqu'il n'y a rien d'autre à l'agenda, je lève la séance. Je vous l'ai dit, j'ai deux malades à visiter et c'est plus important que nos petites chicanes qui ne riment à rien. Bonsoir !

La salle se vide, le docteur remet les plans dans sa serviette, endosse son manteau et s'apprête à sortir, mais Prospère le retient.

— J'peux te parler une minute ?

— Je t'ai dit que j'étais pressé.

— T'as ben une minute, j'peux pas craire.

— Sortons ensemble, tu me conteras ça en route. Alors, qu'est-ce que tu veux ?

— J'voudrais savoir pourquoi t'as le feu au cul ? Ma parole, on dirait que t'as mangé de la graisse d'ours enragé.

— Pas du tout ! Je suis d'excellente humeur.

— Baptême ! Qu'est-ce que ça serait si t'étais choqué ?

— Mon cher Prospère, tu devrais pourtant savoir qu'un bon politicien doit savoir feindre la surprise, la tristesse, la colère, la désolation, l'optimisme, l'emballement, le découragement…

— Comme ça tu féquais ?

— Absolument ! Je me suis composé le visage qu'il fallait pour la circonstance. Si j'avais eu ma bonne humeur habituelle, tout le village aurait apporté ses objections, tout le monde aurait fait son petit commentaire. Nous en aurions eu pour la nuit.

— Fallait y penser.

— Ça ne t'est jamais arrivé ?

— Ah oui, en masse, mais j'faisais pas de la politique, j'faisais de la business. Tu comprends, un boss de bonne humeur c'est pas rentable. Tu prends une face de bœuf, tu gueules de temps en temps : un sacre par la tête, pis ça marche. Autrement…

— Tu vois, en prenant un air de bœuf, je neutralisais les nouveaux conseillers et je calmais la salle. C'était le but de l'opération.

— Sauf Désirée.

— Eh oui ! Cette garce de bonne femme ne craint ni Dieu, ni diable.

— Ah pour ça, a l'a du chien à revendre.

— Un peu trop à mon goût, oui. En tout cas, ça s'est très bien passé. La séance s'est déroulée rondement, nous avons notre résolution. Il ne reste plus à François qu'à faire son bout de chemin et nous aurons un local approprié.

— Le notaire devrait pouvoir décrocher ça.

— Ça devrait, oui.

— Penses-tu qu'i va réussir à décrocher un ministère aussi ?

— Ça, c'est pas mal plus problématique.

— Tu penses ?

— Ça reste entre nous, hein ?

— Ben oui ! Tu me connais…

— Bon ! François a toutes les qualités nécessaires à faire un bon ministre. En fait, il en a trop.

— Comment ça ?

— Il est trop délicat, trop poli, trop honnête. Il n'est pas assez opportuniste. Pas assez vicieux.

— Qu'est-ce que tu veux dire au juste ?

— Ça veut dire qu'il n'est pas un homme à forcer le destin. Il est trop gentil pour bousculer ceux qui lui barrent la route.

— Si c'était moé…

— Si c'était toi, je dormirais plus tranquille. Mais François Bérubé n'est pas Prospère Rodrigue et ne le sera jamais. Et j'ai bien peur qu'il compte trop sur Duplessis et pas assez sur lui-même pour ouvrir les portes.

— Pis le Chef le fera pas ? I a promis pourtant…

— Question d'appréciation. Il a promis de le mener loin, mais est-ce vraiment au Conseil des ministres ? Faire un député d'un notaire besogneux, c'est déjà lui faire faire un pas de géant. Et puis, il y a beaucoup d'appelés, mais peu d'élus. Une quinzaine, c'est mince.

— Oua.

— Et puis, Duplessis n'est pas le champion des remaniements ministériels.

— Pourtant, un orateur comme François…

— Est-ce bien un atout ?

— J'te suis pas.

— En campagne électorale, dans des comtés ruraux, ça peut aller, mais plus haut, ça peut devenir un handicap.

— J'te suis pas pantoute.

— Mais oui ! Duplessis pue d'orgueil. Alors crois-tu vraiment qu'il aimerait se faire éclipser par un orateur plus brillant que lui ? Ici, que *L'Avant-Poste* ou *Le Progrès du Golfe* proclament que le député de Matapédia a fait un discours magistral, ça ne porte pas à conséquence, mais si c'est *La Presse* ou *Le Devoir* qui le soulignent, c'est une autre histoire.

— Oua, j'avais pas pensé à ça.

— Duplessis a un ego plus gros que le Parlement, Prospère, et je ne crois pas qu'il tolérera jamais de jouer les deuxièmes violons.

— On a rien qu'à dire à François de s'enfarger un peu dans ses specches.

— Ça serait une solution, mais lui aussi a sa fierté. Non ! Il ne consentira jamais à se couvrir de ridicule et à passer pour un crétin pour faire plaisir au Chef.

— Dans ce cas-là, i va ben mourir simple député.

— C'est hélas une situation qu'il faut envisager. Il lui faudrait l'instinct du tueur, l'ambition qui ne recule devant aucun moyen.

— Ou ben que la moitié du Cabinet crève, pour forcer un peu la main à Duplessis.

— Je prie pour ça.

— Doc ! Un catholique comme toé !

— Je badinais, voyons ! Mais il n'en reste pas moins que si François n'a pas été de la première fournée, Duplessis ne mettra pas un de ses ministres à la porte pour lui faire de la place.

— Pourquoi pas ?

— Parce que ce serait avouer qu'il s'est trompé. Or, tu devrais le savoir mieux que personne, Maurice Le Noblet

Duplessis ne se trompe jamais. Il est infaillible. Comme le pape.

— Maudit rouge, va !

— Mais non ! Mais non ! J'ai voté pour François.

— Pour François, ben manque. Mais pour Duplessis, jamais !

— C'est une assez bonne lecture de la situation.

— Vous êtes pas teindus à la peinture à l'huile, vous autres, hen ?

— Au fer rouge, mon cher.

— Tu m'arraches les mots de la bouche.

Une neige légère scintillait comme des lucioles sous les réverbères de la rue Principale, et on était arrivé à la résidence du médecin.

— Tu rentres prendre un verre ?

— Pis tes malades ?

— Quels malades ?

Il neigeait aussi à Québec et monsieur le député de Matapédia déambulait sur Grande-Allée, comme il le faisait tous les soirs après avoir écouté le bulletin de nouvelles de Radio-Canada. C'est la petite récréation qu'il se donnait pour pouvoir réfléchir loin du Parlement, loin du bureau vide qui suintait l'ennui, loin d'Yvonne qui continuait d'aimer béatement la nouvelle vie qui tuait son mari à petit feu. Comment, sans gâcher irrémédiablement son bonheur, lui confier son désarroi, ses hésitations, son découragement ? D'ailleurs qu'aurait-elle pu lui dire ? De cesser de rêver aux sommets inaccessibles et de se contenter d'un sort que la plupart de ses concitoyens envieraient ? Peut-être lui aurait-elle suggéré de comparer leur sort actuel avec celui de l'an dernier, alors qu'ils se demandaient comment retourner les enfants aux études. Sans Prospère… Ce cher Prospère, ce très cher ami, que peut-il bien faire en ce moment ?… Mais c'est lundi, le premier lundi du mois ! Il est au Conseil. Ou il en revient, ou… De toute façon il est avec le docteur. Je me demande comment la séance s'est passée ? Peut-être dure-t-elle toujours ? Quand il s'agit de dépenser des sous, de gros sous, ça ne va jamais tout seul. Et puis, allez donc savoir pourquoi, mais les élus ont toujours le temps d'être chapitrés avant d'engager une municipalité dans de grosses dépenses. On voudrait passer la résolution devant quelques spectateurs, mais la salle est toujours pleine. On ne sait pas comment, mais le secret le mieux gardé arrive toujours à prendre le large au mauvais moment. Les opposants ont alors tout le temps de bien potasser leur sujet et de soulever les objections les plus pertinentes. Oui, ça doit être une séance très mouvementée. Je vois Désirée pousser les hauts cris, je vois la municipalité en faillite, les maisons vendues pour les taxes. Elle doit s'en donner à cœur joie, la garce. Faire rire la salle, bien entendu, mais par cela même la dégeler, la dégêner jusqu'à l'audace. L'ameuter jusqu'à en faire un bloc d'opposition monolithique. S'il fallait que John Talbot se range avec les opposants… Je veux bien croire que le maire est un excellent vendeur, mais devant un tollé de protestations, est-ce qu'il ne fera pas marche arrière ? Faire avaler une dépense de trente-cinq mille dollars et par la même occasion une augmentation de taxes substantielle, ce n'est pas gagné d'avance.

Mais quand donc arriverai-je à me corriger de ce maudit défaut de tout voir en noir ? Heureux, bien heureux Prospère qui, dès l'instant où il voit une difficulté, fonce dedans plutôt que de la grossir avant de l'affronter. Il saura bien mettre Désirée au pas et désamorcer la bombe. Le vétérinaire sera imperturbable comme à son habitude. Ce ne sont pas quelques tapageurs qui vont le faire dévier de sa course. Et puis Prospère contrôle Sam Métivier. Si John flanche, le maire tranchera. Alors plutôt de m'en faire pour des événements que je ne contrôle pas, si je pensais plutôt comment vendre ce projet à monsieur Duplessis. Voilà la question ! Comment le prendre au bon moment ? Comment le convaincre ? Comment trouver son point faible ? Je pourrais toujours en parler au ministre des Travaux publics. Ça serait plus convenable. Je sais bien que tout cela aboutira sur le bureau du Premier, mais est-ce que le ministre aimerait que je lui passe par-dessus la tête ? Sans doute pas. Quel dilemme ! Si j'en parlais à Onésime Gagnon. Il a l'oreille de monsieur Duplessis, nous sommes voisins de comté, j'ai fait trois discours dans sa circonscription. S'il me pilotait dans ce dossier… Ah si j'étais ministre ! Ce serait comme un membre du bureau de direction d'une banque qui sollicite lui-même un emprunt. Par sympathie, par solidarité, parce qu'on ne peut pas, sans entacher l'institution, laisser faillir un de ses pairs, on passe vite sur un bilan douteux, on survole les obstacles et on délie les cordons de la bourse. Mais, si je ne suis pas ministre, je n'en ai pas moins la responsabilité d'obtenir cette aide. C'est mon premier dossier. Si je le rate, je me discrédite devant mes principaux supporteurs.

La paroisse a voté massivement pour moi. Je n'ai pas le droit de la décevoir.

Tiraillé par ces pensées, lourd de pressentiments, François était revenu à son logement. Yvonne lui annonça que le maire avait appelé dès qu'il était sorti pour sa marche. La séance s'était bien passée.

— T'as pas l'air content ?

— Si, si. Je le suis, mais…

— Mais quoi ?

— C'est maintenant à moi de jouer.

— Bien sûr ! C'est toi le député.

— Justement ! Et je n'ai pas le droit de manquer mon coup.

— Voyons donc ! Tu t'inquiètes encore pour rien.

— Puisses-tu dire vrai.

— Tu sais bien que monsieur Duplessis te refusera pas ça. Après tout ce que tu as fait pour lui.

— Est-ce que ce sera suffisant ?

— Tiens ! Tiens ! Viens donc plutôt te coucher. Te faire du mauvais sang changera rien. Et je te répète que tu t'en fais pour rien.

— Si c'était aussi simple…

Décidément monsieur le député ne déborde pas d'enthousiasme.

— Si seulement j'étais ministre…

— Mais tu seras ministre.

— Tu le crois vraiment ?

— Puisque je te le dis. Tout ce qu'il te faut c'est un petit coup de chance.

— Oui, la politique est une bien drôle de loterie, n'est-ce pas ?

— Tu vas m'arrêter ça tout de suite, François ! Ta chance, tu sauras bien la faire.

— En tout cas, je vais essayer. Mais…

— Y a pas de mais. Envoye, viens te coucher. La nuit porte conseil.

Chapitre 4

« Vous n'êtes qu'un bricoleur,
ne sortez pas de la politique. »

Marcel Pagnol

Après avoir pesé soigneusement toutes les alternatives, François écarta un recours au député-ministre de Matane et sollicita un rendez-vous du ministre des Travaux publics en se disant que s'il lui refusait la subvention, il pourrait toujours en appeler auprès du Chef. Ainsi, on ne pourrait lui reprocher d'avoir ignoré la hiérarchie. Très amène, et sans doute flatté par l'humilité prudente du député, monsieur Lorrain lui donna rendez-vous pour le surlendemain et, après avoir écouté attentivement son exposé (il avait donné instruction à sa secrétaire de prendre les appels), il convint que la construction d'une salle municipale au Val était une nécessité. Une population de près de quatre mille âmes obligée de faire siéger ses élus dans une salle de classe était un anachronisme. On n'était plus aux débuts d'une colonie, mais face à une population évoluée. En conséquence, il fallait vivre avec son temps. « Cher confrère, ma sympathie vous est tout acquise. » Cependant, par courtoisie et dans vos meilleurs intérêts, n'est-ce pas ?, il en touchera un mot au Premier ministre avant d'officialiser l'aide du gouvernement. Il savait très bien, et François se doutait bien un peu que le Maître se chargerait lui-même de proclamer la bonne nouvelle. Il savait aussi qu'essayer de le priver de ce plaisir risquait de faire avorter l'affaire. D'un trait de plume ombrageux, le Chef pouvait très bien reléguer le projet à la semaine des quatre jeudis avant même qu'il n'atteigne le Conseil du trésor. Dispensateur de tous les bienfaits, le Ténébreux pouvait à son gré refuser une requête qui n'aurait pas suivi les sentiers balisés de la hiérarchie, c'est-à-dire se rendre jusqu'à lui, et accorder la même faveur à celui qui a la sagesse élémentaire de savoir où se trouve le véritable pouvoir. Voilà pourquoi monsieur le ministre des Travaux publics en référera à l'autorité suprême. « Dès la première occasion. Au plus tard au prochain Conseil des ministres. » Après quoi, il communiquera avec son confrère. Et devant l'anxiété visible du député, il l'assure de voir son rêve se réaliser. Enfin, il remercie François de lui avoir confié son dossier. « Vous comprenez, l'honorable Premier est tellement occupé que lui faciliter la tâche ne peut pas nuire. » Et surtout, il ne faudra pas hésiter à avoir de nouveau recours à ses services. Un peu moins angoissé, François prit congé en remerciant le ministre avec chaleur. Il était content d'avoir choisi la bonne stratégie. Il venait de se faire un allié alors que, par un manque de délicatesse, il aurait pu se faire un ennemi.

Quelques semaines plus tard et alors que, harcelé par ses amis du Val impatients de savoir où en était le dossier, le notaire commençait à désespérer, le ministre l'appela pour lui faire part de ses démarches et l'informer qu'il serait bientôt convoqué au bureau du Suprême. Perplexe, François demanda si ce délai augurait bien ou mal. « Allons donc!, cher ami, si le Premier n'avait pas de bonnes nouvelles à communiquer, il me l'aurait fait savoir. » Il se serait contenté de dire à son ministre que la conjoncture n'est pas favorable, qu'il faudra reporter à plus tard, ou, plus rondement, d'oublier tout de suite un projet aussi farfelu et de ne plus lui faire perdre un temps précieux. « Non, mon cher, si Maurice veut vous voir, c'est qu'il lui manque peut-être certains éclaircissements que je n'ai pas pu lui fournir. C'est plus probablement parce qu'il veut vous faire la surprise lui-même. Allons, soyez confiant, ça se passera très bien. »

Quelques ministres avaient ce sans-gêne de parler du Patron en lui donnant du Maurice gros comme le bras. Pour épater la galerie, peut-être, et pour montrer que si on est assez intime pour tutoyer l'Illustre, on est par conséquent capable de lui arracher une faveur qu'un autre, moins proche du grand homme, n'oserait même pas solliciter. Malgré cette esbroufe un peu puérile, François savait que le ministre des Travaux publics, comme tous les autres sauf Paul Sauvé, s'écrasait sous un froncement de sourcils de l'Autoritaire. La familiarité un peu prétentieuse du ministre rassurait donc faiblement François sur ses chances de succès.

Il raccrocha nerveusement et se leva pour marcher. Il avait besoin de bouger, de se dépenser, de se calmer. Il pensa appeler le maire Legendre pour lui demander ce qu'il pensait de la tournure des choses, mais il y avait ce maudit député planté à deux pas de lui, et qui semblait n'avoir d'autres choses à faire que d'écornifler tous ses faits et gestes.

— Mauvaise nouvelle ? s'enquit-il, devant l'excitation de François.

— Non, mais une semaine, peut-être un mois d'attente. Et je déteste patauger dans l'incertitude.

— Tu t'en fais pour rien. Mais qui c'est qui t'appelait ?

— Le ministre des Travaux publics.

— Dors tranquille, c'est un chum du Boss.

— Vous croyez ?

— J'le crois pas. J'le sais. I passe son temps à s'en vanter.

— Ah bon, répondit François qui aurait préféré une source de renseignement plus fiable. Je n'ai plus qu'à m'armer de patience et prier, n'est-ce pas ?

— C'est en plein ça, mais si Lorrain t'as dit que l'affére est dans le sac, dors tranquille. I est pesant dans le Cabinet.

La cloche appelait les élus. François se précipita vers la Chambre. Ce n'était surtout pas le moment de se faire mal noter.

❀

Une semaine plus tard, mademoiselle Cloutier le conviait au bureau de l'Ultime. Les mains moites, le cœur battant la chamade, François ajusta sa cravate, se donna un coup de peigne, vérifia le luisant de ses chaussures (Duplessis exécrait le laisser-aller vestimentaire. Un député c'est le miroir de son comté, c'est la carte de visite de l'Union nationale. Il doit être impeccable) et se dépêcha vers l'antre de l'Ogre.

— Roméo m'a parlé de ton affaire.

— Oui ?

— Oui, c'est un projet qui a de l'allure. À propos, c'est toujours le gros Legendre qui est maire à Val-de-Grâces ?

— Oui, monsieur Duplessis.

— Un maudit Rouge !

— Plus maintenant.

— Allons donc ! I est rouge comme le feu de l'enfer. Dès sa première élection, il a hanté le bureau des ministres de Taschereau. Je l'ai vu.

— Je puis cependant vous assurer qu'il a voté pour… (il allait dire pour moi, mais rattrapa le lapsus et dit :) pour vous.

— Sérieusement ?

— Je vous en donne ma parole.

— C'est quasiment un miracle, ça, mon p'tit François.

— Je suis bien de votre avis. Mais n'êtes-vous pas un peu thaumaturge ?

Duplessis sourit largement et enchaîna :

— Très bien. Très bien. Ça prend des Rouges pour faire des Bleus.

— Exactement. D'ailleurs le docteur Legendre est trop honnête pour ignorer ce que vous faites pour la province. Il n'est pas un sectaire incapable d'avouer qu'il s'est trompé. Quand il a vu les contingents partir pour le front, il a dit : « Ça suffit », et il a adressé sa lettre de démission du Parti libéral à monsieur Dufour.

— Très bien. Très bien. Alors, ton affaire là, explique-moi. Roméo n'avait pas tous les détails.

Le député exposa minutieusement l'affaire. Quand il eut terminé, un peu goguenard Duplessis s'écria :

— Mais mon P'tit François, c'est pas une salle municipale dont vous avez besoin, c'est un collège pour garçons.

Désemparé, François ne put que dire :

— Vous croyez vraiment ?

— Évidemment! Ça tombe sous le sens! Ça prend ben les maudits Rouges pour laisser des enfants courir l'école dans des niques à feu!

— Mais la salle municipale?

— Vous en avez besoin aussi.

— Ah bon! Je peux donc espérer…

— Oui! Oui! Je vas donner les instructions. As-tu un contracteur fiable?

— Prospère Rodrigue s'engage à la construire au prix coûtant.

— Très bien! Prospère est un bon citoyen.

— Et si j'ose dire, il est aussi bleu que vous.

— C'est ce que je disais.

Mêlant plus que de raison ses rires à ceux de Duplessis, François ajouta: «Évidemment». Et se levant, il allait prendre congé en se confondant en remerciements, mais le Chef n'en avait pas terminé.

— Attends une minute, t'es pas dans le feu.

— Non, mais vous avez tellement d'ouvrage, tellement de responsabilités que je m'en voudrais d'abuser de votre temps.

— Je suis payé pour ça. Faut bien que je gagne mon salaire.

— Je me le demande…

Fronçant des sourcils ô combien fournis, le Vexé demanda:

— Comment ça?

— D'abord vous n'êtes pas payé le quart de votre valeur, et puis votre salaire, vous vous dépêchez de le donner aux malheureux qui n'arrêtent pas de quémander votre trop grand cœur.

Calmé et flatté, le Magnanime reprit :

— Qu'est-ce que tu veux, c'est plus fort que moi. Quand je vois un père de famille dans le besoin, une mère nécessiteuse, un infirme, je suis incapable de ne pas leur venir en aide. Je vide mes poches.

— C'est ce que je disais, vous êtes trop bon. On abuse de votre générosité.

— Sans doute, sans doute. Mais c'est l'intention qui compte, n'est-cc pas ?

— Eh oui ! c'est vrai. Vous débordez de bonnes intentions.

— Très bien. Mais revenons à ton affaire. Si je t'ai retenu, c'est parce que ta demande est incomplète.

— Je ne vois pas…

— Tu vois pas que vous avez besoin d'un collège ?

— Sans doute, oui. Mais, la salle… ?

— Tu vas l'avoir ta salle. Je te l'ai dit et j'ai ricn qu'une parole.

Puis, coupant d'un geste les protestations de François, il enchaîna :

— Maintenant, prépare-moi les plans du collège. Demande à Prospère ce qu'il peut faire et reviens me voir. Si je me souviens, c'est les religieuses qui font la classe à vos gars ?

— Oui, les Sœurs du Saint-Rosaire.

— Des bonnes enseignantes, mais pas à leur place. Il vous faut les Frères des Écoles chrétiennes. Alors, prévois des locaux pour les loger. Va voir Roméo pour les plans. On a ça.

Se reconfondant en remerciements, François prit congé, le cœur débordant de reconnaissance et d'exaltation. Il avait beau être un peu prémuni et se dire que

Duplessis était un homme comme un autre, il arrivait maintenant à en douter. Rencontrer en entretien particulier celui qui préside aux destinées de tout un peuple, c'est impressionnant. Peut-être est-ce la fonction qui en impose plutôt que le titulaire, il n'en reste pas moins que François ne pouvait se défendre d'une bouffée de respect quasi religieux. Une audience avec le pape ne l'aurait peut-être pas intimidé davantage. Par ailleurs, il était plutôt fier de la façon qu'il avait profité des ouvertures pour secouer l'encensoir. Et Duplessis avant semblé satisfait de humer un parfum plus délicat que d'habitude, pas du sent bon dont s'arrosent les putains et qu'on lui garrochait trop souvent au nez. « Pas bête ce petit Bérubé, pas bête pantoute », se répétait-il, pendant que s'échafaudait déjà l'abattage qu'il allait servir au chef de l'opposition. Il n'allait surtout pas se priver de tonner contre l'ineptie d'un gouvernement qui, pendant quarante ans de règne, n'avait pas trouvé indécent de laisser les fils d'une vaillante communauté de Canadiens-français, aller à l'école dans des locaux indignes d'une colonie ; dans des endroits dépourvus d'une sortie de secours. C'est un miracle qu'une grillade qui aurait scandalisé la province depuis l'Abitibi jusqu'à la Basse Côte-Nord, n'ait pas décimé l'avenir de toute cette belle paroisse. Et c'est le gouvernement des gens d'en face, monsieur le président, ce gouvernement de triste mémoire qui a toléré ce scandale et qui ose encore se flatter d'être avancé. « Avancez en arrière, oui ! Comme dans nos tramways. » Faut que je note ça. C'est très bien. Et puis non ! J'ai la mémoire la plus fidèle de la province. C'est connu.

François était revenu chez lui exultant d'allégresse. Trop heureuse de le voir aussi souriant, Yvonne le pressait de questions. François dut lui raconter l'entrevue qu'il avait eue avec le Chef.

— Qu'est-ce que je te disais ? Monsieur Duplessis n'est pas un ingrat. Envoye, appelle Napoléon.

— Non, ma chère. Je prends le train vendredi. Cette nouvelle, j'irai la lui porter en personne.

— C'est une bonne idée. Mais vas-tu être parti longtemps ?

— Non ! Je vais revenir dès dimanche. C'est qu'il me faut revoir le ministre Lorrain lundi prochain.

— Pourquoi donc ?

— Ah, c'est un secret.

— François !

La voix avait de tels accents de tendresse et de prière, qu'il ne put tenir et lui dévoila que monsieur Duplessis lui avait demandé de préparer les plans d'un collège pour les garçons du Val.

— Non !

— Parfaitement, ma chère.

— C'est quasiment trop beau pour être vrai.

— Pourtant, ça l'est.

— Je vois la face du docteur quand tu vas lui annoncer ça.

— Il ne sera jamais aussi content que moi.

— Je comprends donc ! T'es pas député depuis un an et déjà…

— Ma réélection est assurée.

— Tu crois ?

— Quelques autres coups fumants comme celui-là dans le reste du comté et je…

— Si tu savais comme je te les souhaite !

— Je sais, ma chère.

— À propos, monsieur Duplessis t'as pas offert un ministère ?

— Mais non ! Il est un peu tôt, tu ne trouves pas ?

— Tu lui en as pas parlé ?

— Yvonne ! Il faut être un peu plus patient. Tu ne crois pas ?

— Oui, c'est peut-être mieux d'attendre.

— Évidemment, ma belle. Il ne faut jamais pousser trop loin sa chance. Elle risque de se rebiffer. Qu'est-ce que nous mangeons ?

— Des restes.

— J'aurais presque envie de t'inviter à manger en ville. Pour fêter ça.

— J'aimerais bien, mais les enfants vont arriver d'une minute à l'autre.

— N'en parlons plus. Je vais appeler pour réserver une chambrette. Tu viens ?

— J'aimerais bien, mais…

— Les enfants, oui.

⊛

Après avoir appelé la gare de Lévis, François s'enferma dans son bureau avec ses journaux. Pourvu que Duplessis ne les fasse pas siéger jusqu'à minuit vendredi. Il donnait parfois ce coup de casse-gueule à ses troupiers trop fringants de rentrer dans leurs familles. Histoire de les rappeler aux stricts devoirs d'un élu du peuple et leur enseigner, s'ils ne le savaient déjà, qu'il faut être prêt à monter aux tranchées jour et nuit, semaine et dimanche, douze mois par année. La récréation, c'est bien, c'est nécessaire, mais il faut la mériter. Il y avait du maître de salle dans le vieux garçon : silence dans les rangs, marchez au pas, rajustez la cravate, ne bousculez pas, sinon c'est la retenue, le pensum, les cent lignes de l'Union nationale est un parti discipliné, à copier avant la lecture du soir. Les journalistes parlementaires enrageaient. C'est qu'il y a une heure de tombée, mais Duplessis semblait s'amuser à les faire poireauter. Ils avaient beau houspiller le whip, faire le siège des ministres, appeler la secrétaire du maître d'étude, l'interpeller parfois en personne, il les éconduisait d'une pirouette assaisonnée d'un calembour. Lui seul savait. En fait, le savait-il vraiment ? Il décidait selon son humeur du moment s'il y avait lieu de punir la maisonnée, de sorte que tout le monde pestait intérieurement et restait sur la brèche. Des rangs trop clairsemés auraient appelé des sanctions et la promesse de récidive. Bref on ne savait jamais avant la dernière minute si on siégeait en soirée. Parfois on apprenait que le Chef était déjà au Château Frontenac pendant que les journalistes et les députés faisaient le pied de grue en attendant son bon vouloir. Il devait se bidonner pendant que les journalistes assaillaient les téléphones et que les députés se dépêchaient de prendre le ferry de Lévis. Les vieux de la vieille qui avaient appris à leurs dépens, réservaient pour le vendredi, mais encore pour le samedi, au cas où… Sacré Cheuf !

Heureusement, François put partir le vendredi. À sa descente du train, il se composa le maintien d'un homme soucieux. Il exultait, mais cela ne devait pas se voir parce qu'il avait choisi de ne révéler ses secrets que le soir à la partie de cartes. Il se rappelait la manœuvre du maire qui avait laissé Prospère mijoter dans l'inquiétude une grande journée avant de lui annoncer l'obtention de ses droits de coupe. C'était à son tour de se ronger les sangs. Ainsi que le député l'anticipait, son arrivée au Val avait vite fait le tour du patelin. Par délicatesse, le maire se contenta de l'inviter à la partie sans le questionner. Le silence du notaire était assez éloquent pour traduire sa déception en même temps que l'échec de ses démarches. Incapable de supporter seul sa déception, il était sans doute venu chercher réconfort auprès de ses amis. François ne fit rien pour le rassurer. Prospère aurait sans doute réussi à lui faire cracher le morceau mais, heureusement pour le député, il avait passé la semaine dans ses chantiers forestiers et il n'arriverait qu'en fin de journée. Quant au vétérinaire Hamel, il ne questionnait jamais et laissait ses amis décider eux-mêmes de l'heure des confidences. La partie de billard s'engagea donc comme à l'accoutumée jusqu'à l'arrivée de Prospère qui, faute de jouer aux cartes, était venu voir son filleul. Il ne cacha pas sa surprise en voyant le vétérinaire et le député dans la salle de billard :

— Qu'est-ce que tu fais icitte, toé ?

— Ai-je besoin de ta permission pour venir voir mes amis ? répliqua le notaire.

— Arrête de me niaiser, tu veux ?

— Je m'en garderais bien.

— Yvonne as-tu descendu avec toé ?

— Non !

— Dans ce cas-là, je te répète : qu'est-ce que tu viens faire icitte ?

— Je te répète à mon tour : voir mes amis.

— T'es ben certain que c'est toute ?

— Puisque je te le dis.

— Notre affaire, elle, t'as pas de nouvelles ?

— Pas encore.

— Oua, ça regarde mal. Toute ce qui traîne se salit.

— Je garde quand même espoir.

— T'es payé pour ça. Pas moé.

— Insinuerais-tu que je ne gagne pas mon salaire ?

— J'ai-tu besoin de répondre à ça ?

Un peu vexé, monsieur le député se dérhuma et enchaîna :

— Puisque nous sommes quatre, si on jouait aux cartes ?

On termina la partie de pool et on s'installa à la table. La fonction de député n'ayant pas fait de François un meilleur joueur, il perdit une dizaine de dollars, mais contrairement à son habitude, il garda le sourire et continua de suivre les pots les plus hasardeux. Ce qui n'échappa pas à Prospère. Vers onze heures, il déposa ses cartes sur la table et, scrutant François, lui dit :

— Envoye, crache !

— Laisse-moi le temps de regarder mes cartes.

— Laisse fére les cartes pis crache.

— Cracher quoi ?

— La vérité, baptême !

François déposa ses cartes à son tour et, regardant Prospère, il nota que l'homme d'affaires était sans doute le plus psychologue de ses amis. Lui seul avait détecté le comportement inhabituel du député que les pertes au jeu rendaient toujours un peu maussade. L'amélioration de sa situation financière ne pouvait seule expliquer le stoïcisme avec lequel il acceptait le mauvais sort. Il y avait donc une raison à...

— Vas-tu finir de tourner autour du pot ? coupa Prospère. Si tu te fais plumer avec le sourire, y a une raison, non ? T'as toujours pas faite un héritage.

— Peut-être...

— T'as réussi, hen, p'tit verrat ?

— Eh bien, oui ! J'ai réussi !

— Envoye, bonyeu, accouche ! Conte-nous ça !

— Vous êtes au courant depuis quand ? demanda le maire.

— Depuis mercredi.

— Et c'est aujourd'hui que vous vous décidez de faire part de votre mission à votre maire ?

— Précisément.

— Et depuis hier soir que vous êtes de retour, vous gardez le secret, comme si...

— Comme vous avez fait avec Prospère en 1940.

— Crache en l'air, tombe sus le nez, doc.

— Vous voilà maintenant rancunier pour les autres ? Vous vengez Prospère par procuration, maintenant ?

— Un pour tous, tous pour un, docteur.

— J'espère que nous sommes quittes, maintenant ?

— C'est à Prospère de vous absoudre, pas à moi.

— Allez-vous finir par finir vos p'tits jeux ? Envoye notaire, crache si tu veux pas que je t'arrache les vers du nez avec mon couteau de poche.

Fier et heureux du succès de leur projet commun, le député raconta sa rencontre avec le ministre Lorrain et celle avec Duplessis. Mais il se garda bien de parler du collège qu'il réservait pour plus tard.

— Ça s'arrose, clama Prospère en remplissant son verre.

Monsieur le maire passa les cigares et s'excusant, alla informer Félicité qui accourut féliciter le député. Tout le monde était à ce point exalté qu'on abandonna la partie de cartes pour commenter la générosité de Duplessis. Flatté du compliment que le Premier ministre avait fait de lui au notaire, Prospère déclara, et même le docteur n'osa le contredire, que Maurice Duplessis était le plus grand Premier que la province avait jamais eu et qu'elle aurait jamais. Attendez les superlatifs, quand Prospère saura que le Généreux leur réserve un collège pour les garçons. Ça ne viendra qu'après le lunch, alors que tout le monde s'habille pour aller au lit.

— Ah oui, j'oubliais, le Premier ministre m'a promis autre chose.

— Le foulard reste au bout du bras de Prospère, l'over-shœ entre le plancher et le pied du vétérinaire, le bâille-ment du docteur se termine à mi-chemin.

— Tu vas avoir un ministère !? questionna Jacques.

— Non ! Tout de même pas.

— Alors quoi ? s'impatiente le maire.

— Non, mais, i va-tu arrêter de jouer avec nos nerfs ?

— Mes amis, laisse tomber François, l'honorable Premier ministre m'a promis un collège pour les garçons de Val-de-Grâces.

On reste bouche bée. On se regarde, incrédules. On revient au député qui sourit d'une oreille à l'autre, on laisse tomber les bras, on secoue la tête, on ricane parce qu'on n'ose pas rire encore. Tout à coup François les mènerait en bateau… Car enfin, un problème que le maire a tenté de résoudre depuis douze ans qu'il a pris les rênes de la municipalité et que les Libéraux ont toujours refusé d'envisager, serait réglé, comme ça, sans même qu'on le demande, comme un lapin qu'un prestidigitateur sort de son chapeau. C'est trop beau pour être vrai ! Et ce n'est pas le genre de farce à faire à des gens sérieux.

— Vous ne vous payez pas notre tête, notaire, dites que vous ne vous payez pas notre tête.

— Parlant de tête, je le jure sur celle de ma femme.

— Félicité ! hurle le médecin.

Elle arrive inquiète, mais précise quand même qu'elle n'est pas sourde.

— Nous allons avoir un collège, ma chère !

On remet les manteaux sur les patères et on passe au salon où le notaire reprend la dernière partie de l'entretien qu'il a eu avec Duplessis. Il faudra attendre une bonne heure avant que les mousquetaires quittent le maire et madame. Un peu éméchés sans doute, mais surtout euphoriques. On a porté quelques toasts bien sentis à la santé du Magnanime et Prospère, qui ne veut pas être en reste de générosité, a promis de mettre bénévolement ses chevaux à la disposition du progrès pour creuser la cave de l'édifice du savoir et de le construire sans aucun profit pour honorer la confiance que le Premier ministre de la province étend sur un ancien lumberjack ignorant mais qui sait mieux que personne le coût de l'ignorance et partant celui de l'instruction. Santé, baptême ! Et tous, même madame la mairesse, ont levé leur verre et trinqué à la longue vie de Maurice Le Noblet Duplessis, le Grand, l'Unique. Il y a dans la vie d'un homme de bien quelques-unes de ces rares journées à marquer d'une pierre blanche. Ce jour-là, il peut bien neiger à pleines pagées, grêler à coucher les plus belles récoltes, venter à écorner le bœuf modèle de la ferme expérimentale d'Oka, le ciel est bleu quand même. Bleu comme l'Union nationale ! Santé, baptême !

Les amis avaient promis de garder le secret le plus étanche sur les deux promesses du Chef, mais Félicité, redoutant que Prospère oublie de partager sa joie avec Aurélie, l'avait appelée. Et, bien entendu, Désirée avait espionné, de sorte que le député n'avait pas encore quitté le Val que tout le village parlait de la prochaine salle municipale et surtout du futur collège des garçons. Sur le quai de la gare on félicitait monsieur le député, ou le remerciait, on l'incitait à continuer son beau travail. Il eut été impardonnable de décevoir des électeurs aussi reconnaissants. Le notaire confessa qu'en effet, le Val aurait bientôt deux nouveaux édifices.

Désirée était partagée entre la joie d'avoir débusqué la vérité et le désagrément de voir doubler ses taxes. En politique, affirmait-elle, il n'y a rien de gratuit.

— T'as rien que ce que tu mérites, décréta Tancrède, si t'avais voté rouge, les taxes auraient pas monté.

— Oua, pis nos p'tits gars auraient continué de se geler les fesses dans la bécosse de l'école rouge.

— J'ai faite pareil. J'en sus pas mort.

— C'est ben ça le pire, oui.

Choqué, Tancrède prit le dehors en marmonnant et Désirée s'habilla à son tour. Elle voulait prendre des nouvelles de Rose. Elle savait que Conrad la harcelait pour déménager à Kingston et elle voulait savoir si elle tenait le coup. Elle voulait surtout savoir si elle avait succombé aux avances que le militaire lui avait sans doute faites au cours de sa dernière permission. La chair est faible, se répétait-elle, et Rose, malgré toute sa repentance et sa bonne conduite, n'est pas du bois de calvaire. Elle ne pourra pas repousser la tentation indéfiniment. Il importe que la commère soit mise dans le secret avant l'Église. Il faut qu'elle confesse l'ancienne pécheresse avant le curé. Du diable si elle n'y arrive pas… On aura compris que sa curiosité n'a d'autre but que de venir en aide à la pauvre fille et fortifier sa résolution de ne pas succomber aux artifices du Malin.

Pour mettre toutes les chances de son côté et s'assurer l'intimité la plus étanche, Désirée pria Rose de venir seule. Mais monsieur Tancrède ne sera-t-il pas déçu de ne pas voir les enfants ?

— Laisse fére Tancrède, i aura pas la chance d'écornifler. On va être tout seules, j'te dis. Toute fines seules.

— Ah bon…

— Oui, ma chère, quand i's sont entre gars, on va-tu les écœurer, nous autres ?

— Tant qu'à ça…

— Comme ça, j'peux t'attendre à soir ?

— Ben sûr, madame Désirée.

Satisfaite, la bigote prit congé après avoir distribué une poignée de bonbons français aux enfants de Rose et à ceux de Conrad.

Le soir au souper, elle pria Tancrède de quitter les lieux après les Grâces et de se perdre dans la nature jusqu'à neuf heures. Intrigué, Tancrède demanda en quel honneur madame prétendait chasser le propriétaire de sa propre maison.

— J'ai afféré à Rose pis c'est pas de tes afféres.

— Oua…

— Oua!

Tancrède eut bien envie de revendiquer sa part de cuisine, mais il connaissait trop bien sa mégère pour insister.

— Comme ça, je voirai pas les enfants.

— Si tu veux voir les enfants, va chez Rose parce qu'is viendront pas.

— C'est une idée…

— Fais-en ce que tu veux, mais la minute que Rose met les pieds ici-dedans, tu fais aussitôt de l'air. C'est ben compris?

— Oua, j'sus pas sourd.

— Qu'est-ce que t'attends?

— J'peux bourrer ma pipe avant de sortir, tet ben?

— Beau dommage!

⊛

Rose arriva un peu avant sept heures.

— Envoye, dégreille-toé, pis viens t'assire.

Comme une araignée dans sa toile, Désirée regardait la mouche enlever son manteau et se berçait nerveusement.

— Veux-tu du thé?

— Non merci.

— Envoye, conte-moé ça.

— Vous conter quoi ?

— Rose, tu sais toujours ben que j't'ai pas fait venir icitte pour te demander le temps qu'i fait dehors.

— Conrad…

— Oui, Conrad. Pis ?

— Oh mon Dieu ! J'savais ben que vous me questionneriez.

— C'est normal, non ? J'suis ton amie, non ?

— Ben oui, mais…

— Y a pas de mais. Envoye, conte-moé ça.

Voyant bien que les échappatoires ne serviraient à rien, Rose se confessa. Oui, elle avait succombé.

— J'le savais donc ! J'le savais donc !

— Faites-moé pas de reproches, là. Si vous sarais comment j'ai essayé.

— Pauvre p'tite fille, j'te plains ben plus que j'te fais des reproches. Mais comment ça c'est passé ? Envoye, raconte-moi.

Rose raconta la joie des retrouvailles, les cadeaux aux petits, puis le dîner, puis l'après-midi qui n'en finissait plus de finir, puis le souper, puis les enfants qui n'arrêtent pas de se relever, de protester qu'ils ne s'endorment pas et qu'il faut bercer trois fois pour les endormir une bonne fois pour toutes.

— Pis ?

— Pis, Conrad a sorti un gin.

— La pisse du démon.

— Vous pouvez ben le dire. Au troisième verre, j'ai perdu la tête.

— Pis ben manque tes culottes…

— Comme vous dites.

Rose ne sait plus combien de fois ils l'ont fait.

— T'es pas sarnée jusqu'au nombril pour rien.

— Dix ans, madame Désirée, dix ans c'est long pas pour rire.

— Oua, ça fait une jolie neuvaine, en effet.

— Qu'est-ce que j'vas fére astheure, madame Désirée ?

C'est simple, il faut que Rose aille se confesser dans les plus brefs délais. On voit bien qu'elle reflète la santé et la vigueur, mais sait-on jamais, la mort subite ce n'est pas une fiction de l'esprit.

— Prends Honorius à Télesphore. Rougeaud, gras à fendre avec l'ongle, ça l'a pas empêché de péter au fret sans avoir le temps de crier mon oncle. Pis Prospère à Polyte, la même maudite affére. Un jeune homme bâti pour vivre cent ans, i est mort à trente-huit. Pis les accidents, Rose. Si y a quequ'un qui doit savoir qu'un accident est vite arrivé, c'est ben toé, non ? Tiens, prends monsieur Calomme qui se barce dans son châssis. Un coup de tonnerre, pis bingo le Belge.

— J'sais tout ça, madame Désirée, mais je me demande si ça vaut la peine.

Halte là, madame, c'est déjà bien assez que vous péchiez contre la chair, si vous vous mettez en plus à pécher contre l'Esprit, où allons-nous ? Douteriez-vous des vertus lustrales de la Pénitence ? Allez-vous nier l'incommensurable mansuétude de Dieu ? Croiriez-vous donc votre péché à ce point abominable qu'il dépasse la miséricorde divine ? Cessez à l'instant ces propos blasphématoires et rappelez-vous que l'amour divin ne connaît pas de limites et qu'il peut laver les pires infamies.

— C'est pas ça, madame Désirée.

— C'est quoi, d'abord ?

— Les conditions pour avoir l'absolution, madame Désirée ?

Un aveu sincère de ses fautes, de toutes ses fautes, l'extrême regret d'icelles et la ferme résolution de ne plus recommencer. N'importe quel gamin qui marche au catéchisme sait cela.

— Je le sais moé itou, mais…

— Mais quoi ?

— Je regrette pas pantoute, bon.

Voilà qui pose un problème plutôt délicat. S'il n'y a aucun regret de la faute, il devient bien difficile de se croire vraiment absous par-delà même la formule sacramentelle. Je dirais plus, je dirais même que nous flirtons là dangereusement avec le sacrilège. On peut tromper le prêtre, ma chère, mais on ne trompe pas Dieu. Il est omniscient et peut, le Livre le dit, sonder les reins et les cœurs.

— J'sais tout ça, mais j'arrive pas à regretter.

— Et pourquoi donc ?

— Si vous sarais comme c'était bon.

— À ce point ?

— Vous pouvez pas savoir, madame Désirée. J'ai jamais joui de même de ma vie.

— Oua, on sait ben…

— J'ai beau me forcer, j'arrive pas à regretter. Ça fait que l'extrême regret, je l'ai loin, hen ? Pis le farme propos, j'ai rien que celui de recommencer.

— Oua, t'es ben mal entrepris.

— Assez pour me demander si ça vaut la peine d'aller me confesser.

Un peu désemparée, mais pensant qu'il y allait du salut de son amie, Désirée se recueillit un instant pour implorer l'Esprit et, ramassant sa connaissance des préceptes, elle fit un effort sublime pour arracher Rose à l'emprise du Malin. Malgré ses faiblesses, malgré ses appréhensions, malgré la fragilité de son repentir, il fallait courir au tribunal de Dieu et déverser sa folie dans l'oreille indulgente de monsieur le curé. C'est bien certain qu'il ne prononcera pas la formule lénifiante sur une tête légère, encore moins sur une tête insoumise, mais il en a tellement vu. Il en a tellement absous de ses pécheurs qui roulent jusqu'à la monotonie dans l'habitude d'une faute multipliée à l'infini. Soyons logiques, ma chère, si le pécheur l'avait son extrême regret et son ferme propos, s'il l'avait vraiment, il n'aurait plus jamais à revenir au confessionnal, pour la simple raison qu'il ne pécherait plus jamais. Alors, puisqu'il revient toujours, c'est qu'il ne l'a *vraiment* jamais son ferme propos. Nul ne sera tenté au-delà de ses forces, c'est beau en théorie, mais en pratique la chair est faible et Dieu est miséricordieux.

— Je veux ben, mais quand Conrad va revenir ?

— Si tu veux avoir la moindre chance de pas te retrouver le cul à l'air, Rose, touche pas à la boisson. La boisson maudite qui rend l'homme semblable à la bête et souvent le fait mourir.

— Ça, j'peux vous promettre ça.

— J't'en demande pas plus pour astheure.

— Vous êtes ben bonne.

— Oui, mais cours à confesse pas plus tard que demain matin. En attendant, j'vas prier pour pas que tu crèves c'te nuitte.

— J'veux ben, mais le farme propos…

— Ah oui, le farme propos…

Désirée se concentre à nouveau et stipule qu'il est évident que pour ne pas invalider l'absolution il faut à tout le moins être sincère au moment où le prêtre prononce le *Ego te absolvo*. C'est là le point critique. Alors, il faut, et il suffit de regretter sincèrement ses fautes et s'engager à ne plus les commettre à ce moment précis pour ne pas faire une mauvaise confession. Ce n'est pas si sorcier, voyons ! Se concentrer, entrer en soi-même, être sincère vingt secondes, y croire, se donner au regret, se convaincre du repentir, se persuader qu'on ne retombera plus dans la faute, vingt secondes ma fille ! Vingt secondes ! Vous ne direz pas que c'est une exigence déraisonnable. N'est-ce pas ?

— Mais, après les vingt secondes ?

— Après ! Après ! J'le sais-tu, moé ? La terre arrêtera pas de tourner, tu sais. En tout cas, une affaire est certaine : faut que t'ailles à confesse. Fie-toé à monsieur Beaubien, i va savoir t'expliquer tout ça mieux que moé. Après toute, j'ai pas faite mon grand séminaire.

Peu rassurée, Rose rentra chez elle en se demandant pourquoi l'amour était-il si compliqué ?

Chapitre 5

Lady Astor à Winston Churchill :
— Si j'étais votre femme, je verserais du poison dans votre thé.
— Si j'étais votre époux, je le boirais.

Désirée était d'une humeur massacrante. Elle avait mal dormi et son caractère déjà irascible en temps normal était devenu carrément vindicatif. Et comme Tancrède était la cause de son insomnie, il avait à subir les conséquences de sa vindicte. En premier lieu, il avait faussé l'horloge de Désirée : chaque soir elle commençait ses orémus à neuf heures précises. Big Ben aurait pu synchroniser sa sonnerie sur son « Je crois en Dieu ». Or, la veille, pris dans une partie de cartes très contestée et partant, plus longue que d'habitude, Tancrède n'avait pas vu filer le temps et s'était mis en retard. La partie s'éternisant, il avait encore pris un gin de plus que sa ration habituelle, de sorte qu'il avait la langue un peu pâteuse pour articuler les répons. D'où le juste courroux de la sainte femme qui abhorrait les ivrognes et qui aurait préféré la puanteur d'une mouffette giclant ses meubles à l'odeur rancie d'une gueule à gin. Se sachant coupable d'un crime contre la ponctualité, d'un mépris envers la piété et d'un forfait contre la sobriété, Tancrède avait pris l'orage sans broncher. Puisqu'il était dans son tort, il devait garder « le corps dur et les oreilles molles », en attendant que sa vipère ait craché tout son venin. Cela lui prit un bon quart d'heure avant d'entamer le chapelet. Quand elle eut enfin terminé après avoir récité les litanies des saints et la prière pour une bonne mort, Désirée ramena rageusement l'édredon sur elle, se tourna le « cul à la crèche » et avertit son grand insignifiant de prendre bien garde de ne pas la réveiller et, surtout, de se tourner et de rester tourné.

— Tu pues le gros gin à plein nez ! Si c'est pas un vrai scandale ! En plein Carême !

Tancrède avait rondi le dos et s'était tassé le plus loin possible dans un no man's land qui confinait dangereusement à l'extrême bord du matelas.

— *Mon Dieu, je remets mon âme entre vos mains.*

— *Amen*, soupira Tancrède.

Puis, il s'endormit en espérant rester « de son côté de la barrure ».

❀

À 6 heures tapant, Désirée mit les pieds sur le prélart, se mit à genoux et récita ses prières du matin. « Lève-toi, maudit fainéant. » Ah non, ça va pas recommencer ! se dit Tancrède en se glissant en bas du lit. Il aurait tout aussi bien pu rêver gagner le sweepstake d'Irlande que d'espérer une accalmie conjugale. Tout le temps que durèrent les ablutions et la vêture de sa sainte épouse, le trop-plein déborda : quand on couche à moitié soûl, il est normal de ronfler comme un porc, de se rouler dans le lit, de s'étaler, d'envahir le territoire de l'autre, de lui balancer un bras en plein visage, de lui roter les relents de fond de tonne dans le nez, de rester insensible aux coups de coude et aux cris lui enjoignant de reprendre sa place, enfin, d'empoisonner, jusque dans son sommeil, l'existence d'une pauvre créature exténuée, malade et trop faible pour rouler un ivrogne en bas du lit, là où il devrait dormir s'il avait le moindre sentiment de délicatesse à l'endroit du sexe faible. Et, bien entendu, pendant qu'elle ira prier pour lui et communier à ses intentions, il s'empiffrera d'œufs, de rôties pissant le beurre, de creton, de sirop d'érable, sous prétexte que son grand âge le dispense du jeûne. Quant à aller à la messe avec elle, comme son devoir le lui commanderait s'il était un chrétien un peu convaincu, il passera outre, comme il le fait six jours par semaine en prétendant que la messe du dimanche, assortie des patenôtres journalières qu'elle lui impose pour le salut de son âme, devraient suffire. À bien y penser, il est d'ailleurs préférable qu'il s'abstienne, à tout le moins pour aujourd'hui, parce que la puanteur du gin sur fond de ragoût de pattes de cochon mal digéré n'est pas précisément le parfum qui doit monter vers la face de Dieu. À tout prendre, il est mieux de cuver son vin, de fumer sa pipe, d'empester sa maison, de pisser à côté de la cuvette de la toilette, de lire le journal des communistes de la rue Saint-Vallier que d'insulter le Seigneur par une présence nauséabonde dans un lieu qui doit respirer l'encens et la piété. Inutile de feindre la dévotion par des simagrées hypocrites, Dieu qui voit tout saura bien à son heure trier l'ivraie du bon grain et confondre les sépulcres blanchis. En attendant, monsieur le mécréant peut en prendre à son aise, rira bien qui rira le dernier.

Quand enfin, elle referma la porte, Tancrède, qui avait encaissé sans proférer une seule parole, se leva, s'approcha de la fenêtre, comme s'il avait eu peur de la voir revenir, la regarda aller un moment, puis commenta machinalement : « Oua, a l'a ça dans le bras à matin. » Après quoi, il s'habilla et se dirigea vers sa remise où il prépara une attisée. Une poignée de copeaux, un peu de bois fendu menu et quelques bonnes bûches d'érable qui s'embrasèrent au bout d'une minute. Alors, prenant son escabeau, il souleva la trappe du plafond, tâta un peu, attrapa un 40 onces de John De Kuyper, dévissa le bouchon, avala deux bonnes lampées et remit la bouteille en place. *Tant qu'à se fére crier qu'on pue le fond de tonne, aussi ben que ça soye vrai.*

Puis il revint à la maison où il se prépara un déjeuner copieux. Il savait trop que la mauvaise humeur de Désirée déteindrait sur le menu du reste de la journée pour ne pas prendre ses précautions. Deux œufs, une large tranche de pain de ménage grillée sur le poêle et tartinée de beurre avec une couche de marmelade pour faire bonne mesure, de la confiture de framboise noyée dans la crème d'habitant, deux tasses de café bien sucré, voilà qui lui ferait un fond jusqu'au lendemain, dut-il jeûner le reste de la journée. Il pensa laver son assiette, mais à la réflexion, conclut que, feu au cul ou pas, le devoir d'une femme est de vaquer aux travaux domestiques pendant que le payeur de taxes s'occupe de la Chose publique. Il condescendit à mettre une bûche dans le poêle avant de sortir. Désirée aurait toujours assez de sujets de récrimination sans s'appuyer sur un poêle éteint pour prendre son essor. Puis il retourna dans sa remise où il bricolait à l'occasion. Il n'avait pas le goût d'assister au retour de sa furie, les retrouvailles s'effectueraient toujours assez tôt. Pour tuer le temps, il commença un traîneau pour le petit Charles, et y travailla jusqu'à 10 heures alors qu'il se dirigea vers le bureau de poste. Il y aurait peut-être une annale, une circulaire, plus probablement rien, mais ses amis seraient là et ils s'amuseraient ensemble de la narration du coucher et du lever de la tendre Désirée.

⊛

— Y a pas de monde pantoute dans c'te maudite bonne femme-là. Comment tu fais pour l'endurer ? demanda John Talbot.

— Je l'sais pas, John, je l'sais pas.

— En tout cas, enchaîna Émile Cormier, est chanceuse d'avoir fessé un bonasse comme toé.

— J'voudrais ben te voir à ma place, toé.

— Moé ! Je l'estropierais !

— Ah, tout le monde a sa croix à porter, conclut Fred Savoie.

— J'veux ben croire, soupira Tancrède, mais laisse-moé te dire que j'commence à la trouver pas mal pésante, la croix à Désirée.

Avant de se séparer pour aller dîner, on convint de se retrouver à la remise et de jouer aux cartes tout l'après-midi. Comme Tancrède l'avait anticipé, le repas fut d'une sobriété exemplaire et Désirée qui attendait une protestation, voire un simple soupir de dépit, mangeait d'une fourchette agressive. Stoïque, Tancrède ne dit pas un mot de tout le repas. Il estimait que l'inertie, une inertie totale, était encore le meilleur moyen d'user l'agressivité de la guerrière. Voyant qu'elle ne tirerait pas une plainte de lui, Désirée biaisa pour attaquer sa sœur Clémence. Tancrède la défendait toujours. C'est là qu'elle l'attendait. Ne trouvait-il pas ridicule une vieille femme de soixante-huit ans amoureuse comme une écolière ? Ne trouvait-il pas absurde un vieux beau de soixante-quinze ans éployant ses vieilles plumes comme un paon en parade autour d'une poule essoufflée ? Ne croyait-il pas que le temps était venu de faire cesser un scandale qui éclaboussait un nom qu'elle s'était appliquée toute sa vie à garder pur de toute souillure ? Ne pensait-il pas que le curé devrait intervenir, s'il n'avait pas complètement renoncé aux devoirs de son état ? N'avait-il pas peur qu'on les retrouve soudés dans le vice et frappés par la justice divine ? Tancrède mâchait ses patates sans rien dire, il avalait son thé en silence, il grignotait son biscuit sec comme s'il eût été sourd et muet.

« On sait ben », son *Soleil*, son gros gin, sa bande d'abrutis congénitaux, le déballage de la malle, l'attente des trains, la partie de dames chez René Marchand, c'est tout ce dont un insignifiant a besoin pour couler ses vieux jours. Que sa femme vive les affres d'une inquiétude mortelle, qu'elle désespère du salut éternel de sa petite sœur bien-aimée, qu'elle prie à en fatiguer l'oreille du bon Dieu, qu'elle fasse pénitence tous les jours, qu'elle multiplie les neuvaines pour amener le repentir dans l'âme de ces égarés, ça l'indiffère, Tancrède le tiède. Or, le Christ a bien dit qu'il vomirait les tièdes. C'est un pensez-y bien pour celui qui ne veut pas rôtir en enfer. Mais monsieur est au-dessus de ces angoisses, n'est-ce pas ? Monsieur est assuré de vivre cent ans. Monsieur se croit immunisé contre la maladie, contre le hasard, contre les accidents. Monsieur croit que les quelques exercices de piété que sa pauvre femme lui arrache grâce à une vigilance de tous les instants lui assureront le salut. Qu'il se détrompe car l'arbre sera jugé à ses fruits. Et même en mettant ses lunettes, elle ne voit que des fleurs fanées et désespérément stériles sur l'arbre de vie de son triste compagnon. Car enfin, qu'est-ce qu'il fait, monsieur, pour mériter le ciel ? Ce n'est toujours pas en faisant damner sa pauvre femme qu'il va trôner à la droite du Père au jugement général. Dieu merci !, il en faut davantage pour accéder au Royaume des cieux.

Tancrède avala sa dernière gorgée de thé et s'habilla pour sortir. « Ousse que tu vas encore ? »

Tancrède ne daigna pas répondre et ouvrit la porte.

— J'te parle, là !

Toujours pas de réponse.

— Quand j'te parle, tu pourrais au moins me fére manger de la marde, non ?

— Ben manges-en d'abord » et, refermant la porte sur lui, il se dirigea vers la boutique où il attendit ses vieux copains. Furieuse, Désirée enleva la table et lava les assiettes. *C'est ça ! C'est ça ! Soûle-toé avec tes bons à rien, pis laisse-moé tout seule comme une âme en peine. Maudits hommes ! Maudite engeance ! J'me demande ben pourquoi le bon Dieu a créé ça, moé. Pour ce que ça peut servir… Ça fume la pipe, ça chique du tabac canayen, ça parle fort, ça marche pésant, ça sacre, ça dort pendant le sarmon, pis ça vote. C'est ben ça le pire, ça vote ! C'est pas surprenant que toute marche de travers, itou. Doux Seigneur Jésus ! Ça a servi à quoi de vous laisser crucifier ?* Elle étendit son linge à vaisselle et, se berçant, elle égrena un autre chapelet : une dizaine pour sa petite sœur pécheresse, une pour le vieux notaire dévergondé, une pour le curé frappé de cécité, une pour son fainéant (en désespoir de cause), et une dernière pour supplier Dieu de lui donner la force de ne pas désespérer tout à fait de l'humanité.

C'était peut-être trop solliciter la mansuétude divine et Désirée retourna vite à ses occupations préférées : la haine des Rouges, les affaires des autres, la détection du péché et la démolition de l'arrogance des mâles. Tout cela, bien entendu, sous le couvert de la charité chrétienne. Elle ne pouvait souffrir que le monde se perde dans le vice et, consciente de ses limites, elle croyait que débusquer le mal, l'étaler sur la place publique, suffirait à son salut éternel. Inutile de préciser que les eaux troubles où pataugeait sa sœur Clémence l'inquiétaient au plus haut point. Elle avait eu beau multiplier les dizaines de chapelet à son intention, la rappeler à son devoir, la prévenir du danger, aligner les neuvaines pour que l'Esprit saint l'éclaire, le vieux notaire n'en continuait pas moins de passer toutes ses soirées avec la veuve joyeuse. Chaque soir, elle le voyait passer, fringant comme un jeune premier, courant vers l'antre du péché. Le trottoir passe à dix pieds de sa fenêtre. Il est donc facile de lire l'allégresse qui soulève le vieillard impudique. Il n'y a que la passion assouvie pour dessiner une pareille béatitude sur le visage d'un homme. Un matou bien nourri se promène la queue à angle droit avec le dos, c'est une vérité biologique. Et c'est pareil pour un homme. Pas nécessaire d'avoir vécu cinquante ans avec Tancrède Labbé pour connaître une vérité aussi fondamentale. Le vieux notaire usait ses dernières énergies à bander sur la lubricité d'une femme perdue. *Doux Seigneur Jésus, si ça fait pas frémir !* En désespoir de cause, elle en avait parlé à monsieur le curé, et l'avait imploré de les marier ou de les séparer. En vain. Le vieux pasteur l'avait éconduite, d'abord avec ménagement, la dernière fois brutalement. « Je les confesse. Je dois donc savoir mieux que vous s'il y a lieu de prier pour leur salut. » Peut-être, mais le scandale ! Monsieur le curé y a-t-il pensé ? Malheur à celui par qui le scandale arrive. Est-ce que monsieur le curé aurait oublié ce qu'il y a de terrible dans cet avertissement ? Monsieur le curé a surtout retenu l'anathème qui menace ceux qui violent le commandement de la charité et colportent les relents malsains de la calomnie. En clair, occupez-vous de votre propre salut et laissez votre sœur s'inquiéter du sien.

Cela veut dire que Désirée devra seule accomplir la grande tâche d'arracher ces pécheurs à l'emprise de Satan. Et s'il n'y avait que Clémence. Il y a ces dévergondées qui, depuis la fin de la guerre, fument comme des cheminées de janvier, traînent dans la rue jusqu'à dix heures du soir, vont aux vues à Amqui et reviennent aux petites heures entassées à six dans un taxi, se maquillent comme les catins de Montréal, veillent dans des chalets, portent des culottes qui leur moulent les fesses et des gilets qui en montrent plus que la nudité. Pas surprenant que la crèche de la Miséricorde déborde de bâtards. Et Rose qui veut partir pour Kingston avec Conrad. Le « farme propos » en prend pour son rhume dans ce coin-là aussi… Et le gérant de la banque, l'incendiaire, qui continue son petit bonhomme de chemin sans que personne ne l'inquiète. Et les ivrognes, qui « boivent » leur paie et battent leur femme pour les empêcher de gémir sur le sort de leurs enfants. Pas étonnant qu'ils sacrent avant d'apprendre leurs prières et courent la rue nu-pieds en insultant les honnêtes gens. Mais il y a pire encore. Ce gros monsieur qui bourre les petits gars de bonbons et les garde trop longtemps dans sa remise pour ne pas alerter une chrétienne vigilante. *Non monsieur ! Non et non ! Si t'es aveugle moé j'le sus pas ! Pourquoi toujours des p'tits gars, pis rien que des p'tits gars, jamais de p'tites filles, hen? Tu peux me le dire?... Tu peux pas, hen? Ben moé, tout ce que j'ai à dire, c'est qu'y a de la marde au boutte du bâton. Pis j'te mettrai ben le nez dedans un bon matin.* Évidemment, Désirée avait mis Rose en garde pour que son fils et celui de Conrad évitent soigneusement de tomber dans le piège. Elle ne pouvait faire plus pour le moment, mais elle gardait l'œil ouvert. Voilà, elle a fait le tour. Le bilan est triste, et elle est bien seule. Il lui faudrait prier vingt-quatre heures par jour, et encore... Tiens, un lampion qui brûle une journée entière, c'est une forme de prière. Elle va donc s'assurer qu'une petite flamme brûle désormais sans arrêt à ses intentions. Elle va faire une retraite fermée à Mont-Joli. Elle va jeûner comme si elle avait vingt ans. Après, bien mon Dieu, elle ne sait pas, elle ne sait plus. Elle ne peut tout de même pas porter tous les péchés de l'humanité sur ses frêles épaules.

Mettant son chapelet dans la poche de son gilet, elle se leva et regarda par la fenêtre de la cuisine l'antre de son fainéant. Le tuyau crachait une fumée douteuse. *I vient de mettre une bûche dans la truie. Si ça fait pas pitié, des hommes faites, pardre leur temps à jouer aux dames, pis au 9. Pis à prendre un coup, comme de raison.* Elle résumait assez bien la situation, sauf que les chroniqueurs parlaient surtout de la construction de la salle municipale. Tancrède affirmait que s'il avait été conseiller, il aurait voté pour. Oui, malgré l'opposition de Désirée. Surtout, à cause de l'opposition de Désirée. Mais c'eût été lui donner une autre raison de chialer. Voyons donc, messieurs! Désirée n'a besoin d'aucune raison pour chialer. Elle chiale au même titre qu'elle respire, comme l'air flotte, comme les poissons nagent, comme les oiseaux volent, comme le jour succède à la nuit et le printemps à l'hiver. Le chialage, c'est sa raison de vivre, c'est sa nature intrinsèque, c'est son aliment de base, c'est son carburant. Même les compliments qu'elle distribue si parcimonieusement sont enveloppés dans un tissu de malveillance. Les cadeaux qu'elle fait, leur empaquetage pue la mesquinerie, distille le fiel de l'amertume. *J'veux rien te devoir. C'est pas grand-chose, mais j'sus pas riche comme toé. Si ça fait pas ton affére, tu le jetteras. J'sais ben que ça sera pas à ton goût, mais j'ai faite mon possible. T'aimeras tet ben pas ça, mais tu le sais, j'ai pas de goût.* Si c'est un cadeau qu'elle reçoit : *T'arais dû garder ton argent, t'en as plus besoin que moé. Pourquoi tu me donnes ça ? J'saurai pas quoi en fére. C'est de l'argent gaspillé. J'avais besoin de ça comme un chien a besoin de deux queues.*

Tancrède continue de se lamenter et ses amis de le plaindre. Le sort est en effet trop cruel d'imposer une pareille plaie à un bon garçon qui, après avoir travaillé pendant cinquante ans, voudrait seulement jouir de la vie en compagnie de copains ne demandant qu'à étirer les jours qui les séparent de la tombe dans la tranquillité de quelques amitiés indéfectibles. Quel mal y a-t-il à cela et n'est-ce pas honorer Dieu que de le remercier de ses bienfaits en levant son verre à chaque nouvelle journée que le soleil irradie sa chaleur ? Qu'y a-t-il de mal à zieuter une belle fille un peu plus longtemps que les bonnes manières l'autorisent et que la morale catholique le permet ? Est-ce un péché de maudire la clique à Duplessis ? Les hommes politiques ne sont-ils pas précisément payés pour encaisser la critique de l'opposition ? N'est-ce pas là l'essence même de la démocratie ? Et les femmes qu'ils laissent seules à la maison, n'est-ce pas assez de leur avoir fait douze enfants, de les avoir logées, vêtues et nourries ? Peut-on attendre davantage d'un honnête homme ? Évidemment, les puristes vont sourciller à les voir lever le coude de temps à autre, surtout durant le Carême, mais n'ont-ils pas assez mangé de misère dans leur chienne de vie pour se dispenser de faire maigre durant les derniers Quatre-Temps de leur vieillesse ? Et la prière ! Mais les hivers passés loin de la maison à bûcher des billots dix heures par jour pour des salaires de famine afin que les enfants aient du beurre à mettre sur le pain, est-ce que ce n'est pas une prière ? Si c'en est pas une, personne ne niera que c'est une pénitence et il faudrait être singulièrement mal intentionné pour marchander à ces hommes-là le droit de vivre un crépuscule sans nuage avant de s'éteindre dans le couchant. Au diable toutes les Désirée de la terre qui suent la mesquinerie et l'acrimonie par tous les pores de leurs vieilles peaux de vaches stériles. Santé baptême !

— C'est pas toute ça, va falloir penser se rapprocher de la table.

— Si c'est aussi maigre qu'à midi, commenta Tancrède, j'vas crotter maigre demain matin.

— Y a des restaurants au Val, l'aurais-tu oublié ?

— Tu me donnes une idée, toé là. M'as surprendre Désirée.

— Comment ça ?

— M'as i dire que j'file pas, que j'ai pas faim. Pis j'vas m'éclipser pour aller manger chez madame Paul.

— On va t'attendre.

Tancrède referma la boutique et revint à la maison pendant que ses amis s'amusaient déjà à imaginer la tête que Désirée ferait en voyant un gros mangeur comme Tancrède laisser son assiette à moitié pleine.

❀

— Ah te v'là, toé ! On sait ben, après avoir couru la chienne, le chien revient toujours se bourrer la face à maison, hen ?

Tancrède se contenta d'enlever son manteau et de s'asseoir à la table. Pour se faire dire de patienter une minute, que le repas n'était pas prêt, qu'il devait avoir assez de réserves pour survivre un moment, que brasser des cartes, lever un verre de gin, mettre une bûche dans la truie ne devaient pas être à ce point exténuant qu'il ne puisse lui laisser le temps de mettre la table. D'ailleurs, après ce qu'il avait eu l'amabilité de lui dire avant d'aller fainéanter avec ses propres à rien, il pouvait se compter trop chanceux qu'elle lui ait préparé à manger. D'autres, moins charitables qu'elle, le laisseraient se démerder seul, comme il le mérite. Cette sortie, comme la première, fut accueillie par un silence aussi poli que total.

— C'est ça, joue au sourd astheure. Ben, si t'as rien à dire, moé, j'ai pas fini !

Mais où donc va-t-elle chercher tout ça ? Et c'est reparti. Pour se plaindre de passer ses grandes journées seule. (Heureusement qu'elle a son chapelet…) Pour se lamenter que Tancrède ne pense qu'à lui, qu'à ses vices. Évidemment, il ne s'interroge pas sur ses fins dernières. Digression sur le sujet. Pour revenir sur la solitude d'une femme qui s'est tuée à la tâche pendant cinquante ans afin de leur ménager une retraite tranquille. Nouvelle digression pour préciser que sans elle (qui savait compter), ils seraient dans le dénuement le plus complet. On revient sur le sujet dont on s'était écarté un moment. Pour pleurer sur l'incompréhension d'un ingrat qui ne fait rien pour atténuer sa tristesse de ne pas avoir eu d'enfants, qui, au lieu de la dorloter comme elle le mérite (après tout, n'est-elle pas une grande malade, à toute fin pratique condamnée?), gaspille son temps à boire, à jouer aux cartes, à parler de politique (un ignorant qui n'y entend rien), à écornifler les voyageurs qui descendent du train, à déshabiller les filles qui se pavanent sur les trottoirs, à se mêler des affaires de tout le monde, à ne rien faire de ses dix doigts, à prendre un bain quand il pue assez pour s'asphyxier lui-même, à la faire mourir à petit feu. Parce qu'elle sait bien qu'au fond, c'est ça que Tancrède a en tête : la faire crever de peine et se débarrasser d'elle. Elle sait bien qu'il ne l'aime pas, qu'il la souffre difficilement, mais comme il sera heureux le jour où il la portera enfin en terre.

Tancrède repousse son assiette.

— Pis tu manges pas ? T'as pas faim ? De coutume tu manges comme un cochon, y en a jamais assez.

Tancrède se contente de la regarder, les yeux lourds de tristesse. Elle repart de plus belle. Elle sait qu'elle n'est pas un cordon bleu, mais elle s'est toujours crue assez bonne cuisinière pour suffire aux goûts d'un gourmet qui a été élevé au chiard de goélette et dont la seule chose qui ne lui ait jamais été marchandée dans son enfance, ce sont les coups de pied au cul de son cher père.

Se rendant compte que la source ne se tarirait pas avant des heures, Tancrède se leva.

— Tu manges pas ?

— Non, tu m'as coupé l'appétit.

Et Tancrède de se vêtir pour sortir. Quand il referma la porte, Désirée avait commencé à chialer. Elle savait qu'elle était allée beaucoup trop loin. Mais c'était plus fort qu'elle. Elle avait beau regretter le lendemain ses excès de bile, une fois qu'elle était lancée, elle pouvait ronronner des heures sans effort apparent. L'injure lui venait naturellement, comme la sève remonte le printemps dans les branches. Elle en disait toujours davantage qu'elle ne croyait réellement, mais une fois enclenchée, elle ne pouvait plus contrôler le débit. Elle s'en accusait, sans doute, mais trop orgueilleuse pour en demander pardon, elle mijotait dans ces saletés qu'elle avait remuées et elle en restait l'âme triste pendant des semaines. Elle maudissait sa mère et sa grand-mère qui lui avaient transmis un caractère aussi déplaisant, mais il était trop tard. Le mal était fait et bien fait. Pourtant elle aimait Tancrède. À sa façon, bien sûr, mais elle l'aimait ; et si elle le houspillait avec une pareille fureur, c'est qu'elle l'aurait voulu parfait. Mais comment expliquer cela à un homme ? Ils se croient trop uniques. Voilà que je recommence encore, plutôt que de chercher à panser les plaies de Tancrède. Mon Dieu ! Que la sainteté est donc difficile.

✾

Tancrède avait rejoint ses amis au restaurant. Il mangea longtemps, mais pas avec l'appétit qui eût convenu. Il avait beau raconter dans les détails la litanie que Désirée lui avait servie et s'efforcer de rire avec ses amis, le cœur n'y était pas tout à fait. Sa vipère était allée trop loin. Même en atténuant ses propos jusqu'à la limite de la charité chrétienne qui recommande de pardonner les offenses, il accusait le coup plus qu'il n'aurait voulu l'admettre. Il avait beau se secouer et se répéter que c'était un orage qui passerait comme les autres, il n'en restait pas moins ulcéré. Après cinquante années de mariage, il ne pouvait admettre un échec aussi complet. Il savait bien qu'il n'était pas un mari modèle, qu'il aurait dû faire plus de concessions, qu'il aurait pu être plus attentif, moins égoïste, plus empressé, mais tout de même, il lui avait laissé la gérance des finances, il n'avait jamais questionné ses achats, il l'avait toujours laissée libre de faire ses quatre volontés. Bien sûr, il l'avait parfois forcée à se donner quand elle n'en avait pas le goût, mais le devoir d'état, ce n'est pas un vain mot. Il est bien certain que s'il avait voté bleu, cela aurait arrondi les angles, mais il y a des limites à piétiner ses convictions les plus profondes. Non! le bilan n'était pas aussi mauvais qu'elle le prétendait. Il en connaissait des tas qui auraient réglé l'affaire en deux temps trois mouvements. Après tout, il n'a jamais levé la main sur elle, et pourtant, Dieu sait combien elle l'a cherché… Et puis, à la fin, ce n'est pas toujours au même à mettre de l'eau dans son vin. Non ?

— Qu'est-ce que tu vas fére ? demande Émile.

— Oua, proteste John, tu laisseras toujours pas passer ça ?

— Fais donc maison nette une bonne fois pour toutes, suggère Fred.

— Oua, y a toujours des maudites limites à ce qu'un homme peut prendre, surenchérit Émile.

— M'as régler ça, craignez pas, m'as régler ça.

— Ça fait cent fois que tu nous dis ça, pis est toujours en vie, rappelle John.

— J'ai ben jonglé à mon affére, les gars, pis j'vas régler ça. C'est toute ce que j'ai à vous dire pour astheure.

Malgré les bonnes résolutions que Désirée avait juré de prendre, le souper, aussi frugal que le dîner, se résuma en un long monologue où elle précisa ses accusations du midi et en ajouta une autre kyrielle. Il ne faut pas se répéter. Tancrède demeura tout aussi imperturbable et, la dernière bouchée avalée, il se réfugia dans son atelier où il continua le traîneau qu'il avait mis en marche le matin. À 9 heures, il jeta un coup d'œil vers la maison pour voir Désirée le nez collé à la fenêtre de la cuisine, scruter la nuit à sa recherche. Il ne bougea pas. Sirotant un gin chaud, il fignolait son ouvrage. À la fin, ne le voyant toujours pas rentrer et n'osant pas le relancer dans son repaire, Désirée fit son orémus en solitaire et se coucha, la rage au ventre et se promettant bien de rétablir l'ordre dans sa maison pas plus tard que le lendemain. Quand Tancrède rentra, elle dormait à poings fermés. Il en profita pour monter au deuxième et se glisser dans le lit où Rose avait dormi le soir de l'incendie de sa maison. À 6 heures, la commère se réveilla. « Maudit fainéant, lève-toé. » Seulement, au lieu de pousser dans les flancs de son cher époux, elle tâtait le vide. « Dis-moé donc, toé là, ousse qu'i est encore fourré ? » Mais après tout, il avait pu se lever tôt afin d'éviter le sermon qu'elle lui destinait pour avoir manqué les prières du soir. Il ne perdait rien pour attendre. Il ne pourrait se cacher indéfiniment. Elle s'agenouilla comme toujours, fit sa toilette et s'habilla. Puis, elle prit son gros missel vespéral Dom Gaspard Lefebvre et partit pour l'église.

⊛

Tancrède, qui avait suivi chacun de ses mouvements, se leva à son tour et refit soigneusement son lit. Puis, il descendit et se prépara un déjeuner plantureux, après quoi il sortit bricoler jusqu'à l'ouverture des guichets de la poste. Ses amis l'attendaient, impatients de savoir comment les choses s'étaient passées.

— Moé qui pensais que tu i casserais le manche à balai sus le dos, se plaignit John.

— C'est pas des choses à essayer avec Désirée, suggéra Fred.

— Oui, appuya Émile, est ben capable de te fére sacrer dedans.

— Justement, conclut Tancrède. Non ! Laissez-moé fére, m'as l'avoir à l'usure. Vous allez voir.

— C'est un p'tit jeu qui se joue à deux, ça. Prends garde qu'a te fasse pas crever de faim.

— J'ai pensé à ça itou, ricana Tancrède. J'vas me bourrer la face pendant la basse-messe, j'vas dîner au restaurant, pis j'vas me fére fére des sandwiches pour le soir. Si a monte sus ses grands chevaux, j'me fais un bed dans ma shop. En attendant, pas un mot sus la game. Prenez-en ma parole, quand a va être écœurée d'être veuve avec un homme en vie, a va se brancher la Désirée Landry.

Les amis opinèrent que le plan avait du bon. Il s'agissait de savoir lequel des deux serait le plus endurant. Et les choses allèrent leur train selon le plan prévu, jusqu'au jour où Tancrède fut pris d'une quinte de toux en pleine nuit. Elle surgit dans la chambre comme une furie.

— Ah c'est donc ça. Monsieur salit les draps de la visite. Monsieur a pas assez d'empester ma chambre, faut qu'i empeste toute la maison. Ben ça se passera pas de même. Envoye, défais-moé ça que j'lave ça au plus sacrant.

Sans dire un mot, Tancrède s'habilla et monta au grenier. Il en ressortit avec un matelas de lit de camp et, ouvrant la garde-robe, il prit des couvertures et transporta le tout dans sa boutique où il se fabriqua un lit. *On va toujours ben voir si je dormirai pas en paix icitte, moé.*

⌾

Et le manège continua : Désirée à la messe, Tancrède au poêle, Désirée à la maison, Tancrède à la remise, Désirée au magasin, Tancrède dans les confitures, Désirée à la séance du Conseil, Tancrède à l'hôtel, Désirée dans les transes, Tancrède avec ses vieux potes. Bientôt, le bruit courut, puis galopa que Tancrède ne faisait pas seulement chambre à part, mais logement à part. Le seul endroit où on les retrouvait ensemble était l'église pour la grand-messe. Les gens souriaient au passage de Tancrède. Il souriait en retour. La plupart n'osaient pas lui parler de sa rébellion, mais il pouvait lire dans les yeux de tous : « Bravo, et ne lâche pas ! » Il gardait bien un reste de pitié pour sa mégère mais pas assez pour interrompre sa croisade. Il était en paix avec sa conscience. Les encouragements de ses amis le confirmaient dans son bon droit. Il avait l'impression d'être en vacances, de s'être libéré d'un poids écrasant, de revivre. Au point de se demander pourquoi il n'avait pas fait la grève plus tôt. Au fond, les syndicats ont du bon qui remettent à l'occasion un patron trop baveux au pas. Comme il ne souffrait pas le moins du monde du silence et de la solitude, il ne voyait pas pourquoi il ne persévérerait pas jusqu'à la victoire. À bien y penser, il ne la désirait même plus, la victoire. Finir ses jours en célibataire libre comme le vent, n'ayant de compte à rendre à personne, était plus tentant que de renouer avec une harpie qui, malgré toutes les promesses, ne s'amenderait jamais que trop mollement. En attendant, il chauffait sa truie, bricolait, jouait aux cartes, aux dames, décoiffait sa bouteille de gin et dormait comme un ours en hibernation. Une seule ombre au tableau : il s'en serait voulu de n'être pas là, si Désirée tombait malade en pleine nuit. Mais, c'était un « rixe » à courir pour ameublir un peu une terre compactée comme la route nationale.

De son côté, Désirée commençait à trouver la situation beaucoup moins drôle. Les gens souriaient également sur son passage, mais c'était bien davantage pour la narguer que pour la supporter. Évidemment, personne n'osait ricaner dans sa face, elle dégainait encore assez vite pour susciter la prudence. Mais tout le monde était du côté de Tancrède et personne ne sympathisait avec sa grébiche. Sauf peut-être Rose qui savait le prix de la calomnie et de l'antipathie de tout un village, même de ceux qui, voulant détourner les soupçons, l'accablaient plus encore que ceux qui ne l'avaient jamais vue dénudée. Désirée lui confia son chagrin, un mercredi que Rose venait faire le ménage. Elle plaida l'exemplarité de sa vie, son seul souci d'assurer le salut éternel de son mécréant, sa soif de la perfection, son souci unique de faire de son homme un chrétien édifiant.

— Vous êtes trop dure, madame Désirée.

— Tu penses ?

— Ben çartain ! Tout le monde peut pas être comme vous. Vous êtes une vraie sainte.

— Comment ça ?

— Ben, vous êtes plus catholique que le curé, c'est pas donné à tout le monde, vous savez.

— Tu penses ?

— Ben oui, madame Désirée. Donnez-i en un p'tit brin de temps en temps à votre Tancrède. Ça vous f'ra pas mourir, pis ça va i faire tant plaisir.

— Si c'est toute ce qu'y i faut…

— Vous le reconnaîtrez pus, j'vous dis.

— J'sus toujours pas ben pour aller le relancer dans sa shed. Tu me voés toujours pas arriver là-dedans en jaquette en pleine nuitte !

— Faut ce qu'y faut, madame Désirée…

— Oui, m'as y penser.

Mais avant, elle en parlera à monsieur le curé. Celui-ci feignit la surprise la plus totale en entendant que Tancrède découchait depuis sept semaines. Évidemment, il ne remplissait plus ses devoirs d'époux, mais Désirée était bien davantage coupable que lui. Pas de rouspétance, s'il vous plaît ! Vous faites la vie impossible à ce pauvre homme, vous le harcelez sans arrêt depuis un demi-siècle. D'autres, moins patients, moins compatissants, vous auraient déjà tordu le cou. Vous ne le laissez pas respirer. Vous le poursuivez sans cesse de vos exigences exagérées. Vous le harcelez jour et nuit avec des règles dignes des communautés les plus rigides. Vous lui mesurez le sexe avec une précision de pharmacien et vous vous étonnez qu'il se révolte. Dites-moi franchement que vous le prenez pour un idiot, ou amendez-vous, à la fin. Faites-en enfin un mari et cessez une bonne fois de le traiter comme un gamin et peut-être, je dis bien peut-être, retrouverez-vous un époux. Faites les premiers pas, soyez femme, bon Dieu ! et espérez un miracle pour lequel je vais prier. Mais s'il vous repousse, ne jouez pas la martyre, vous n'aurez eu que le juste châtiment de vos innombrables fautes à son endroit.

Désespérée, Désirée éclata en sanglots.

— C'est bien ! C'est très bien ! déclara le curé avec une froideur souveraine. Puissent ces larmes qui, je l'espère, sont le commencement d'un repentir sincère, vous laver l'âme. Allez, mouchez-vous et courez demander pardon à votre mari.

Désirée descendit du presbytère la mort dans l'âme, les jambes coupées. Elle espérait la condamnation de Tancrède et revenait avec un verdict de culpabilité à peine atténué de quelques circonstances atténuantes. Elle en perdit le sommeil et l'appétit, pendant que Tancrède s'épanouissait dans une liberté qu'il n'aurait jamais cru possible, ni aussi délectable. Il était devenu jovial, compréhensif, indulgent. Il consentait même à dire que Duplessis ne faisait pas que du mal. Et il engraissait. Au point que la femme de John Talbot dut donner à ses pantalons tout le reste de matériel disponible.

— Si ça continue, commenta-t-il joyeusement, j'vas être obligé de m'acheter des culottes.

René Marchand l'assura qu'il lui en donnerait volontiers une paire, à condition qu'il continue de tenir son bout.

— J'ai ben trop de fun pour lâcher, répliqua le mari en vacances matrimoniales.

Une nuit sans lune, une longue silhouette se profila dans le jardin, ouvrit délicatement la porte de la remise et vint se blottir dans le lit simple de Tancrède.

— C'est moé, ta femme, murmura-t-elle.

— T'en as assez ?

— Oui.

— Corrèque d'abord. Mais t'es ben avartie, tu recommences, pis j'recommence moi si dret là.

— M'as être fine, tu vas voir.

Et passant une cuisse osseuse sur celle mieux coussinée de Tancrède, elle le lui prouva jusqu'au lever du soleil. Bon prince, Tancrède alla lui chercher ses vêtements pour lui éviter de retraverser le jardin en jaquette. Ce qui aurait pu faire jaser, ou pire, lui faire attraper son coup de mort. En avril, ne te découvre pas d'un fil... surtout dans la Vallée.

Chapitre 6

« Il est impossible de connaître l'âme, les sentiments
et la pensée d'aucun homme si on ne l'a pas vu
à l'œuvre dans le pouvoir et dans l'application des lois. »

Sophocle

À son retour à Québec, le notaire Bérubé s'était rendu
chez le ministre des Travaux publics pour y prendre
les plans commandés par le Premier ministre. Celui-ci les
avait regardés rapidement, les avait approuvés, avait écouté
avec intérêt l'implication de Prospère dans le dossier et
avait congédié son député après lui avoir laissé entendre
que le budget de l'année en cours ne permettait pas la
construction immédiate du collège des garçons. « L'an
prochain, peut-être… »

François quitta le bureau du Chef sans oser faire voir
sa déception et il continua de traîner son ennui en Chambre
avec une ponctualité et une assiduité sans faille. Ses sentiments ne devaient surtout pas lui faire perdre de vue le
but qu'il s'était fixé. Il lui restait encore à apprendre que
le vieux renard était trop fin politicien pour dilapider son
capital électoral. Il y avait dans ce collège un appât qu'il
convenait de ménager et de n'utiliser qu'en temps opportun, c'est-à-dire durant la campagne de 1948. Administrer
avec une majorité de deux sièges, c'était marcher sur le fil
du rasoir. Le moindre faux pas, c'était la perte du pouvoir
et la très problématique assurance de le reprendre un
jour. Il était donc essentiel de contrôler méticuleusement

le trésor de façon à ne donner aucune prise à l'Opposition et de n'ouvrir les écluses qu'au moment précis où les retombées de la générosité du gouvernement faciliteraient la réélection de l'Union nationale et lui assureraient une majorité confortable. En attendant, les gars de Val-de-Grâces continueraient la quête du savoir là où l'incurie des Libéraux les avait confinés depuis un quart de siècle. Un bon général sait ménager ses munitions jusqu'à l'assaut final. Gagner les escarmouches peut sans doute garder le moral des troupes au beau fixe, mais il ne faut pas pour autant déroger du plan général et se trouver dépourvu le jour de la bataille décisive.

François aurait bien voulu donner de meilleures nouvelles à ses amis du Val, mais le Chef en avait décidé autrement. Prospère aura beau s'engager à construire l'édifice de sa poche et n'être payé qu'au moment choisi par le Premier, cette générosité, au demeurant fort appréciée, fut refusée. « L'Union nationale n'abusera jamais de la confiance de ses électeurs. » De toute façon, cette solution était trop risquée. Le gouvernement était trop fragile, la possibilité d'un renversement trop présente pour jouer aux dés avec le destin et mettre Prospère dans la situation de ne jamais être payé. Les inséparables qui avaient cru que la proposition de Prospère serait acceptée d'emblée, ne comprirent pas que ce n'est pas l'argent qui était en cause, mais plutôt la réélection. Ils n'avaient pas saisi qu'en politique, le synchronisme du geste compte davantage que le geste lui-même. Une fois le collège terminé, que faudrait-il promettre pour garder les électeurs sur le qui-vive ? Non ! Nous avons là un argument de poids pouvant déterminer la population du Val à voter massivement bleu la prochaine fois. Ce qui pourrait faire pencher la balance en faveur de l'Union nationale si jamais l'élection de 1948 était aussi contestée que celle de 1944. En cas de récidive, sait-on jamais avec des maudits Rouges, chaque comté prend une dimension considérable. Un bon stratège doit prévoir une pareille éventualité. N'allons donc pas gaspiller de précieuses munitions dans un geste très beau, certes, mais prématuré et par conséquent à différer de trois ans. Dans la même optique, il faudra laisser courir le bruit que la Matapédia a un besoin criant d'un hôpital. Il est en effet inadmissible qu'un comté de plus de quarante mille âmes, doive faire soigner ses malades à Rimouski ou à Campbellton. Le dévouement des médecins, la résignation des gens, c'est beau, c'est admirable, mais c'est dépassé. Et l'Union nationale y pourvoira, mais en temps utile. En fait, Duplessis le promettra en 1948, en 1952, en 1956 encore. Il le mettra enfin en chantier au moment où personne n'y croyait plus. C'est Jean Lesage qui reniflera l'encens de la reconnaissance matapédienne, pas Maurice Le Noblet. C'est Bona Arsenault qui sera cérémoniaire du Premier ministre, pas François Bérubé. Il pourra se lamenter le reste de sa vie et jurer que si Duplessis n'avait pas tant abusé de la patience de ses électeurs, ils lui auraient confié un cinquième mandat, cela n'y changera rien. Le Chef avait calculé qu'un hôpital était un morceau assez gros pour durer quatre élections. Et comme il ne se trompait jamais… Mais les gens avaient cessé d'y croire et décidé qu'un changement s'imposait. À contrecœur, ils avaient battu leur bon petit notaire, mais en votant surtout contre Duplessis. Même s'il n'était plus là, son remplaçant avait été trop lié à ses politiques pour ne pas encourir le courroux de la population. Un peu plus, les Rouges auraient revendiqué la paternité de l'œuvre et affirmé que sans eux, il n'y aurait jamais eu d'hôpital dans la Matapédia et il se serait sans doute trouvé quelques Libéraux bon teint pour n'en pas douter, tellement l'esprit de parti aveuglait les plus fanatiques.

⟨✦⟩

En Chambre, l'Opposition, qui avait bâti un dossier solide, reprochait au gouvernement une kyrielle de nominations partisanes et déplorait le congédiement de fonctionnaires émérites sacrifiés à la vindicte d'un dictateur intransigeant. Le vindicatif interpellé, qui jouissait d'une mémoire infaillible, remonta à l'élection de Félix-Gabriel Marchand, en 1899, pour énumérer les valeureux lieutenants de James Flynn que les Libéraux d'autrefois avaient sacrifiés sans aucune pitié à leur esprit revanchard. Avant donc de chercher la paille dans l'œil limpide d'un homme impartial (rires et applaudissements de ce côté, protestations véhémentes de l'autre côté de la Chambre), à preuve des centaines de fonctionnaires rouges sont toujours en poste, les messieurs d'en face devraient se mettre en groupe pour enlever la poutre qui obstrue l'œil glauque du chef de l'Opposition.

Le chef de l'Opposition persiste et signe : l'Union nationale a mis trop de ses créatures dans l'appareil gouvernemental.

— Des exemples ! Des exemples ! hurlent les fidèles du Premier.

— Vous voulez des exemples, clame le chef de l'Opposition, je vais vous en donner deux, deux seulement, mais qui prouveront sans l'ombre d'un doute l'étroitesse d'esprit et le parti pris de l'honorable Premier ministre. Je m'adresse uniquement à lui, monsieur le président, parce que chacun sait que tout part de lui, que tout revient à lui, même la nomination du plus obscur parmi les obscurs de la fonction publique, que ce soit un garçon d'ascenseur ou une femme de ménage.

— Des noms ! Des noms ! hurlent les Bleus en chœur.

— J'ai dit deux noms. Les voilà, monsieur le président : Albert Rioux et Ernest Laforce. Si ce ne sont pas là des nominations honteusement partisanes, je ne sais pas ce que ce mot veut dire.

Bondissant de son siège, François Bérubé se précipite dans l'allée centrale et réclame le droit de parole. Duplessis, qui allait répondre, se rassied ; le président, qui n'attend qu'un signe du Chef pour renvoyer le petit député à son néant, va se lever, mais le Premier l'arrête d'un geste et, puisque le président c'est lui, il fait signe à son poulain qu'il a sa permission. François réalise soudain dans quel terrible guêpier il s'est fourré, mais il est maintenant trop tard pour reculer. Il a peur, il sue d'abondance, ses genoux s'entrechoquent, sa voix chevrote, ce qui lui confère un ton d'indignation, un accent de sincérité émouvant. Heureusement, il a suivi attentivement la carrière exemplaire de ces deux hommes. Ils les a connus, il les a fréquentés, il les connaît intimement et les sait des patriotes convaincus qui se sont lancés dans les affaires publiques dans le seul but d'améliorer le sort des cultivateurs et des bûcherons pour l'un, et de ramener au pays des milliers de Franco-Américains pour l'autre. Sa voix se raffermit à mesure qu'il progresse dans son exposé, le geste scande le mouvement de sa pensée, bientôt tout son être vibre. Les vieux de la vieille qui ont vu Henri Bourassa en action croient voir revivre son double.

— Qui sont-ils, ces hommes que l'Opposition associe à des arrivistes ? S'il y a une personne qui le sait mieux que quiconque, c'est bien le chef de l'Opposition lui-même qui a enseigné au premier et encouragé le second. Mais puisqu'il semble avoir oublié ces hommes qui l'ont honoré de leur amitié, rafraîchissons-lui la mémoire. Cela servira également d'enseignement aux moutons de Panurge qui suivent le mouvement suicidaire de leur chef. Qui est Albert Rioux ? Un agriculteur, monsieur le président, mais un agriculteur qui a fait ses humanités gréco-latines et sa philosophie, un agriculteur qui a fait ses études en agronomie à la faculté de Sainte-Anne de la Pocatière. C'est là que le chef de l'Opposition lui a enseigné. En passant, il l'a bien mal formé s'il en a fait un opportuniste et un quémandeur de prébendes. (Les poings s'abattent joyeusement sur les pupitres de droite. À gauche, quelques protestations timides sombrent dans le tumulte.)

Maintenant sûr de lui et de l'effet que son interruption a provoqué dans la Chambre, François dresse le bilan d'Albert Rioux. Après sa maîtrise en agronomie, « l'opportuniste » est revenu dans sa paroisse où il a fondé un chapitre de l'U.C.C. Il s'y signale assez pour attirer l'attention de tous les agriculteurs de la région qui, dès 1928, le portent à la présidence de l'U.C.C. du diocèse de Rimouski. Il lance *La Terre de chez nous*.

— C'est là, monsieur le président, que naît la haine que les gens d'en face lui vouent, eux qui veulent endoctriner la classe agricole en lui imposant la lecture du *Bulletin des Agriculteurs* et la pensée du ministre Caron.

Trop occupé pour prendre la direction de la page éditoriale, Albert Rioux engage Gérard Filion, un Rouge notoire, parce que lui, il ne connaît pas le sens des mots favoritisme et discrimination. Il se contente bêtement de recruter le talent là où il se trouve et de continuer son chemin. Il le mène à la mairie de son village et à la présidence de l'U.C.C. provinciale. En plus de donner des articles à *La Terre de chez nous*, il en adresse au *Devoir*, au *Soleil*, à *L'Action canadienne-française*, toutes des feuilles d'un bleu d'azur que l'Opposition ne lirait pas sous la torture.

(Une clameur de rires et de dérision soulève les députés de droite.) Mais le petit notaire ne fait que commencer.

— Est-ce qu'Albert Rioux fait de la politique dans ces journaux ? Est-ce qu'il y cherche la page éditoriale ? Il ne fait qu'y prêcher pour l'amélioration du sort des cultivateurs et combattre les injustices dont le Parti libéral les accable. (Protestations véhémentes.) Vous voulez des preuves ? N'êtes-vous pas au courant que quatre-vingt pour cent des fonctionnaires fédéraux responsables de l'agriculture québécoise sont unilingues anglophones, et n'avez-vous pas toléré ce non-sens pendant quarante ans ? (C'est maintenant à la droite de mettre les pupitres à mal.) Quand la Crise a éclaté et menacé les agriculteurs québécois de faillite, est-ce qu'Albert Rioux a fait de la politique arriviste ? Il a fait de la politique progressiste en forçant votre ministre Maurice Dupré à l'accompagner à Ottawa et à décider R. B. Bennett, un Rouge bon teint s'il en est (nouvelle interruption), à passer une loi pour abaisser les taux d'intérêt et donner plus de temps à nos fermiers pour s'acquitter de leurs dettes. Évidemment, messieurs les Libéraux diront qu'Albert Rioux a fait partie, avec messieurs Lorenger et Royer, du triumvirat qui devait appliquer la loi au Québec, mais s'il avait été le premier à la peine, ne méritait-il pas d'être le troisième à l'honneur ? D'ailleurs s'il n'avait pas obtenu votre bénédiction, aurait-il pu siéger à ce tribunal ? Et pourquoi reniez-vous aujourd'hui ce que vous avez encensé hier ? Est-ce que l'action de cet homme s'est arrêtée là, monsieur le président ? Oh que non ! S'inspirant du *New Deal* de Roosevelt et voulant sortir les chômeurs de la misère, il met vigoureusement l'épaule à la roue et, malgré la tiédeur de l'honorable Alexandre Taschereau (protestations indignées), il aide cent mille Québécois, dont cinquante en Abitibi seulement, à s'installer sur des terres neuves. Cent paroisses sont créées. Est-ce là l'œuvre d'un arriviste ? En toute objectivité, il me semble qu'un homme doté d'un tel palmarès devrait susciter l'admiration de l'Opposition plutôt que son mépris. (Nouvelle interruption.) Et si cela ne vous suffit pas, messieurs, précisons qu'Albert Rioux a encore fondé l'Union des bûcherons. Il a encore combattu avec acharnement les multinationales qui achètent les produits agricoles en masse, les entreposent, créent la rareté et les vendent ensuite trois fois le prix qu'elles ont payé. Qui est-ce qui est lésé ? Le Parti libéral, ou les agriculteurs québécois ? (Tapageuse manifestation des Bleus.)

François avale une gorgée d'eau que lui tend un confrère enthousiaste et, se tournant vers le président, il continue :

— Certes, il faudrait encore parler de l'implication de Rioux dans sa lutte pour un programme d'assurances conçu à la mesure des besoins des agriculteurs, mais ne voulant pas abuser du temps de la Chambre (Continue ! Continue ! hurle-t-on à sa droite), je voudrais en venir à l'œuvre maîtresse, à la mission que s'est donné Albert Rioux, celle d'électrifier les campagnes québécoises.

— On a commencé, proteste la gauche.

— Bien timidement, réplique l'orateur.

— La guerre, rétorque l'Opposition.

— Évidemment, enchaîne le député, vous avez tourné nos poches à l'envers, vous avez renoncé à notre droit d'aînesse pour le céder à monsieur King. (Un brouhaha indescriptible mêlé des encouragements des Bleus et des protestations des Rouges.) La guerre n'excuse pas tout, messieurs. Mais ne sortons pas du sujet. À cause de la guerre peut-être, vous n'en avez pas moins laissé les campagnes québécoises dans la noirceur.

— L'Union nationale va s'en occuper, s'écrie le Chef.

Le président a beau crier à l'ordre, il n'empêchera pas le parti au pouvoir d'assourdir son chef de ses exclamations enthousiastes.

— Oui, conclut François, l'Union nationale va s'en occuper et elle va y réserver une place de choix à Albert Rioux, parce qu'au lieu de pratiquer la politique étroite de l'Opposition, elle se sert des talents de ses meilleurs concitoyens plutôt que de les renier. Car il s'agit bien d'un reniement. Il a suffi en effet que monsieur Rioux poursuive son œuvre sans consulter les étiquettes politiques pour que les Libéraux le décrètent incapable de bien servir sa province. Pour parodier le chef de l'Opposition, je dirai que si Albert Rioux s'est rendu coupable d'opportunisme, s'il s'est montré arriviste en poursuivant inlassablement les buts les plus nobles qu'un patriote puisse poursuivre pour le bien de ses frères, eh bien, moi non plus je ne sais pas le sens des mots. (Très longs applaudissements.)

— Venons-en maintenant à Ernest Laforce, monsieur le président. Selon le chef de l'Opposition, cet homme profiterait d'une générosité excessive de la part de l'Union nationale et particulièrement de son chef. C'est vrai que monsieur Laforce a été un ami intime du père de notre Premier ministre. Les Libéraux semblent considérer qu'il s'agit là d'une mauvaise fréquentation, moi je préfère dire qu'il s'est mérité l'amitié d'un grand Canadien.

— Très bien ! Très bien ! hurle Duplessis, imité par toutes ses troupes.

— Donc, l'Opposition ne veut pas d'Ernest Laforce dans la fonction publique québécoise. Monsieur Laforce traîne en effet un trop lourd dossier d'infamie devant l'opinion libérale pour qu'il puisse décemment prétendre à cet honneur. Il a commis le crime impardonnable de forcer sir Lomer Gouin, premier ministre libéral de 1905 à 1920, à créer un ministère de la Colonisation. Admettez que la faute est mortelle. (Rigolades du côté droit de la Chambre, faces d'enterrement de l'autre côté.) Mais, voyons les manœuvres inavouables qu'il a menées pour arriver à une pareille déchéance. Un jour qu'il était en train de défricher un des huit lots que son père et ses frères avaient dans le canton Matalik, aujourd'hui Albertville, un inspecteur du gouvernement est venu leur dire que les lots sur lesquels ils travaillaient et pour lesquels ils avaient des billets de location en bonne et due forme ne leur appartenaient pas, qu'ils étaient plutôt la propriété d'une compagnie forestière, plus précisément, la Chaleur Bay Mills.

On peut imaginer le découragement dans lequel une pareille annonce pouvait plonger nos pauvres défricheurs, mais le jeune Laforce, il a alors vingt et un ans, n'est pas du genre à capituler devant l'adversité. Comme il est plus instruit que les autres, ayant fait la moitié d'un cours classique à Nicolet, il demande à son père de lui laisser l'affaire et il prend le train pour Québec, où il frappe à la porte de monsieur Gouin lui-même. Pour se faire dire qu'il perd son temps, qu'il vaut mieux renoncer, qu'il n'a pas les moyens de plaider contre une compagnie, encore moins contre le gouvernement. « Je ne plaiderai pas contre le gouvernement, riposte le jeune colon, je vais plaider devant l'opinion publique. » Et, dès son retour chez lui, Ernest Laforce entreprend une correspondance longue de plusieurs années au cours desquelles il envoie des dizaines de lettres à tous les journaux de la province. Les gazettes à la solde du Parti libéral les ignorent, cela va de soi, mais les autres, incluant le *Chronicle* de Québec et le *Star* de Montréal, les traduisent et les donnent à lire à leurs lecteurs. Le style est un peu boiteux, la grammaire un peu incertaine, l'orthographe un peu douteuse, mais on y lit la révolte frémissante, l'écœurement absolu, mais aussi l'espoir, le seul espoir des laissés-pour-compte, d'obtenir enfin un début de justice. Armand Lavergne, qui mène l'Opposition, s'en fait des banderilles qu'il plante dans le dos de monsieur Gouin. Henri Bourassa, qui vient de quitter la Chambre des Communes pour se faire élire à Québec, se joint lui-même à la corrida. Jean Prévost, écœuré par l'inertie de son parti, quitte son ministère et traverse la Chambre pour prêter main-forte à ceux qui réclament un peu de compassion pour les forçats de la terre québécoise. Voilà donc les actions qu'on reproche à Ernest Laforce.

— Si monsieur Lomer Gouin avait pu imaginer combien le jeune colon lui ferait regretter de l'avoir éconduit cavalièrement, il lui aurait sans doute donné dix, vingt lots, mais la cause des colons québécois aurait perdu le plus formidable avocat qui ait jamais plaidé au nom de ses frères pour la justice, l'équité et une chance décente de sortir de la misère. Cela, monsieur le président, se passait en 1905. Quarante ans plus tard, Ernest Laforce n'a toujours pas cessé de plaider pour les colons. Monsieur Gouin est mort, monsieur Taschereau est à la retraite, monsieur Godbout a été mis en disponibilité (protestations et rires s'entrecroisent d'un côté à l'autre de la Chambre), mais monsieur Laforce est toujours d'attaque et prêt à relever le défi que le Premier ministre lui a offert. Et les gens d'en face protestent, crient au favoritisme, au népotisme. Ils accusent Ernest Laforce d'être un Américain, au mieux un Westerner ; d'être un planqué qui rentre au pays pour s'asseoir au banquet des dépouilles libérales. Ils oublient de préciser que, s'il a dû s'exiler, c'est parce que le gouvernement libéral de Lomer Gouin et celui d'Alexandre Taschereau l'y ont contraint. Parce qu'un Bleu ne pouvait pas, ne devait pas servir sa province. Son concours ne pouvait être désirable. Cela est une évidence tellement lumineuse qu'il ne vaut même pas la peine de la démontrer. On lui a donc fait comprendre qu'il n'était pas le bienvenu et qu'on pouvait se passer de son aide pour ouvrir l'Abitibi, le Témiscamingue, la Gaspésie à la colonisation. De guerre lasse, Ernest Laforce s'est tourné vers le gouvernement fédéral qui l'a accueilli à bras ouverts. Le rêve de John MacDonald d'unir l'Atlantique au Pacifique était devenu une réalité, mais pour rentabiliser l'investissement colossal que ce beau rêve avait coûté, il fallait peupler les Prairies, abattre des forêts, ensemencer de vastes espaces, autrement, les trains de fret du Canadien Pacifique resteraient désespérément vides et le rêve tournerait au cauchemar.

— Sachant mieux évaluer les qualités d'un homme, que les gens d'en face, le gouvernement fédéral le nomme agent de rapatriement à Providence. Impressionné par ses succès, il le nomme agent général des Chemins de fer nationaux à Boston et enfin, agent général pour tout le Canada. Ernest Laforce est évidemment trop français pour n'envoyer que des anglophones dans l'Ouest canadien. Son efficacité est par ailleurs trop indispensable pour qu'on lui interdise d'orienter les siens là où on préférerait des anglophones pure laine. Mais abrégeons parce qu'il serait trop long de raconter en entier l'œuvre de ce bâtisseur, son implication dans *Le Travailleur* de Worcester, dans l'*Association canado-américaine*, ses volumes : *Bâtisseurs de pays*, ses conférences à CKAC et à CBF. Contentons-nous de résumer pour le bénéfice des gens d'en face que, grâce à son travail incessant, il a envoyé assez de colons à monseigneur Prudhomme et à monseigneur Béliveau pour créer plus de deux cents paroisses francophones dans l'Ouest du pays. On porte aux nues l'œuvre du curé Labelle et on a tout à fait raison, mais à côté d'Ernest Laforce, il fait figure d'amateur. Les faits le prouvent. Et c'est cet homme que l'Opposition accuse monsieur Duplessis de caser. Cet homme, que vous trouvez indigne de la fonction publique de votre province, a néanmoins été décoré de la *Noble Association des Chevaliers du Saint-Siège* et de celle de Grand officier de l'*Ordre Équestre du Saint-Sépulcre*. Et, comme si cela n'était pas assez pour prouver l'estime que Rome lui porte, Sa Sainteté le pape Pie XI lui a fait remettre un de ses anneaux par le cardinal Gasperi. Voilà, messieurs de l'Opposition, une carte de visite qui ne doit pas traîner à de trop nombreux exemplaires dans votre bijouterie de famille, mais qui ne témoigne pas moins de la valeur de l'homme que vous méprisez à la face même de la province. (Très longs applaudissements.)

— Non, messieurs ! Si vous aviez eu le quart (il faillit dire du flair) de l'intelligence du Premier ministre, vous ne l'auriez jamais laissé quitter sa province. (Tonnerre d'applaudissements adressés au moins autant au Chef qu'à son orateur.) À l'exemple de l'honorable Duplessis, vous en auriez fait votre sous-ministre de la Colonisation. Il vous y aurait rendu de très précieux services. Vous n'avez pas eu ce réflexe pourtant tout naturel qu'on a de fermer la main sur un objet de valeur, vous avez préféré obéir à votre fanatisme et laisser un bijou glisser entre vos doigts. Voilà qui vous discrédite assez pour que vous vous dispensiez de reprocher à l'Union nationale de rétablir la justice. (Bruyants applaudissements.) Ernest Laforce a dû s'exiler pour rapatrier des milliers de Canadiens-français. L'honorable Premier ministre le rapatrie à son tour. Ce n'est que justice. Ayez au moins la décence d'en convenir, vous courrez moins le risque du ridicule. (Tintamarre à droite.)

— J'en ai terminé, monsieur le président, mais, avant de regagner ma place, je voudrais vous prier de m'excuser pour avoir bousculé le protocole de la Chambre et pris la parole sans y avoir été invité. À ma décharge, convenez qu'il y a des injustices qu'un honnête homme ne peut s'empêcher de dénoncer, des injustices qui le font bondir de son siège pour protester de toutes ses forces contre l'aveuglement qui attise le mépris des sectaires. Merci, monsieur le président.

Rougissant sous la vague d'applaudissements, le député de Matapédia regagna son fauteuil en proie à une émotion qu'il arrive mal à contrôler. Il réussit cependant à se faire tout petit et, regardant fixement son pupitre, il essaye d'ignorer le charivari que lui offrent ses confrères. Quand les travaux reprirent enfin, il n'arriva pas à fixer son attention sur le débat. Trop de sentiments et trop violents l'assaillaient. À un point tel qu'il lui fallait lutter de toutes ses forces pour ne pas éclater en sanglots, tellement l'expérience l'avait secoué. Il était content et plutôt fier de sa prestation, mais le sentiment était mitigé. Il aurait voulu que son fait d'armes lui ouvre la porte du cabinet des ministres. L'occasion dont il avait tant rêvé, il s'en était emparé sans hésitation. Le geste avait été spontané, mais non prémédité. Eût-il eu le temps de réfléchir qu'il s'en serait gardé. Mais n'eût-il pas été mieux de réfléchir justement ? Et de laisser au Chef le soin de ridiculiser l'Opposition ? L'avait-il indisposé, en lui volant un peu de sa gloire ? L'avenir seul lui donnerait la réponse. Il ne servait donc à rien de s'en faire. Comme le lui répétait souvent Prospère, les bonnes nouvelles ne se gâtent pas. Cependant, pour le cas où son intervention un peu intempestive le desservirait auprès de Duplessis, il décida de ne pas en parler à sa femme. Comme elle n'ouvrait à peu près jamais un journal, elle ne risquait pas d'apprendre son coup d'éclat. Lui donner de faux espoirs ne ferait qu'attiser sa déception. Non, il valait mieux taire la chose. Si elle provoquait un heureux dénouement, il pourrait toujours feindre l'humilité et lui dire qu'il n'avait pas vu là un secret digne de lui être confié. Il dut donc dégriser en silence de l'euphorie dans laquelle son discours en Chambre l'avait plongé.

⊛

Il ne put cependant pas empêcher les chroniqueurs parlementaires de commenter l'éreintement qu'il avait servi au chef de l'Opposition, pas plus qu'il ne put empêcher le docteur Legendre de les lire et de les rapporter à Prospère et à Jacques Hamel. Pour eux, notamment pour Prospère prompt à s'enthousiasmer, l'affaire était dans le sac. Il suffisait qu'un ministre crève pour que François entre dans le saint des saints. Au besoin, selon Prospère, Maurice créerait un ministère. Il ne pouvait plus, sans se faire accuser de courte vue ou pire, de mesquinerie, laisser un pareil joueur en dehors de son équipe ministérielle. Et au Val, on se mit à compter les jours qui séparaient le petit notaire de la renommée en même temps que les mois qu'il restait avant la construction du collège des garçons.

⊛

Le vieux renard avait toutefois des vues différentes. Certes, on avait parlé du député de Matapédia au Conseil des ministres et le Chef avait avoué avoir entendu un bon discours. Quant à savoir si cela justifiait une consécration, cela restait à voir. On comprit qu'il convenait de ne pas donner de fausses espérances au nouveau député. On le féliciterait et chaleureusement, cela allait de soi, mais on l'encouragerait à continuer son bon travail et à attendre patiemment le couronnement. On insinuerait que seul son manque d'expérience jouait en sa défaveur. Mais s'il y a une chose qui s'acquiert, c'est bien l'expérience, n'est-ce pas ? Il s'agit de laisser couler le temps. Les vieux compagnons du Chef, en réalité peu désireux de céder leur place, avaient compris à mi-mots que leur jeune confrère avait commis un acte d'indiscipline et que, pire encore, il avait porté ombrage au Leader. Deux fautes qui seraient pardonnées, un grand cœur pardonne toujours, mais deux fautes qu'il faudrait expier. Duplessis avait le droit de couper la parole à un orateur qu'il chargeait de défendre une de ses politiques ou de présenter un projet de loi, et il ne s'en privait surtout pas, mais qu'un député d'arrière-banc ose lui rendre la pareille, cela relevait d'une impertinence inexcusable. Heureusement, le geste n'avait pas été prémédité. Autrement, la condamnation eut été sans appel. Duplessis le précisa d'ailleurs à son jeune collègue. Il lui avoua avoir aimé son speech, mais il lui rappela que c'était lui et lui seul qui autorisait ses députés à intervenir en Chambre. Autrement, ce serait la pagaille, ce qu'un homme aussi discipliné que lui ne pouvait et ne saurait souffrir. Néanmoins, comme le jeunot n'avait pas voulu mal faire, et pour l'encourager à persévérer dans le bon chemin, le Magnanime le nomma secrétaire de commission parlementaire : une marque d'estime qu'il réserve habituellement à ses vétérans. « T'es content ? » François bredouilla sa reconnaissance, promit de ne plus recommencer et sortit du sanctuaire du grand prêtre en cachant sa déception. Sa seule consolation : un chèque un peu plus épais et la fierté d'avoir mérité une certaine promotion. La patience et la vertu lui permettraient peut-être de gravir un autre échelon. En attendant, se faire ignorer sans pour autant cesser de se faire bien voir. Au moment où il allait quitter, le Chef lui recommanda de parler plus simplement lorsqu'il l'autoriserait à prendre la parole. En politique, il faut toujours viser le peuple. En conséquence, il faut adopter le ton pour être compris par la masse plutôt que prisé par l'élite. François promit de s'amender. Le Chef était la sagesse même. Que de fois Prospère lui avait demandé de parler pour se faire comprendre et d'oublier son maudit cours classique quand il discutait avec un lumberjack ! Mais ce n'est pas si facile de causer peuple quand on a mariné trente ans dans la culture classique. « Penses-tu que Maurice aurait pris le pouvoir en parlant en tarmes à queue ? Non monsieur, quand le Boss parle, même le fou du village comprend. »

✾

Le maire Legendre convint que le populisme de Maurice Le Noblet était sans doute voulu et que cela était en effet très habile de sa part, mais il se demandait s'il pouvait vraiment élever son niveau de langage d'un cran. Offusqué, Prospère lui demanda si son idole n'avait pas fait le même maudit cours classique que le notaire et que lui-même.

— Si je t'énumérais le nombre d'abrutis qui sont sortis ignorants d'un cours classique, tu te consolerais une fois pour toutes de ne pas avoir été à l'école.

— C'est ben manque une consolation, mais ça m'empêchera pas de regretter toute ma vie d'avoir lâché l'école à quatorze ans. Mais j'y pense, là, tu vas toujours pas dire que Duplessis est aussi ignorant que moé !

— Je dis seulement qu'en dehors de la politique, il n'a pas le quart de la culture du notaire.

Flatté, le notaire n'en vient pas moins à la rescousse de son chef (c'est le devoir d'un bon soldat), et affirme que la culture de Duplessis surprendrait bien des gens.

— Par son insuffisance, certainement.

— Qu'est-ce que t'en sais ? s'offusque Prospère.

— Je sais qu'un homme qui consacre sa vie à la politique, rêve de politique la nuit, mange de la politique le jour, ne prend jamais de vacances…

— Maurice va voir les Yankees chaque année, proteste Prospère.

— Activité éminemment culturelle, ricane le maire.

— Oua, on sait ben…

— Il aime la musique classique, affirme Jacques.

— Et la peinture, ajoute le notaire.

— Si vous appelez cela de la culture…

— Cela révèle au moins une certaine curiosité intellectuelle, vous ne pouvez pas le nier, docteur.

— Je ne le nie pas du tout, mais je trouve cela très mince pour faire un homme cultivé.

— Maudit teindu, tu guériras ben jamais, hen ?

— Ça n'a rien à voir, Prospère. Je te répète que ton Chef n'a tout simplement jamais eu ou pris le temps de se cultiver. Il est tombé dans la politique en naissant et il n'en est jamais sorti. Je me demande s'il a ouvert un livre depuis qu'il a quitté le Collège de Trois-Rivières ? Et puis, a-t-il jamais caché le mépris qu'il a des intellectuels ? Il les traite de poètes et les prend pour des rêveurs inutiles. Si ce n'est pas là la marque de commerce d'un inculte, je me demande ce que c'est.

— Décidément, docteur, votre conversion est bien tiède.

— Vous vous répétez, mon cher, mais vous avez raison. J'ai voté pour vous, pas pour Maurice Duplessis.

— Ça sert à rien, notaire, i est rouge comme un cul de truie en chaleur, pis i va mourir rouge. I a déjà oublié les coups de cochon que Godbout nous a faites tout le long de la guerre.

— Je ne les ai pas oubliés ; la preuve : j'ai donné ma démission au Parti libéral, mais ce n'est pas une raison pour oublier que Duplessis est un opportuniste.

— Ça veut dire ?

— Ça veut dire que s'il n'était pas un opportuniste, il aurait accepté ton offre de construire un collège pour nos garçons. C.Q.F.D., mon cher.

— Ça veut dire quoi, ce charabia-là ?

— Ce qu'il fallait démontrer.

— Oua…

— Duplessis a bien dit au notaire que c'était une honte d'envoyer nos garçons où nous les envoyons. Il l'a dit, oui ou non ?

— Il l'a dit, confirme le député.

— Alors, s'il était l'homme de principes qu'il se vante d'être, il aurait autorisé la construction, il ne l'aurait pas gardée pour sa prochaine campagne électorale. Si c'est pas de l'opportunisme, de la petite politique, je me demande bien qu'est-ce que c'est.

Il fallait bien conclure à l'imperfection du grand homme. Le vétérinaire pondéra cependant les propos du maire en précisant que si la conduite du Chef était en effet opportuniste, on ne pouvait tout de même pas nier l'habileté du grand homme. Et pour confondre le tiède, il lui demanda si Gouin et Taschereau n'avaient pas fait de même pendant les trois décennies qu'ils avaient détenu le pouvoir.

— Oua ! triompha Prospère.

— Le crime de l'un n'excuse pas la scélératesse de l'autre.

— Comme vous y allez fort, protesta le notaire.

— J'y vais comme il convient d'y aller.

— Ça sert à rien, se lamenta Prospère. I a été marqué au fer rouge, pis la cicatrice va partir la journée qu'i va pourrir au cimetière, pas avant. Pot, baptême !

Chapitre 7

« La démocratie parfaite conduit
à la dictature de la médiocrité. »

Platon

Après la chute du Japon qui mettait le point final au triste chapitre de la Deuxième Guerre mondiale, les relations s'étaient vite tendues entre l'U.R.S.S. et l'Occident. Churchill avait lutté désespérément pour éviter le retrait trop rapide des troupes alliées, mais les États-Unis, croyant à la bonne foi de Staline, avaient rapatrié leurs forces et laissé le champ libre à l'armée communiste. L'Europe de l'Est tombait sous la coupe du dictateur. Profondément déçu, Churchill déclara : « Un rideau de fer s'est abaissé sur leur front. Nous ignorons tout ce qui se passe derrière. » Cette volte-face brutale ne laissait présager rien de bon pour les peuples dont la libération avait coûté si cher, particulièrement pour la Pologne, au nom de qui on avait engagé le combat le plus démentiel de l'histoire humaine. L'histoire a parfois de ces cruelles ironies. Forcés d'admettre la duperie russe, les Américains se hâtèrent d'établir des réseaux de stations radar pouvant avertir le Pentagone de l'approche des avions ennemis. La Guerre Froide était enclenchée qui devait durer jusqu'à l'implosion de l'empire soviétique.

C'est ainsi que Prospère, qui n'y entendait pas grand-chose et s'en souciait comme de ses dents de lait, fut mêlé à la grande Histoire. Des ingénieurs, des arpenteurs, des cuisiniers, des bûcherons, des porteurs, des équipages de chiens, se mirent en toute hâte à parcourir le Nord canadien à la recherche d'endroits propices à l'établissement de la ligne Dew. Une ligne intermédiaire, installée plus au sud, devait capter la présence des avions qui auraient échappé à la vigilance du premier réseau de détection. Or, il y avait sur les territoires de coupe de Prospère une montagne d'où, par beau temps, on pouvait voir la rive nord du Saint-Laurent. On y avait dressé une tour d'observation pour les feux de forêt, ce qui démontrait la valeur stratégique de l'endroit. De plus, la limite à bois où se situait la tour appartenait au financier Jules Brillant qui l'avait rachetée du syndic de la faillite des Fenderson. Brillant, qui avait été agent recruteur durant la Première Guerre mondiale et colonel honoraire des Fusiliers du Saint-Laurent durant la Seconde, était donc un des pékins les mieux vus du ministère de la Défense nationale. Ceci menant à cela, on décida la construction d'une station sur la montagne de la Tour et Prospère, recommandé par son ami banquier, se vit offrir une partie du contrat. Cela consistait à faire la route et à transporter les matériaux à pied d'œuvre, un contrat fort lucratif comme tous ceux attribués en temps de crise, alors que les heures comptent davantage que l'argent pour se prémunir contre un danger imminent. Prospère, qui avait la machinerie et les sous pour acheter ce qui pouvait manquer, s'empressa d'accepter de coopérer à la survie du monde libre. « Ce maudit homme-là a les gosses indulgenciées », décréta

John Talbot. Ce qui n'empêcha pas Prospère de réaliser un profit de vingt-cinq mille piastres. C'était vite fait et substantiel à l'époque où une Cadillac coûtait quatre mille dollars. Prospère en aurait fait bien davantage, mais la technologie, stimulée par la peur, progressa à un rythme tel qu'on en vint, au bout d'un an, à constater l'inutilité de la station. On pouvait désormais se fier à des moyens de détection plus sophistiqués. Il restait à Prospère un gain fort appréciable et quatre milles de chemins forestiers qui ne lui avaient rien coûté, en plein parterre de coupes. Santé, baptême !

Mais il y avait plus. Duplessis avait en effet mis en branle un vaste programme de voirie et remplaçait les vieux ponceaux de bois du régime libéral par des ponceaux de béton armé du nouveau régime progressiste. Averti par son député, Prospère entreprit le pèlerinage rituel aux bureaux du Grand Argentier, lui remit une enveloppe contenant dix billets de mille et revint au Val avec la promesse qu'il aurait sa part du gâteau. À propos, il affirma à son frère Jules, qui avait fait venir les coupures de Rimouski, que c'était la première fois qu'il voyait la couleur de pareils billets. Il en verra bien d'autres… Puis, il refit tous les ponceaux de Saint-Moïse jusqu'à la limite est du comté. Comme il n'est pas élégant de tout garder pour soi, Prospère attendit d'être payé et retourna à Québec avec deux enveloppes. La première pour François. Celui-ci se récria, protesta, argumenta, supplia, fit jouer la morale, l'amitié, mais vaincu par les arguments tonitruants de Prospère, il mit l'enveloppe dans sa poche-lunettes. Prospère lui remit alors la seconde enveloppe à livrer au ministre des Travaux publics au moment de son choix. « C'est de la graine de semence », laissa-t-il tomber négligemment. Effectivement, la récolte sera bonne. Ainsi paré de tous les côtés, Prospère revint chez lui satisfait de la besogne accomplie. Après les ponceaux viendraient peut-être les ponts et, qui sait, l'asphalte pour les unir les uns aux autres. À tout prendre, les affaires n'allaient pas si mal. S'il avait eu un fils intéressé à la succession, si Poupoune avait pu garder son petit, si son frère n'avait pas trempé dans une sale affaire, il se serait senti comblé. Mais la terre étant un lieu de passage plus ou moins agréable avant d'atteindre aux rives intemporelles, il n'y avait pas lieu de se plaindre.

Par ailleurs, le temps était venu de récompenser sa petite sœur. Elle avait bien mérité. Après la mort prématurée de sa mère, elle avait élevé la marmaille du père Rodrigue, elle y avait sacrifié deux ou trois prétendants, puis, quand ses cadets avaient quitté la maison, elle était entrée au service de Prospère et avait pris charge de son hôtel. Elle y trimait depuis et, à plus de soixante ans, il convenait de lui ménager une vieillesse tranquille. Comme il en avait pris l'habitude depuis le départ de Julie, Prospère prit un gin au bar et vint le siroter à la cuisine où Ernestine préparait le souper. Lui demandant de laisser ses chaudrons un moment, Prospère la fit asseoir et lui annonça tout de go son intention de mettre l'hôtel en vente. La vieille fille se récria. Qu'allait-elle devenir ? Que ferait-elle de ses dix doigts ? Où irait-elle ? Avait-il pensé se débarrasser aussi facilement d'elle ? La considérait-il incapable de continuer à gérer un bien où il ne mettait les pieds que pour encaisser les sous et diminuer le stock de gin ? Un sourire ironique vissé à la commissure des lèvres, Prospère resta imperturbable.

— T'es un maudit pas de cœur, Prospère Rodrigue. J'arais jamais pensé me fére mettre dans la rue par mon propre frére.

— T'as fini ?

— Oui, pleurnicha la sœurette.

— Bon ! ... Mouche-toé, astheure, pis écoute-moé une menute.

Ernestine souffla, s'essuya les yeux et regarda son tortionnaire. Elle avait l'air tout à fait désespérée. Prospère lui prit la main qu'il se mit à tapoter, lui avoua qu'elle lui faisait de la peine de penser qu'il voulait son malheur et l'informa que s'il lui proposait de vendre l'hôtel, c'était pour lui en laisser le profit. Ainsi, elle pourrait passer le reste de ses jours à l'abri du besoin dans une maison de son choix. S'il ne s'en trouvait pas une à son goût, il en construirait une à faire rougir d'envie toutes les vieilles filles du comté.

— Qu'est-ce que t'en dis ?

Ernestine avoua que l'offre était tentante, mais que ce n'était pas pour elle. En tout cas, pas encore.

— Titine, baptême ! T'as soixante et trois ans faites ! Attends-tu d'aller au branle pour te reposer un peu ?

— Quand j'serai fatiquée, j'te le dirai.

Prospère eut beau arguer, lui avouer que de laisser travailler sa sœur comme une servante le mettait mal à l'aise, qu'il lui répugnait de passer pour un exploiteur, qu'il ne savait quoi faire de son argent, qu'il lui ferait tellement plaisir de l'installer comme une reine, rien n'y fit. Elle ne saurait quoi faire de tant de temps libre. Elle ne savait que travailler. Elle n'avait de plaisir qu'à brasser des chaudrons. Pourquoi l'en priver ? Sa santé ne lui causait aucun problème, pourquoi arrêter ? Pour s'ankyloser ?

— C'est vrai que les jouaux à la fin de la run de bois, si tu les laisses à rien faire, y en a qui paralysent.

— Tu vois ?

— T'as tet ben raison.

— Mais oui, Prospère ! J'ai pas d'instruction, j'aime pas la lecture. À rien faire, j'm'ennuierais à mourir. J'peux toujours pas passer le reste de mes jours à me barcer en tricotant. J'vous ai assez tricoté de bas pour m'écœurer pour la vie. Non, laisse-moé icitte, Prospère. J'sus heureuse ici-dedans. Tu me laisses runner la business à mon goût, j'aime le monde, j'aime cuisiner, laisse-moé continuer. Dehors, j'm'étiolerais comme le foin sus le fanil. Si y a quequ'un qui devrait comprendre ça, c'est ben toé qui travailles sept jours par semaine.

— J'te force pas, Titine. C'est comme tu voudras. Si un bon matin, t'es écœurée, tu me fais signe. Mais attends pas d'être à moitié morte, parce que la prochaine fois, j'te demanderai pas la permission.

Affaire classée. La conversation dévia sur le frère Jules. Depuis l'incendie de la banque, Prospère ne lui parlait plus que pour ses affaires. On ne les voyait plus siroter ensemble un verre au bar. Ernestine s'en inquiétait. Pourquoi ? « Parce que », répondit Prospère, sans rien préciser. Il ne voulait surtout pas mêler sa sœur à cette sale histoire. Il y avait bien assez de lui pour partager un secret aussi peu glorieux. Tant que John Talbot garderait sa langue, ce n'est surtout pas lui qui allait répandre la nouvelle.

— Y vient-tu prendre son gin ?

— Pas souvent.

— Tant mieux! Ça y en fera plus pour gâter sa tête de serin.

— Je la vois pas étrenner souvent.

— Tant mieux! Y commence tet ben à porter les culottes dans la cabane.

— Mieux vaut tard que jamais.

— Si seulement ça peut durer!

Affaire classée. Après quelques détours, Prospère amena la conversation sur Julie. C'était un autre sujet de tracas qu'il n'arrivait pas à dissiper. Plus le temps passait et plus il se reprochait de ne pas avoir été plus ferme avec son don Juan. Ce qui le chagrinait le plus, c'était de ne pas savoir s'il avait quelque part un petit-fils abandonné par une pauvre fille incapable de s'en occuper. Adopté, peut-être, par des exploiteurs sans cœur. Maintenu dans l'ignorance ou pire, dans la misère. Peut-être même, un fœtus détruit par une faiseuse d'anges. S'il avait commis dans sa vie un péché inexpiable, c'était bien celui-là et, même si l'Église ne lui en tiendrait jamais rigueur, sa morale l'en tiendrait comptable jusqu'à sa mort. Ernestine avait-elle des nouvelles, elle qui était si proche de la barmaid?

Non! Julie ne lui avait pas écrit une seule fois depuis son départ. Pourquoi?

— A l'a ses raisons.

— Lesquelles, Prospère?

— J'sus pas sûr que Julie voudrait que je t'en parle.

— Tu me connais! Tu sais toujours ben que j'vais garder ma langue.

— Ç'a rien à voir, fifille. Si Julie veut t'en parler, c'est ses affaires, pas les miennes.

Affaire classée.

À Québec, les jours se suivaient dans la monotonie de la routine parlementaire. François assistait à chacune des séances, votait aveuglément selon la doctrine du Chef, applaudissait ou chahutait aux moments propices, puis retournait à son bureau rêvasser pour tuer le temps qui n'en finissait plus de s'étirer dans la grisaille du désœuvrement. Quand son compagnon était appelé à l'extérieur, François avait tout le temps de rêver au jour où il serait enfin promu et d'imaginer la vie d'un ministre dans l'exercice grisant du pouvoir. Il voyait une vaste antichambre pleine de solliciteurs attendant son bon vouloir pour repartir gonflés d'espoir et de reconnaissance. Il les voyait entrer dans son bureau pleins d'appréhension, lourds d'inquiétude, tenant nerveusement le dossier qui allait décider de leur salut ou consacrer leur faillite. Hésitants, timorés, obséquieux parfois, et lui, tel le bon roi Louis, prononçant le jugement qui libère les espoirs et l'euphorie. Il voyait les petites gens lui céder le passage, soulever le chapeau, courber la tête, murmurer une formule de politesse, s'emmêler dans un compliment appris par cœur, tendre une main hésitante, perdre contenance devant un homme investi d'un pouvoir redoutable. Il entendait le bruissement des murmures rattrapant l'oreille du dignitaire qui s'éloigne de la foule. On ne lui disait plus *Notaire Bérubé*, mais *Monsieur le ministre*. Dix fois, vingt fois par année, on le plaçait à la droite d'un évêque qui ne le laissait plus se pencher quand il se courbait pour baiser l'anneau pontifical. Le maître de cérémonie le présentait comme l'*Honorable ministre* et lui brodait un panégyrique ouvragé des plus ronflantes aménités. On l'applaudissait avant qu'il ne prenne la parole et plus encore après parce qu'il avait toujours un brillant discours approprié à la circonstance. Il coupait un ruban, faisait la visite protocolaire de l'édifice dû à la générosité, à la perspicacité, à la vision d'avenir d'un ministère engagé, d'un ministre voué au progrès de la province, d'un député qui pouvait compter sur la reconnaissance éternelle de ses obligés. Il levait son verre à l'avenir d'une ville en plein essor, d'une compagnie engagée dans la voie du succès, d'une population promise à une réussite soutenue, d'ouvriers pouvant enfin regarder l'avenir avec confiance. Une fois le protocole d'usage terminé, on l'entourait, on lui faisait la cour, on s'esclaffait à ses traits d'esprit, on l'invitait à revenir, on s'excusait de la modestie de l'apparat déployé pour le recevoir, on déplorait n'avoir pu faire davantage pour honorer un personnage qui mériterait dix fois mieux. Jouant la modestie il protestait que c'était trop, qu'il était indigne de tels égards, qu'il était un homme très modeste, que de pareils déploiements le mettaient franchement dans l'embarras. On protesterait, il protesterait à son tour, bref, il laisserait tout le monde sous son charme conquérant. Puis, son chauffeur en livrée, raide comme un soldat au garde-à-vous, lui ouvrait la portière, il prenait place à côté de Son Éminence et les applaudissements accompagnaient la voiture jusqu'à perte de vue.

Il rentrait le soir à son luxueux appartement de Grande-Allée où la bonne prenait son manteau avant de l'inviter à passer à la salle à manger. Madame Ministre ne lavait plus la vaisselle, pas plus qu'elle ne reprisait les chaussettes trouées. Avant de passer à table il devisait avec elle des travaux de la Chambre, de la réunion du Conseil des ministres, des séances du Comité des bills privés, des personnalités rencontrées, sans trahir jamais le secret professionnel, cela va sans dire. Il sirotait un dry martini avant de s'asseoir devant un repas raffiné, fumait un Monte-Cristo après. Et dans les volutes montant vers un plafond de douze pieds, il suivait ses rêves de bâtisseur de pays. Après ce cérémonial quotidien, au lieu de se fatiguer à arpenter le parc des Champs de Bataille, il allait déguster un cognac et allumer un dernier cigare au club Renaissance. Pour revenir sur terre, il lui fallait retourner au Val, là où ses vieux amis le tutoient, l'appellent *notaire* et lui tirent la pipe comme s'ils n'étaient pas au courant qu'il est désormais de la race des dieux. Mais il ne leur en veut pas. Somme toute, c'est sympathique la façon qu'ont ses vieux amis de le traiter sans le moindre décorum. Il sait bien qu'ils sont fiers de lui et que leurs familiarités sont une marque de sympathie plutôt qu'un manque de respect. Enfin, l'amitié ne donne-t-elle pas tous les droits ?

— T'es dans la lune, François.

— Quoi ?

— Tu rêves ?

— Pas du tout ! Je réfléchissais.

— À quoi ?

C'est encore une fois l'emmerdeur de service. Il est revenu au bureau sans que François ne s'en soit rendu compte et, comme d'habitude, il se mêle de ce qui ne le regarde pas. Oh, ce n'est pas bien malin, il ne fait pas pour mal faire. Il est tout bonnement un désœuvré égaré en politique et qui fouine pour passer le temps. N'empêche qu'il est très désagréable de voir quelqu'un fourrer sans cesse le nez dans vos affaires. En voilà un que François ne regrettera pas le jour où il descendra au rez-de-chaussée.

— J'ai pas eu d'appels ?

— Non, mon cher, le calme plat.

— Oua… J'ai hâte que la session finisse pour retourner chez nous.

— Les travaux de la Chambre vous ennuient ?

— Pour te dire le fond de ma pensée, François, oui ! J'me demande ce que je fais icitte. J'aurais dû rester à mon bureau, pis m'occuper de mes affaires. Ça aurait été pas mal plus payant, pis pas mal moins ennuyant.

François ne put qu'acquiescer. Qu'est-ce, en effet, que peut bien faire un businessman perdu en politique ? Passe encore s'il était ministrable, mais avec sa huitième année, son anglais plus déplorable encore que son français (ce qui est une référence), son expérience bornée aux automobiles et aux camions, comment espérer jouer en solo alors qu'il a toutes les peines à garder le tempo des troisièmes violons ? Un cas désespéré et, méchanceté incluse, désespérant.

— Plus qu'un mois, l'encourage François, après vous allez pouvoir vous consacrer à vos affaires.

— C'est vite dit, le bureau dérougit pas. C'est toujours plein de téteux qui me prennent pour le bon Dieu. « Tu vas m'arranger ça, hen, Philippe ? J'ai voté pour toé. Oublie pas ça. » À les entendre, j'ai eu une majorité de dix mille voix. Y a plus rien que des Bleus dans le comté.

— Évidemment…

— J'pense ben que la prochaine fois, j'vas laisser passer mon tour. C'est trop dull icitte pour que je me représente.

Paroles !… Paroles !… Il sera toujours là à la mort de Duplessis.

Mais pourquoi ? Qu'est-ce qu'il peut bien y avoir dans la politique pour qu'un homme plutôt sain d'esprit s'accroche au pouvoir, même s'il sait qu'il ne l'exercera jamais que nominalement et qu'il n'infléchira jamais en quinze ans la plus insignifiante législation de son parti ? Mystère auquel François se prend à réfléchir. Il sait que son confrère a atteint l'extrême limite de ses possibilités. Que jamais il ne franchira le seuil de la médiocrité où il stagne. Que ce serait scandaleux si, par miracle, il avançait un pas plus loin. Qu'il ne pourra jamais durer assez longtemps pour avoir Duplessis à l'usure. Et pourtant, contre tout bon sens, il va s'accrocher et continuer de promener sa médiocrité de son bureau du troisième au Café du Parlement, de son corridor sonore à la Chambre, de la passerelle du traversier de Lévis à son lointain comté. Le seul fait dont il pourra jamais s'enorgueillir sera sa durée, sa longévité. Comme si la médiocrité ne saurait perdurer. Comme s'il n'était pas redevable à Duplessis, et à lui seul, de chacune de ses réélections. Un ambitieux, même blasé, ne peut-il pas un jour en avoir assez de se faire appeler Monsieur le député ? Mais voilà que je manque de charité. Il doit avoir des qualités, j'entends des qualités politiques, que je n'ai pas su déceler. Voilà que je recommence. Et qui suis-je pour juger un député, pas brillant peut-être, mais dont la carrière ressemble étrangement à la mienne ? Eh oui, cher François, vous en êtes au même point que le confrère que vous mesurez et trouvez trop court.

— Ne vous découragez pas, cher ami, c'est cette session qui n'en finit plus qui vous rend morose. Vous verrez. Vous serez utile à votre comté. Vos électeurs savaient ce qu'ils faisaient quand ils vous ont élu et ils vous le prouveront la prochaine fois.

— Tu penses ?

— J'en suis certain. Bon, vous allez m'excuser, il faut que je m'absente un moment.

Un peu rassuré, le compagnon de pupitre laisse partir François. Il y avait sans doute du vrai dans ce qu'il venait d'entendre. À Québec, il n'était pas grand-chose, mais dans son comté, il était le boss, celui qu'on vient consulter, celui en qui on place sa confiance. Ce n'est pas rien. Au fond, César avait raison quand il disait préférer la première place dans un village à la seconde à Rome.

En Chambre, la députation de l'Union nationale votait en bloc les politiques de l'honorable Premier, mais en dehors de celle-ci elle s'autorisait quand même d'analyser son propre sort et de mesurer ses chances d'avancement. Les ministres étaient à ce point fidèles qu'on pouvait les croire satisfaits. En quinze ans de règne, trois seulement donneront leur démission. Donc, de deux choses l'une : ou ils n'avaient plus leur raison et se laissaient tyranniser par masochisme, où ils n'étaient pas aussi mal que certains observateurs le prétendaient. En tout cas, leur destin ne semblait pas si terrible qu'une douzaine d'irréductibles espéraient à chaque élection voir s'ouvrir enfin pour eux la porte du salon le plus convoité en même temps que le plus fermé de la province. François Bérubé était de ceux-là et ne serait satisfait que le jour où il jurerait fidélité devant Son Excellence le lieutenant-gouverneur de la province. Mais quand ? Malgré son discours retentissant du début de la session, celle-ci s'achevait et le Maître n'avait toujours laissé poindre aucun signe d'avancement.

Il y avait enfin (pour parler le langage de la Révolution française) le Marais, c'est-à-dire, la majorité de la Chambre, girouette s'agitant au gré des vents soufflés depuis la Montagne, matière plastique soumise aux girations du grand Tournassin et malléable à souhait. Une partie en était formée d'une meute de jeunes loups arrivés en politique avec un appétit famélique. Vite déçus, ils s'étaient résignés à voir le Parlement comme une planque, somme toute agréable et pouvant mener à une retraite confortable. Un autre groupe, plus mince, était arrivé dans la capitale déjà soumis, déjà satisfait et ne rêvant d'aucune révolution, d'aucune promotion. Ils avaient atteint le port et n'aspiraient qu'à prolonger la virée. Faute de gloire ils se contenteraient d'un peu de gloriole. Il y avait enfin les vieux chevaux, blanchis sous le harnais, battus deux fois, trois fois par Taschereau et qui, par acharnement, avaient duré le temps nécessaire à arriver à leurs fins. Ils n'en demandaient pas plus. Une combine à l'occasion, un hasard les mettant dans le secret du terrain à exproprier pour l'acquérir à bon compte, un ivrogne qui glisserait une enveloppe pour récupérer son permis de conduire, un naïf qui confierait ses espoirs en même temps que son fric, un hôtelier qui paierait la dîme pour éviter une amende plus salée, un futé qui arroserait à la fois l'Argentier et son subalterne, enfin, tout ce qui pourrait arrondir un peu le pécule, et ils continueraient de ronronner à la gloire du Cheuf. En somme, un gouvernement comme le précédent et sans doute comme le suivant. Avec son élite, ses nobliaux, ses serfs et ses ilotes. Et son roi ! Chacun à sa place, une place pour chacun et le troupeau sera bien gardé.

Parmi les nobliaux non élus, il y avait les barons de la finance, petits potentats locaux trop jeunes pour avoir fait la Première Guerre, trop vieux pour avoir été de la Seconde, enrichis par l'industrie des armements, par la reprise des affaires, par le boum de la construction, par la frénésie qu'ont les gens de dépenser et de s'amuser après un trop long carême et qui thésaurisaient avec un appétit frénétique. Ils constituaient une petite noblesse à part, un peu gênée dans les salons des riches de tradition, un peu comme les maréchaux de Napoléon et Madame Sans-Gêne en présence du faubourg Saint-Germain, mais fière de ses nouveaux titres et ne péchant pas par modestie. Prospère en était et, sans le claironner, n'avait surtout pas envie de jouer les modestes. Il avait assez travaillé pour que la chance lui sourît et n'avait pas à en faire amende honorable. Comme le maréchal Lefebvre, il aurait pu envoyer la fumée de son cigare dans le nez d'un duc et pair en lui disant : « Mon ancêtre, c'est moi ». Il aurait fallu être de bien mauvaise foi pour contester l'affirmation.

Or Duplessis qui, pareil à Napoléon, n'hésitait pas à morigéner ses princes comme des gamins turbulents, mais à les défendre comme une tigresse sa portée, n'avait pas créé une noblesse des chapeaux de sécurité, mais il avait mis au point certaines méthodes pour les récompenser, flatter leur vanité, leur dire qu'en bon père de famille, il veillait sur eux avec une mansuétude inépuisable. C'est ainsi qu'il avait décidé de réserver les numéros d'immatriculation à trois chiffres ou moins pour les amis du régime. Les amis méritants, cela va sans dire. Cela ne coûtait rien au Génie tutélaire, mais il y avait, en plus de la renommée, des avantages non négligeables attachés à la promotion. Le porteur d'une de ces plaques rarissimes pouvait brûler un feu rouge, assommer une vache errante, écraser la moitié d'un poulailler, conduire à soixante à l'heure dans une zone de trente, laisser une odeur de gin de Rimouski à Gaspé, l'officier de la route qui osait lui servir un avertissement le faisait avec une prudence extrême et en des termes dignes d'un placet de Molière mettant une pièce sous la protection auguste du souverain. Le petit numéro identifiait son détenteur comme un homme considérable, ami personnel du Puissant et capable de ruiner la carrière la mieux assise par un simple coup de téléphone. Alors, de la tenue et des manières !

Abstraction faite de la politique, il y avait une autre façon d'attirer l'attention sur une réussite personnelle : la voiture. Elle est, en quelque sorte, la carte de visite qui vous trimbale d'un endroit à un autre. Elle est l'aune à laquelle vous êtes mesuré. D'où le soin extrême que l'on prend d'elle. Il est de notoriété publique que la plupart des hommes flattent leur voiture bien plus que leur femme et presque autant que leur maîtresse. Vous pouvez écraser les pieds de la légitime, un mot d'excuse suffira à faire de vous un parfait gentleman, mais égratignez la voiture de monsieur et vous verrez surgir un tigre de la mécanique. Il vous abreuvera immédiatement d'une formule sacramentelle à forte teneur scatologique, puis, toutes affaires cessantes, il se penchera sur la grande blessée, tâtera délicatement l'écorchure, évaluera la gravité de la contusion, mesurera la longueur, la profondeur de la plaie, estimera si un chirurgien expert pourra sauver le membre abîmé ou s'il faudra se résigner à utiliser une prothèse, estimera les coûts, la durée de l'absence, la perte de jouissance d'une vie jusque-là sans nuage et maintenant vouée à la fréquentation pénible d'une bagnole de service puis, après les constats d'usage, les échanges de cartels, vous assassinera d'un regard meurtrier et vous quittera en vous rappelant que vous êtes un crétin irrécupérable tout juste capable de conduire un bœuf consentant à une vache impatiente. Le tout, bien entendu, assaisonné de tous les objets du culte heureusement appris en marchant au catéchisme. Autrement, on se demande comment il pourrait vous faire comprendre la moitié de son mépris. Tout cela pour une minable Chevrolet marquant cent mille milles à l'odomètre. Imaginez ce que ce serait s'il s'agissait d'une Cadillac Brougham !

Donc, après le petit numéro minéralogique proclamant que vous êtes un Grand, l'ultime marque de la réussite, c'était la possession d'une Cadillac. Si, en plus, vous en changiez chaque année, vous ne pouviez qu'être un millionnaire. Toujours à une époque où un volume de cinq cents pages coûtait trois dollars. Maximum !

C'était aussi le temps où le crédit à la consommation n'avait pas été inventé, pas plus que les compagnies de finance. Quant aux banques elles n'étaient pas là pour prêter, mais pour canaliser les épargnes. L'État ne prêtait pas davantage, pas plus qu'il ne garantissait les prêts. Parfois, dans des cas très spéciaux, par exemple pour gagner le vote de la classe agricole, il assumait un ou deux pour cent de l'intérêt. Alors, l'énergumène qui aurait osé accoster son gérant de banque et solliciter un prêt pour l'achat d'une Cadillac, se serait vite fait virer comme un malpropre. Le responsable d'un hold-up aurait été dix fois mieux accueilli. Si vous vouliez une voiture, vous la payiez comptant. Point à la ligne. Si vous aviez une Cadillac, c'est que vous aviez les sous pour l'abreuver. Une évidence indiscutable. Si donc vous vouliez informer les peuples que la fortune couchait dans votre lit, vous achetiez une Cadillac. Il y en avait trois ou quatre par comté, toutes contemplées avec un recueillement religieux. Le petit gars, les yeux exorbités, demandait à son papa « comment ça faisait à l'heure ». L'adolescent rêvait du jour où il s'assoirait au volant d'un pareil bolide. Le jeune homme s'informait combien cela coûtait et calculait mentalement l'âge où il pourrait se payer un tel luxe. Le père de famille lui recommandait de cesser de rêver en couleurs et le vieillard se contentait d'affirmer qu'un bon joual de voiture coûte moins cher à nourrir et qu'en hiver, on n'est pas obligé de le « mettre sur les blocs ». Il n'en restait pas moins qu'une Cadillac était avant la lettre une carte de crédit instantanée et pratiquement illimitée, une marque de prestige indiscutable.

Après réflexion, Prospère estima que le moment était venu d'accéder aux ligues majeures et de se voiturer dans une bagnole proportionnée à son compte en banque. Il se rendit chez Wilfrid Ouellet Ltée et échangea sa Buick pour une Cadillac Séville. Vitres électriques et clignotants automatiques. Plus besoin de « crinquer » la manivelle ou de sortir le bras pour signaler son intention d'aller à gauche ou à droite. Le progrès ! Y a que ça de vrai ! Bleue, la limousine ! Bleue, baptême ! Il eut été indécent de choisir une autre couleur. C'était, en somme, une autre façon de rendre hommage à Maurice Le Noblet qui l'avait distingué parmi la piétaille et permettait à un noble cœur de se hisser vers les sommets. Il s'agissait maintenant d'enregistrer cette voiture et de se débarrasser du permis temporaire émis par le concessionnaire. Prospère se rendit chez monsieur Landry, une victime de la poliomyélite, alité depuis des années et qui, depuis la victoire de l'Union nationale, tenait le bureau d'immatriculation dans sa chambre. Une surprise considérable y attendait Prospère. Par une délicatesse exquise, le député de Matapédia avait sollicité de son Chef l'autorisation d'adresser un petit numéro à son ami Prospère. L'Unique, qui voyait dans cette distinction un moyen de chanter la gloire de l'Union nationale aux quatre coins de son royaume, avait conclu que l'heure était venue de porter la bonne nouvelle dans le comté de Matapédia. Comme il savait tout, il n'ignorait pas que ce comté n'avait pas encore été honoré d'un petit numéro. Puisque Prospère Rodrigue était un homme généreux, un partisan inconditionnel, un homme intelligent, en somme, il était digne d'une numération qui le sortait de la masse des anonymes. Au récit que monsieur Landry, un Bleu aussi convaincu que lui, fit de la pérégrination que la plaque de tôle émaillée avait faite depuis Québec jusqu'au Val, Prospère en eut les larmes plein les yeux de tendresse et de reconnaissance. « Ça prenait rien que Maurice pour penser à ça, baptême ! » Évidemment son ami François avait eu la pensée de mettre l'affaire en branle, mais sans l'aval du Chef, Prospère aurait dû se contenter de six chiffres au lieu de trois : la différence entre un trou-du-cul et un homme qu'on a intérêt à appeler monsieur. Gonflé d'orgueil, Prospère fit lentement le tour du village, prétexta diverses commissions pour se stationner dans les endroits les plus achalandés, passa à l'hôtel y prendre un verre à la santé du Premier ministre, écarta les badauds qui admiraient et la bagnole et le numéro 92 et démarra en direction d'Amqui. Premier arrêt chez Alcide Harvey, un gros marchand bon teint, cela va de soi, un second chez le sellier Poulain pour y prendre des enfarges pour son trotteur, un autre arrêt à l'hôtel Fournier où le propriétaire votait du bon bord, un quatrième chez le notaire Larue, l'organisateur du comté, enfin, une promenade à vitesse cérémoniale autour de la petite ville. Puis il revint chez lui montrer la chose à Aurélie qui n'entendait rien aux numéros privilégiés, encore moins à la différence entre une quatre cylindres et une huit, et se contenta de lui demander combien coûtait son jouet et qu'est-ce qu'il comptait faire de sa limousine Buick avec laquelle il s'était rendu à Ottawa élire R. B. Bennett à la tête du Parti conservateur en 1936 et qui n'avait pas pris l'air depuis qu'il avait voituré monseigneur Courchêne au congrès eucharistique de Causapscal en 1938. « Est ben là dans le garage », se contenta de dire Prospère. Aurélie secoua la tête et retourna à ses chiffons. « Les femmes, ça comprend jamais rien à la politique, pas plus qu'à la business », conclut Prospère.

Comme Aurélie lui avait parlé du congrès de Causapscal, celui lui fit penser descendre les enfarges au rond de course. Il y rencontrerait peut-être J. M. Bouchard, un gros industriel de Beauce venu dans la Vallée avec les Lacroix qui y avaient de vastes territoires forestiers. J. M. y avait fait fortune en coupant le bois des Lacroix. Contrairement aux barons de la Beauce cependant, J. M. était assez futé pour faire sa croix à la bonne place. De ce fait, il ne pouvait que mériter l'estime de Prospère Rodrigue. Santé, baptême !

On trinqua en effet à la santé du Premier. Dans le box-stall de Prospère, il y avait deux ou trois coffres où il mettait les attelages de ses chevaux quand il les amenait courir à Campbellton, à Rimouski, à Matane, à Mont-Joli. Un de ces coffres contenait les élixirs, les remèdes de ses coursiers. En homme prévenant, Prospère y gardait un 40 onces de Melcher ou de De Kuyper, pour saluer un ami, trinquer à un succès, se consoler d'une défaite.

— Comment ça marche à Causapscal, monsieur Bouchard ?

— Ben j'm'as t'dire, Prospère, c'est rouge, c'est rouge.

— Tant que ça ?

— Comme le casse du père Noël.

Prospère en tira la conclusion qu'une parade dans la ville ne serait pas appropriée. Il serait sans doute mal vu d'y promener trop ostensiblement les signes de la réussite avec les marques de la vraie foi. L'hôtelier Tremblay était rouge, l'hôtelier Pelletier l'était autant et l'hôtelier Tardif l'était davantage encore et il y avait du travail à faire pour les évangéliser jusqu'à l'apostasie. Le maire était rouge, le curé était rouge, le bedeau avec. Roméo Goulet et Charles Fast, qui veillaient aux intérêts d'International Paper, ne parlaient pratiquement plus qu'anglais entre eux et votaient en accordance. Quant à Chabot, le représentant de La-croix et gérant de la Madawaska Corporation, la simple idée de voter bleu lui eut mérité l'excommunication, tellement Édouard Lacroix exécrait Maurice Duplessis. Tous les amis de Prospère à Causapscal étaient donc rouges. Au demeurant du bien bon monde, qui n'avaient pas encore compris. Prospère jugea préférable de reporter la visite. Il avait encore cette délicatesse de ne pas tourner le fer dans la plaie d'innocentes victimes. Il prit congé de monsieur Bouchard en l'encourageant à ne pas désespérer (les miracles sont encore possibles), et il rentra au Val. Avant son départ le père J.M. avait fait le tour de la bagnole et avait constaté : « Oua, tu t'es greillé d'une belle wagine, Prospère. » Protestant de la modestie de la chose, mais flatté de l'appréciation d'un homme de stature, le plus gros jobber du comté, Prospère conclut qu'il avait posé un geste d'une profonde sagesse en faisant l'acquisition d'une Cadillac. D'ailleurs, il eût été indécent d'apposer un petit numéro sur une mécanique moins prestigieuse. Si seulement il pouvait un jour voiturer le Premier dans icelle !

Chapitre 8

« Il est tombé si bas que
même sa chute ne lui fera pas mal. »

Anatole France

Désirée était perplexe et déçue. Depuis des mois, elle cherchait à élucider trois mystères qu'elle s'était promise d'éclaircir, mais son enquête ne la menait nulle part. Elle cherchait une preuve, un indice, voire un soupçon de preuve la menant à la certitude que ses doutes sur l'auteur de l'incendie de la banque étaient fondés. Même si l'enquête avait conclu que le feu était accidentel, elle aurait mis la main au feu que Jules Rodrigue était un incendiaire. *Le feu prend pas tout seul. C'est pas le genre de miracle que le bon Dieu fait pour s'amuser.* On aura beau mettre en cause un filage électrique défectueux jusqu'à la fin des temps, on ne fera jamais croire à Désirée Labbé, mais au grand jamais tant qu'elle sera saine d'esprit, que Prospère Rodrigue, qui a construit cette bâtisse à la demande de Jules Brillant lui-même, se serait permis d'utiliser des matériaux usagés. Ce n'est pas dans ses habitudes, encore moins dans son intérêt. On peut lui reprocher bien des défauts, il ne s'en est d'ailleurs jamais caché, mais des crimes : halte-là ! Il aurait trop à perdre et il est trop intelligent pour jouer à la roulette russe avec sa réputation. Qu'aurait-il à y gagner ? Deux cents pieds de fil à dix cents du pied, ça fait vingt piastres. Ce n'est pas le genre de gain qui intéresse un brasseur d'affaires comme Prospère. Il manipule des cents mille. Il fait de l'argent comme de l'eau. En quoi un petit profit de dix, même de vingt pour cent sur un contrat de vingt mille dollars pourrait-il l'intéresser au point de risquer perdre l'estime de l'homme qui l'a lancé ? Non et non ! Si Prospère a accepté de bâtir la banque, c'était pour obliger Jules Brillant. Point, à la ligne ! En construisant pour son protecteur, Prospère n'était pas assez bête pour cochonner son ouvrage. Au contraire ! Il voulait plutôt lui prouver qu'il connaît son métier et que personne n'aura à repasser sur son travail, qu'il est digne de confiance. Alors, un défaut électrique, un vice de construction ? À d'autres ! On a mis le feu. Cela crève les yeux. Pour ceux qui ne les gardent pas dans leur poche, en tout cas… Et d'une.

La thèse de Jules Rodrigue selon laquelle un fumeur aurait laissé un mégot dans un cendrier que le gérant aurait jeté dans le panier où il déchire ses papiers inutiles ne tient pas davantage. Primo, le papier, déchiré ou pas, ne s'enflamme pas par l'opération du Saint-Esprit. Deuxio, Jules Rodrigue ferme la banque à ses clients à 3 heures précises, mais lui, il reste jusqu'à 5 heures. On peut régler sa montre sur le moment où il referme sa porte à clé. Alors de 3 heures à 5 heures, existe-t-il un mégot de cigarette qui n'aurait pas eu le temps de se consumer ou de s'éteindre ? Et à qui aurait-elle appartenu cette maudite cigarette ? Cela n'a jamais été démontré. Qui était-il ce mystérieux client qu'on n'a pas encore pu baptiser ? Non ! La vérité est toute simple. Jules a mis le feu pour effacer les traces de ses prélèvements et, puisque l'enquête a conclu à un accident, la banque n'a pas insisté. Pourquoi ? Pourquoi n'a-t-elle pas cuisiné son économe infidèle, pourquoi ne l'a-t-elle pas un peu assis sur le gril ? Il aurait craqué et vite fait. Il n'a pas la colonne vertébrale assez trempée pour subir la question. C'est un trouillard qui s'évanouit à la vue du sang. Il ne porte même pas la culotte dans sa maison. Si donc on ne l'a pas harcelé davantage, c'est parce qu'on avait de bonnes raisons. On a eu peur que Prospère transporte ses affaires à la Banque de Montréal. Il est devenu un client trop important, trop payant. Il n'arrête pas de grandir, de diversifier ses champs d'action. C'est à cause de lui qu'on a ouvert une succursale au Val et Jules Brillant n'est pas assez bête pour la fermer en traînant son frère dans la boue. D'ailleurs, qu'est-ce qu'il avait à perdre ? Les assurances ont payé la cabane et il en a bâti une plus belle. C'est sûr qu'il va avoir le Jules à l'œil et ce n'est pas parce qu'ils ont le même prénom qu'il ne lui tapera pas sur les doigts s'il lui prend envie de recommencer. Mais en attendant, bouche cousue, il fait le mort.

D'un autre côté, si on ne lui demande pas de signer des aveux, on peut tout de même bâtir un solide dossier sur le suspect. Désirée ne l'a-t-elle pas fait elle-même ? Voyons son raisonnement : avant l'incendie le catalogue Eaton ne se refermait jamais. Les C.O.D. n'arrêtaient pas d'arriver à la poste. Madame étrennait à chaque saison nouvelle.

— J'veux ben craire qu'a pas d'enfants, mais c'est pas une raison. J'en ai pas non plus, mais ça m'empêche pas de savoir la valeur d'une piasse, pis de savoir le prix d'un manteau de fourrure, d'une sacoche en peau de crocodile, d'un collier de perles. J'ai pas été quarante ans dans le commerce pour rien. C'est clair comme de l'eau de resource : a ruinait Jules. Surtout qu'i buvait ce qui restait de la paye de son bord. Pis comme l'argent ça tombe pas comme la manne dans le désert, monsieur en prenait ousse qu'y en a. À part de ça, explique-moé donc pourquoi a l'a pas étrenné une maudite fois depuis le feu, même pas à Noël ? C'est signé, ben craire !

— Désirée, pour l'amour du saint bonyeu qui nous regarde du haut du ciel, mets-toé pas dans le trouble encore une fois.

— J'réfléchis tout haut, là. J'accuse parsonne sus le parvis de l'église.

— La tombe, Désirée, la tombe !

— Ben oui ! Ben oui ! N'empêche…

Au grand soulagement de Tancrède elle continua de réfléchir en silence. Comment faire la preuve ? Comment lui arracher un aveu ? Comment le surprendre ? Comment l'amener à se trahir ? Elle y pensa jusqu'à l'heure de se mettre au lit. Avant d'ordonner à Tancrède d'éteindre, elle lui dit, comme ça, mine de rien :

— Faut que j'alle à banque demain.

— Désirée ! Tu vas pas aller te fourrer les pieds dans les plats, là !

— Es-tu malade, toé. J'ai besoin d'argent, c'est toute !

— Pas un mot, Désirée, pas un mot. T'as ben compris ? Tu pourrais nous fére mettre dans le chemin.

— Dors donc, innocent.

☙

Le lendemain à 3 heures moins cinq elle entrait à la banque. Jules regarda sa montre.

— Pas besoin de regarder l'heure, Jules, j'sais que la banque farme à 3 heures, mais j'voulais te parler dans le particulier sans que les écornifleux se mêlent de nos affaires.

Jules quitta le guichet, descendit la toile, barra la porte et fit passer la visiteuse dans son bureau particulier.

— Que puis-je faire pour vous, Désirée ?

— J'ai ben pensé à mon affére, Jules, pis j'pense que j'vas farmer mon compte icitte.

— Mais pourquoi ça ?

— Parce qu'encourager un gars qui sacre le feu dans la banque, c'est un péché mortel.

Jules perdit tout à fait contenance, blêmit et bégaya :

— Seriez-vous prête à dire ça devant témoin ?

Désirée ricana un moment et reprit :

— T'es ben trop chieux en culotte pour me traîner en cour, Jules Rodrigue. T'as mis le feu. Tu le sais, pis je le sais. Si tu veux aller en cour, gêne-toé pas, on va s'amuser.

Jules se leva.

— Tu veux me mettre à la porte ?

— C'est ce que je devrais faire, oui.

— Pourquoi tu le fais pas d'abord ?

— Parce que, balbutia-t-il, parce que... ça servirait à rien.

— Tu l'as dit. Pis non ! Ça servirait à quèque chose, ça servirait à prouver que j'ai raison.

— Il vous faudrait pouvoir le prouver avec autre chose que des affirmations gratuites.

— On sait jamais, reprit la vieille rapace avec un air faussement angélique. (Façon de parler, n'est-ce pas ?)

Reprenant un peu d'assurance, Jules lui rappela finement qu'il était extrêmement grave d'accuser son prochain sans preuve.

— Si je connaîtrais quequ'un qui t'a vu ? Qu'est-ce que tu dirais de ça ?

Jules paniqua.

— C'est impossible, madame. Personne ne m'a vu. Je veux dire, personne n'a pu me voir.

— En es-tu ben çartain ?

— Bien… sûr… que j'en suis certain.

— Comment ça ?

Jules passa son doigt dans son col de chemise, il suait de peur.

— Tu t'es confessé, toujours ?

— Certainement pas !

— Tu devrais, pourtant. Un péché mortel…

— Occupez-vous de vos péchés, Désirée, et laissez-moi m'occuper des miens.

— Moé, ce que j't'en dis, c'est pour le salut de ton âme, hen ?

— Je vous répète que personne ne m'a vu.

— Tu peux prouver ça ?

— C'est facile : personne n'a pu me voir parce que je ne l'ai pas fait.

— Tet ben parce que la parsonne en question a eu pitié de toé.

— Prouvez donc ce que vous dites, plutôt que de parler en parabole.

— Dans le temps comme dans le temps, mon Jules.

— Le temps, c'est maintenant, tout de suite.

— Ça sera pas nécessaire.

— Ah bon ! Et pourquoi, s'il vous plaît ?

— Mon pauvre Jules, tu chies dans tes culottes, tu sues comme un fromage canayen en plein soleil, tu bégayes. Si c'est pas la preuve que t'as pas la conscience tranquille, j'me demande ben ce que c'est, moé. Si t'étais pas coupable, tu m'arais déjà pogné par le chignon du cou, pis tu m'arais sacré dehors à coups de pied dans le cul. Mais non, tu patines, mon p'tit Jules, mais tu patines sus les bottines, pis tu dérapes.

— Venez me dire ça en présence d'un témoin et je vais vous montrer si je dérape.

— Prends garde que je te prenne vraiment au mot, Jules Rodrigue.

— Allez-y ! Allez-y ! Et qu'on en finisse une bonne fois. J'en ai soupé de vos soupçons ridicules.

— Non, Jules. J'te traînerai pas devant le juge. Ça sera pas nécessaire. J'sais ce que j'voulais savoir. Ça me suffit. T'as sacré le feu, les assurances ont payé, c'est pas ce que j'ai vu de plus beau dans ma vie, mais j'sais garder ma langue.

— Ah oui ! C'est nouveau, ça.

— Pousse-moé pas à boutte, le monsieur qui fait brûler les preuves, ça pourrait te coûter cher.

— Excusez-moi. Je ne voulais pas…

— J'aime mieux ça. Non, on va laisser ça mort. Tu peux dormir tranquille. Si ta conscience te fait pas fére des cauchemars, ben attendu.

— J'aimerais vous croire, mais vous n'avez pas la réputation de garder vos secrets…

— Laisse fére ma réputation, a vaut la tienne. À part de ça, si tu veux la preuve que je sais garder ma langue, j'aurais-tu répandu dans le village que c'est toé qui as dénoncé les déserteurs du Val ? Je l'ai-tu dit, oui, ou non ?

— Encore une histoire…

— Pis les lettres que t'allais porter au train, pis que tu camouflais dans le sac à John Talbot ? C'est tet ben des histoires, des fois ?

Complètement anéanti, Jules Rodrigue se mit à pleurer.

— Viens donc me débarrer la porte plutôt que de chialer comme un flo.

Jules réussit à se contrôler un peu pour lui demander :

— Vous n'allez pas me…

— Non, coupa l'inquisitrice, j'vas pas. Dors tranquille, j't'ai dit. T'as une femme. C'est une innocente, tout le monde sait ça, mais c'est toujours pas de sa faute si t'es un voleur. Non, m'as garder ça mort. J'voudrais pas qu'a trouble à cause de toé. Est déjà ben assez folle de même. Pis, y a Prospère. C'est pas du bois de calvaire, c'est connu ça itou, mais j'ai pas encore entendu dire qu'c'était un voleur. À part de ça, avec les affaires qu'i brasse, i a pas besoin d'un frère en prison. Seulement, Jules Rodrigue, prends-moé pas pour la folle à MacKay. C'est pas encore du ragoût de boulettes que j'ai entre les deux oreilles. Quand j'dis que t'as mis le feu, j'sais ce que j'dis. T'es croche, mais pas assez fou pour me signer un affidavit de ça, mais ça change rien en toute à l'affére. Deux pis deux, ça fait quatre. Un gars instruit comme toé devrait savoir ça, non ?

— Comme ça, vous ne…

— Dors tranquille, j'te dis. Mais file dret, par exemple, parce qu'à partir d'astheure, j't'ai à l'œil. Watche le catalogue Eaton, mon Jules. Pis use ton linge de corps. T'as un beau salaire, mais pas assez pour fumer le cigare. Pis boére du gin à cinquante cents le verre. Tu m'as ben compris ?

— Ça peut pas être plus clair.

— Corrèque d'abord. Envoye, viens m'ouvrir la porte. Pis mouche-toé, pour l'amour ! Tu dégouttes comme les glaçons du mois d'avril.

Désirée n'était pas seule à nourrir des soupçons. On avait convenu en haut lieu de ménager Prospère et de ne pas faire de bruit à propos de l'affaire, mais on se disait que se débarrasser d'un homme capable de pareilles indélicatesses, le pousser tout doucement à céder la place sans éclaboussures, serait encore la façon la plus élégante de classer définitivement le dossier. Sans prévenir, des inspecteurs vinrent quelques fois directement du bureau chef. Ils trouvèrent une comptabilité impeccable. Tous les livres balançaient à un sou près. Ils revinrent l'année suivante, puis l'année d'après. Jules jouait la surprise et étalait les documents. On le félicitait et on repartait bredouille. À la fin, on le laissa et on conclut que l'incendie avait bien été accidentel ou que l'incendiaire avait eu suffisamment chaud pour ne plus se brûler les doigts.

Désirée continuait de garder sa langue, mais elle avait une façon de le dévisager, de sourire quand elle regardait trembler les mains manipulant son argent, de lui demander comment il allait, de prendre des nouvelles de sa femme, de s'amuser avec lui comme un chat bousculant la souris avant de la dévorer, de faire des farces un peu douteuses quand il y avait d'autres clients dans la banque, de lui demander cinq calendriers quand en principe la banque n'en donnait qu'un, que le pauvre homme en venait à se mêler dans ses colonnes de chiffres et à faire des erreurs grossières en remettant le change à ses clients. Goguenarde, Désirée ricanait : « Ça sert à quoi d'envoyer ça aux études ? Vous pouvez me le dire ? » Jules s'excusait, riait jaune et priait pour que la tortionnaire vide enfin les lieux. Même si certains esprits forts affirmaient que le purgatoire était une invention pour faire peur aux enfants, Jules était convaincu de le vivre sur terre entre la mante religieuse qui le harcelait à la banque et la cigale dépensière qui faisait des crises d'hystérie à la maison. En vain d'ailleurs. Jules avait eu assez peur pour ne plus jamais ouvrir la caisse qu'à la faveur de ses clients. Les vérificateurs pouvaient multiplier les visites, ils ne verraient jamais que des livres impeccables. Mais Désirée continuerait de hanter ses nuits jusqu'au jour où on la mettrait enfin sous six pieds de terre. Et encore ! Pendant des mois, Jules craindra que pour libérer sa conscience de l'aveu arraché au gérant, la bigote n'ait adressé une lettre au président de la banque. Mais parmi la belle panoplie de vertus que la bégueule avait cultivées toute sa vie, la parole donnée avait encore tout son sens. Elle ne voulait pas de mal à Jules, elle voulait seulement assouvir sa curiosité maladive. C'était tout, mais ne dénonçant pas le pécheur, elle ne pouvait tout de même pas le laisser aller à l'aventure. Son devoir et son sens moral lui dictaient de lui faire expier sa faute, au cas où il aurait eu l'âme assez noire pour n'y pas laisser entrer le remords. Elle s'était alors assurée que la plaie ne se referme jamais. Et pour en être bien certaine, elle l'avait débridée chaque fois qu'elle avait mis les pieds à la banque. En chrétienne consciencieuse, elle y était allée plus souvent que ses affaires ne l'exigeaient. Pour le bien du pécheur, cela va sans dire, mais également pour multiplier les indulgences. Les bonnes actions étaient les points que Désirée accumulait pour payer le Grand Voyage. Malheureusement, c'est le genre de comptabilité auquel Jules n'entendait rien. Autrement il ne se serait pas fait un pareil sang d'encre pendant cinq longues années. Bon prince malgré tout, il fit chanter une grand-messe pour le salut de l'âme de la sadique qui lui avait si cordialement empoisonné l'existence. Il n'osa pas payer une messe d'action de grâces, mais il y songea sérieusement.

Restait maintenant John Talbot. Il était toujours bien vivant, bien portant et aucun signe ne montrait qu'il était prêt de quitter la vie. Sans lui vouloir le moindre mal, Jules n'aurait certainement pas pleuré si une embolie l'avait foudroyé sur le chemin de la gare. Chaque fois que Jules le voyait passer avec son sac, il revivait en détail les dénonciations qu'il y avait jetées. Et de savoir que John l'avait pris la main dans ce maudit sac, qu'à partir de ce moment il n'avait plus vu en lui qu'un délateur, lui, un ancien soldat qui avait risqué sa vie et reçu des balles allemandes dans la peau, inondait Jules de honte et lui remontait son vomi à la bouche. Pour quelques dollars il avait trahi la confiance de ses concitoyens. Judas n'avait pas fait mieux. Tout ce gâchis à cause de sa femme, ce maudit panier percé qui lui rendait la vie impossible, qui récriminait, qui pleurnichait, qui gémissait, qui suppliait, qui grinçait, qui persiflait, qui menaçait, il avait perdu à jamais son honneur, le seul bien tangible qu'il ait jamais eu. Et même si tout le monde le saluait bas, il ne pouvait se sortir de la tête que son frère Prospère, Désirée Landry, John Talbot savaient qu'il était un mouchard, un Caïn qui avait vendu ses frères pour un plat de lentilles. Désirée savait en plus qu'il avait incendié la banque. Deux crimes qu'il n'avait pas eu la force d'avouer à son curé. Il avait prétexté les deux fois une retraite fermée à Mont-Joli pour aller se délester de ces poids qui l'écrasaient. Une charrette crottée d'ordures qu'on va vider au dépotoir, voilà comment il était allé à Mont-Joli. Et dire qu'à son retour, il y avait des naïfs pour citer sa piété en exemple. À eux il peut donner le change, mais pas aux témoins qui le font trembler de peur chaque fois qu'il les croise. Le mépris qu'il lit dans leurs yeux, surtout dans ceux de son frère, le pourchasse sans jamais perdre la trace. Jamais il ne le quittera. Il le sait. Et de le savoir lui rend tout repos impossible. Il va bien s'efforcer de donner le change. Parfois, il y arrive presque. Quelquefois, il entend un rire qui détonne quand il se rend compte qu'il est le sien. Il a commis deux saloperies dans sa vie, deux seulement, mais il ne vivra jamais assez vieux, il ne s'en accusera jamais assez, il ne sera jamais assez longtemps propre pour effacer la souillure. Si au moins Prospère lui avait pardonné. Mais non, il ne lui parle plus qu'à la banque. Ailleurs, il rencontrerait un Africain que ce serait du pareil au même. Il y a des péchés pour lesquels la miséricorde n'appartient pas aux hommes.

❦

Le second mystère que Désirée cherchait à percer lui fut révélé par hasard. Pour être bien certaine de ne pas se tromper, il lui suffirait de surprendre Rose avec son aveu et de lire le bien fondé de ses déductions sur le visage de son amie. Comme elle ne sait pas mentir, il sera facile de voir si elle a visé juste. Donc, Désirée cherchait patiemment, obstinément, les porteurs des balanciers glorieux qui ornaient l'entrejambe de deux humbles travailleurs de Val-de-Grâces. Rose s'était carrément refusée à dévoiler leurs noms. C'était même la seule occasion où elle avait osé lever le ton en présence de Désirée. Celle-ci avait tenté vainement de la faire tomber dans ses pièges. Rose l'avait toujours vue venir d'assez loin pour esquiver et la vieille curieuse en avait été pour ses frais. Elle avait presque renoncé quand, allant veiller au corps d'un vieux rentier et ancien client, elle se retrouva au salon où une vingtaine de personnes assises autour de la pièce chuchotaient les vertus du bonhomme entre les chapelets que Désirée entonnait consciencieusement aux heures. À cette époque, fin de la décennie 1940, on mettait ses morts en chapelle ardente à la maison. Les salons, funérarium, crématorium, n'existaient pas ou commençaient à peine d'apparaître dans les grandes villes. Il était également dans les mœurs de s'endimancher pour faire une ultime visite à un proche, à un ami, voire à un étranger. On eut considéré indécent de se présenter en tenue de travail dans une maison endeuillée. Or, certaines gens peu fortunés et qui n'endossaient le costume des dimanches que pour assister aux offices religieux faisaient durer l'habit parfois la vie d'un homme. Mais le porteur n'était pas toujours ajusté au vêtement. Certains perdaient vingt livres, d'autres en gagnaient trente, de sorte que le costume flottait parfois, mais plus souvent, craquait sous la pression. On avait beau déboutonner le veston, les muscles ou la graisse tiraient les fils à les disjoindre. Quant au pantalon, il fuselait la cuisse comme le bas de soie de madame lui emprisonnait la jambe. Cela révélait parfois l'anatomie aussi sûrement et plus clairement qu'un rayon X montre une lésion pulmonaire.

Désirée était donc sagement assise et devisait à mi-voix avec la femme de Fred Savoie quand, vérifiant machinalement si les gens du Val s'étaient fait un devoir de rendre leurs devoirs au défunt, elle vit un jeune homme (dans la prime quarantaine) à moitié étouffé dans sa bleu marine de noces le tenant rigide comme une matrone engoncée dans son corset à baleines. Le tissu tirait de partout, particulièrement, non pas aux encoignures comme il serait normal, mais aux cuisses, fuselées dans le matériel comme le galbe de madame dans un bas à varices. Entre la cuisse et la flanelle, une turgescence flacide, mais néanmoins scandaleuse en un pareil endroit, en un pareil moment. À vol d'oiseau (une personne respectable ne laissant jamais le regard s'attarder en bas de la ceinture), Désirée pensa d'abord : *Pauvre homme pogné avec une harnie double. À son âge, si c'est pas de valeur. Pourvu qu'a s'étrangle pas ici-dedans.* Puis, elle s'efforça de penser à autre chose, mais la curiosité la poussa à revenir sur l'objet et à réfléchir à la configuration de l'anomalie. *C'est ben ça. I a dû se crever en forçant trop fort.*

Vous ne comprenez pas ? Crever, c'est pourtant français, non ? Crever comme dans péter un furoncle, un abcès. Pas clair encore ? (Notez que je parle pour les cousins d'outre-mer.) Bon ! Parlons scientifiquement d'abord. Désirée n'a pas expliqué, parce qu'il lui paraissait superfétatoire de le faire, mais elle pensait de toute évidence à une hernie inguinale. Dans sa longue vie, et parce qu'elle n'a pas les yeux dans son étui à chapelet, il lui est arrivé d'observer, oh, bien innocemment, ce phénomène troublant. Il se produit, paraît-il, à la suite d'un effort excessif : toux de coquelucheux, vomissements d'ivrogne, constipation de politicien déçu, tour de force de fier-à-bras, où l'intestin comprimé appuie trop fortement sur la paroi intestinale et la perfore. Alors, telle une rivière sortant de son lit et se répandant sur les terres basses, l'intestin s'infiltre dans le canal inguinal, envahit le scrotum. Je ne vais quand même pas expliquer ce qu'est un scrotum, mais disons que le Père Noël en a un sur le dos. Il y a tout de même des heures où les enfants doivent être au lit plutôt qu'à fouiller dans un traité de médecine illustré. À la longue donc, la tripaille envahissant le scrotum donne à la besace des proportions à faire lorgner d'envie le taureau de la ferme modèle et rougir une dame de Sainte-Anne bien pensante. Désirée, patronne d'un magasin général et observant des dizaines de joueurs de dame éjarrés devant l'échiquier, avait vu quelques-unes de ces anomalies pathologiques et savait faire la différence entre l'enflure qu'elle avait guignée à l'instant et la monstruosité qu'elle avait aperçue autrefois. Il lui était donc facile de faire la différence entre des intestins qui s'agglutinent dans l'entrecuisse d'un chrétien et la protubérance normale d'un honnête pantalon. Dans le premier cas, l'exubérance s'appuie sur le fauteuil, dans le second, elle repose sur la cuisse. Dans le premier cas, il s'agit donc d'une maladie qui peut devenir fatale en cas d'étranglement, dans le second, il s'agit d'un cobra au repos n'attendant qu'une provocation pour dresser la tête et cracher son venin. À voir la rotondité alanguie dans sa flaccidité et dormant sur la cuisse pieuse (la grosseur d'une belle banane de Californie), Désirée esquissa un sourire de contentement.

Très discret, cela va sans dire, le lieu et les circonstances ne se prêtant pas aux excès lubriques. D'ailleurs, elle ne souriait pas de lubricité et songeait que la Providence n'attend pas toujours l'éternité pour récompenser les bons enfants du bon Dieu. Désirée avait enfin trouvé un des porteurs du balancier royal que Rose lui avait décrit. De là à trouver le ou les autres glorieux, on pouvait se fier à l'art de l'astucieuse tacticienne. Elle en avait confessé de plus coriaces.

Pour désarçonner son amie, elle choisit une attaque frontale et, misant sur l'effet de surprise, elle attaqua sans autre préambule :

— J'ai trouvé ton étalon, Rose. Tu me demandes pas qui c'est ?

Bredouillant, rougissant, puis écarquillant les yeux, Rose dit :

— J'voés pas…

— Tit-Gus Langlois ! Pis viens surtout pas me dire que c'est pas lui. J'aime pas me fére mentir en pleine face.

— J'voés pas pareil.

— Ah, tu voés pas ! Ben j'vas te fére un dessin. De même tu vas tet ben te déboucher le souvenir.

Et Désirée commença une démonstration où il était impossible de dénoter la moindre faille. Récapitulons. Dans le temps, Tit-Gus était célibataire et chacun sait qu'il buvait ses payes et courait les filles comme un matou en chaleur. Vrai ou faux ?

— Vrai.

— Bon !

Plus important encore, il travaillait au même moulin que Charles, mais durant le quart de nuit. Alors, quand il essayait de faire croire à la débauchée…

— Voyons donc, madame Désirée ! Vous savez ben que c'est fini, ça.

— Dans ce temps-là c'était pas le cas. Fais-moé pas pardre le fil à part de ça.

— On sait ben…

Quand donc l'étalon royal insinuait que le cocu avait changé de quart, il mentait effrontément. Vrai ou faux ?

— Vrai.

— Bon !

Alors, qu'y avait-il de plus facile pour lui, d'oublier sa boîte à lunch au moulin et de venir la chercher à 7 heures quand le quart de nuit entrait au travail. Il y voyait le mari bafoué. Il pouvait donc opérer en toute tranquillité.

— Vrai ou faux ?

— Vrai.

— Bon !

Alors le matou s'amenait avec sa caisse de bière sous le bras. Parce qu'il ne buvait pas de fort.

— Vrai ou faux ?

— Vrai.

— Comment tu le sais ? Hen, comment tu sais ça, toé, si c'est pas lui qui venait virer ta maison en bordel ? Réponds à ça. Envoye !

Coincée, Rose dut avouer.

— Ben, oui, c'était lui.

— Bon, ça en fait un. Les autres astheure !

— Y en avait pas d'autres, madame Désirée.

— Menteuse ! Tu m'as dit : y en a une coupe, madame Désirée, qui vous surprendraient. Tu viendras toujours me dire que tu parlais pas au pluriel.

— Y en avait deux, madame Désirée, pas un de plus.

— Ça fait qu'i nous en reste un à trouver. L'autre, qui c'était ?

Rose protesta que Désirée en savait bien assez et la supplia de ne pas insister. C'était mal connaître l'inquisitrice.

— Tu sais ben que ça sert à rien, Rose. Tu sais ben que j'vas finir par le savoir, ça fait que crache donc tout suite. On va sauver du temps. Envoye ! Fais pas la folle, là !

— Ah vous ! Vous !

— Envoye donc. Tu sais ben que ça va rester entre nous autres.

— Vous me jurez ça ?

— Je te le promets, là. Envoye donc !

— Trefflé.

— Trefflé à Taddy ? !

— Oui !

— Ah ben, bout de maudit ! J'ai mon maudit voyage ! Trefflé à Taddy ! Mais i est gros comme le poing.

— Pas de partout, madame Désirée.

— Ma grand foi du Bonyeu tout-puissant, i's y ont toute mis dans le cul pis rien ailleurs !

— En plein ça.

— C'est drôle la vie, hen ? J'rencontre c't'avorton-là tous les jours. Qui c'est qui arait dit ça de lui. Pis gêné avec ça.

— Ah, i se dégêne, i se dégêne…

— J'voés ben ça. Mais entre nous autres, là, avec un pareil outil, i a pas d'affére à marcher la tête entre les deux jambes. Moé, à sa place, je me redresserais un brin. À propos, là, les cennes…

— Onze, madame Désirée.

— Ma parole, ça doit i traîner au genou…

— Quasiment…

Et les deux copines de rire… et de rire… aux larmes, aux crampes dans le ventre, à la toux en saccades, aux yeux qui brûlent, à l'essoufflement complet. Et à recommencer.

— Qu'est-ce qu'y a de si drôle ? s'informe Tancrède qui revient à la maison.

— Tu comprendrais pas. Des histoires de femmes.

Et de recommencer à rire jusqu'à l'épuisement.

⬟

Se sentant en veine, Désirée décida d'élucider le troisième mystère. La tâche s'annonçait plus ardue, mais il ne fallait pas renoncer. Qui avait bien pu engrosser Julie ? Une bien ténébreuse affaire, comme aurait dit Balzac. Alors, de la méthode. De la patience. Une attention soutenue. Abstraction de toute distraction. Un cheminement mesuré. Un sentier soigneusement balisé. Le souci du détail. Une exploration méticuleuse. Induction et déduction. Calcul. Tâtonnement. Recherches. Accumulation de détails. Analyse serrée. Coupure des indices. Recoupement d'iceux. Détermination de la position d'un point A sur une direction prise d'un point connu B en prenant du point A une ou deux directions sur deux autres points connus C et D. Si, après cela, le fornicateur n'apparaît pas au grand jour, ce sera le Saint-Esprit revenu sur terre, qui… *Oh pardon, mon Dieu. Va falloir que j'aille à confesse, moé là…*

Résumons l'enquête de la belette : malgré des origines on ne peut plus modestes, la Julie était fine gueule. On ne lui avait connu qu'un seul amoureux, le fils de René Marchand, le deuxième coq du village. De la high, ma chère ! Or, ils ont peut-être couché ensemble, allez donc savoir avec une sainte nitouche hypocrite qui savait si bien cacher son jeu. La preuve... De toute façon, couchette ou pas, Julie a été assez chanceuse pour ne pas tomber enceinte et, quand elle est partie cacher son ballon en ville, ça faisait des années que le fils Marchand était en Europe. Mais après, qui a bien pu la bousculer dans le péché ? Les bedaines qui allaient lui chanter la pomme au bar ? Jamais de la vie ! Trop fière pour forniquer avec ses semblables. Mademoiselle visait plus haut. Mais qui ? Les fils du notaire ? Pas plus que leur père, ils ne fréquentent les bars. Des petits gars sérieux qui passent l'été à jouer au tennis et à lire. Des puceaux irrécupérables. Les autres étudiants ? Très peu probable. Ils n'avaient pas les sous pour fréquenter les abreuvoirs publics. Et, en admettant qu'ils les aient eus, où ? Tout de même pas dans le salon de leurs parents. Non, ça ne tient pas la route. Dans le bar ? Impossible, Ernestine est une couche-tard qui a l'œil à tout. Julie ne se serait pas risquée. Pas assez bête pour jouer son emploi à la roulette. À l'extérieur ? Dans un chalet ? Peut-être. Mais il aurait fallu une voiture pour y aller. Combien y a-t-il de voitures au Val ? Voyons que je calcule. Une, deux, trois. Huit au total. Pas une de plus. À qui appartiennent-elles ? Deux taxis, deux chez les Paradis, deux chez les Landry, une à Léo Marmen. Il reste Prospère. *Y en a même trois. À part de ça, i serait ben capable, courailleux comme qu'i est.*

*Mais avec sa barmaid, en face de sa sœur Arnestine ? Non,
ça colle pas. Mais dis-moé donc ! Ça y est ! C'est ça ! Ça
peut pas être autre chose que ça ! C'est le serin à Prospère ! La camionnette à Prospère ! C'est ça ! Pas confortable ben ben, mais quand t'es jeune, tu pognes pas un
tour de rein en toussant, pis pas plus en… Pardon, mon
Dieu ! À moins qu'y soye monté dans la chambre à Julie.
Le p'tit sarpent, i en est ben capable. Ben oui ! Un p'tit
tour aux vues, pis en revenant, on veille une secousse au
bar pis, quand on entend ronfler ma tante Titine, envoye
en haut. C'est ça. Y a rien que lui qui peut faire ça. Un
autre risquerait de se faire tuer par Arnestine, ou ben par
Prospère.*

— Je l'ai trouvé, triompha Désirée.

— Qu'est-ce que t'as trouvé encore ?

— Je sais qui c'est qui a parti Julie pour la famille.

— Ah oui ?

— Oui, monsieur ! C'est le mousse à Prospère.

— T'étais là ?

— J'y arais été que j'serais pas plus sûre.

— Pauvre Désirée, tu vas ben passer ta vie à fouiller
dans la marde des autres, hen ?

— J'aime savoir ce qui se passe au Val.

— C'est curieux, mais on dirait que tu veux savoir rien
que ce qui pue.

— J'te demande ben pardon…

— Pas à moé, Désirée, pas à moé. Au bonyeu.

Et Tancrède s'habilla pour aller retrouver ses amis.
Chemin faisant il se parlait à lui-même pour déplorer la
curiosité malsaine qui poussait sa harpie à fourrer sans
cesse le nez dans les affaires d'autrui. Puisqu'il avait tout

essayé pour la corriger, mais qu'elle empirait en vieillissant, la mort peut-être la guérirait de ce maudit vice...

Satisfaite, mais humant déjà l'air pour y détecter un autre scandale, Désirée entama un chapelet. Sans doute pour remercier Dieu de l'avoir faite si brillante, pour chanter la justice de Celui qui lui avait fait le don de double vue afin de débusquer le péché. Ce qui, bien entendu, lui donnait l'occasion de prier pour le pécheur.

Je crois en Dieu, le Père tout-puissant...

Chapitre 9

« Infiniment rares sont les femmes qui, dans leur goût
de l'amour, ne font entrer aucune ombre de calcul. »

Christian Bobin

Malgré le rêve de vivre avec Conrad chaque minute de sa vie, Rose refusait toujours de l'accompagner à Kingston. Conrad plaidait, la suppliait, la cajolait, lui promettait une existence idyllique sur les rives du lac Ontario, mais en vain. Pour ne pas brouiller l'harmonie, il signait la trêve qu'il ne pouvait s'empêcher de rompre le lendemain. Il avait tellement été sevré d'amour qu'il ne se rassasierait jamais de la tendresse de Rose. Pour la première fois de sa vie, une femme se faisait du souci à cause de lui, priait pour sa réussite, s'inquiétait de sa santé, le comblait de ses attentions, prévenait ses goûts, devinait ses désirs, l'enveloppait d'affection. Mais il repartait seul. Quand on aime, ne donne-t-on pas raison à l'autre même quand il a tort ? C'est Péguy qui disait ça, pas Conrad.

Rose n'agissait cependant pas dans le but de se refuser ou de s'affirmer, mais parce qu'elle était convaincue d'avoir raison. Écouter Conrad ne pourrait que la conduire au malheur. Il faut en effet être très fort pour vivre dans l'ostracisme et l'amour le plus profond peut s'y briser. Elle le sentait d'instinct et Conrad n'était peut-être pas aussi convaincu qu'il le disait. Il insistait peut-être davantage pour lui prouver qu'il l'aimait que pour l'amener à commettre l'irréparable. D'ailleurs, si Rose insistait pour rester au Val, c'est qu'elle avait d'excellentes raisons d'hésiter et de plaider pour le statu quo. D'abord, le scandale que son déménagement provoquerait. Elle n'en voulait à aucun prix, parce que l'estime retrouvée n'en avait précisément pas. Il n'y a pas si longtemps, elle aurait joyeusement secoué ses souliers de la poussière du Val et n'aurait pas jeté un seul regard en arrière, mais tout cela avait changé.

De leur côté, les Valois n'étaient pas si dupes qu'il y paraissait. À la rigueur, on pouvait croire, mais surtout, feindre de croire, qu'elle n'était que la gardienne des enfants de Conrad, sa bonne à tout faire, ce qui incluait des travaux non spécifiquement domestiques, mais si Désirée avait passé l'éponge, on n'allait tout de même pas être plus rigoureux que ce parangon de vertu. On pouvait très bien comprendre que le militaire en eût assez de vivre loin de ses enfants et qu'il les ramenât en Ontario, mais que Rose fût du voyage avec ses propres enfants, cela dépassait les bornes d'une morale minimale que même les gens les plus tolérants ne sauraient accepter. On ne pourrait plus faire comme si. Une fois encore, tout comme au lendemain du décès de Charles, on n'aurait d'autre choix que de la mettre au ban de la société et ses enfants innocents avec elle. Elle n'avait pas la force de les embarquer dans ce voyage sans retour. Conrad avait beau s'en balancer et lui dire d'envoyer promener la compagnie, entre le dire et le faire, il y avait un monde. Évidemment, Conrad ne pouvait savoir. Pour comprendre, il lui aurait fallu être ostracisé comme elle l'avait été, repoussé comme un paria, traité comme un lépreux pendant des années. Non,

Rose se rappelait trop combien elle avait souffert du mépris général pour jouer sa réputation sans y réfléchir à fond. Plus elle y réfléchissait, plus la raison lui dictait qu'il ne fallait pas laisser la proie pour l'ombre. Cela lui était dix fois plus pénible que son homme ne pouvait l'imaginer, mais l'état de grâce dans lequel elle vivait maintenant, la considération qu'elle sentait chez les gens qui la croisaient, compensait pour le déchirement de vivre loin de celui qu'elle aimait. Et puis, elle n'était pas naïve au point d'ignorer la fragilité de ses acquis. Elle avait assez payé pour savoir la fragilité d'une réputation et la volatilité de l'opinion des gens. Depuis que Désirée s'était érigée en directeur de conscience on la trouvait sympathique. Peut-être justement parce qu'elle avait à subir la férule de la bigote et qu'on la plaignait d'avoir à endurer ce chemin de croix, mais cela ne lui donnait surtout pas le droit de prendre ses concitoyens pour des andouilles. On savait très bien que si elle avait fait jadis un lupanar de sa maison, c'est parce qu'elle avait des aptitudes pour le vice. L'excuse de l'alcool est trop facile. À ce compte, tous les réveillons tourneraient à l'orgie et le vin de messe ferait des satyres de tous les curés. Tout le monde sait que le chocolat est délicieux, mais tout le monde sait également que ce n'est pas une raison pour en manger comme un cochon. Non ! Rose est en garde à vue et elle le sait. Le moindre écart vérifiable et la machine à rumeurs, à bruits malveillants, à calomnies, repartirait pour ne plus jamais s'arrêter. Tout le mal qu'elle s'est donné pour faire une vie décente, pour bien élever ses enfants, pour mériter enfin le pardon, serait effacé en un instant. Elle redeviendrait la bonne à rien qu'on se fait un devoir de mépriser.

Ses efforts lui ont apporté la rédemption, elle n'allait pas balayer cet accomplissement de la main. Les choses avaient changé. On la saluait, on l'invitait à participer aux œuvres paroissiales, on respectait ses enfants, on l'avait lavée de sa saleté. L'idée de retomber dans l'opprobre pouvait-elle lui être supportable ? Non ! Elle se complaisait trop dans la respectabilité pour y renoncer sans avoir la certitude qu'elle ne le regretterait pas le reste de ses jours. Elle continuait de dire non, de demander du temps, de supplier et de prier pour avoir la force de tenir.

Une autre raison à ses hésitations : quelle assurance avait-elle qu'une fois installée là-bas, Conrad ne se lasserait pas d'elle ? La mère des filles n'est pas morte et elle en fait de plus jeunes, de plus belles, de plus intelligentes. Quelle certitude a-t-elle que Conrad ne s'amourachera pas de l'une d'elles ? Et qu'est-ce qui l'empêcherait alors de la retourner au Val ? Il ne sera toujours qu'un célibataire libre comme le vent et peu enclin à respecter les Commandements. A-t-il attendu « jusqu'à ce que la mort vous sépare » pour balancer sa femme par-dessus bord ? A-t-il hésité à installer Rose à sa place et hésitera-t-il à faire de même s'il tombe amoureux d'une troisième ? Elle ne sera toujours que sa servante et sa maîtresse, mais on change de maîtresse. Une fois officier fréquentant le beau monde, il croisera fatalement des femmes instruites, belles, riches. Comment pourra-t-elle souffrir la comparaison, comment pourra-t-elle défendre son territoire, prise à la maison avec les enfants ? Pourra-t-elle jamais lutter à armes égales ? Il a beau protester qu'il n'est pas un homme à femmes, qu'il est fidèle, qu'il ne voit pas les autres, qu'il a enfin trouvé la compagne dont il a toujours rêvé, qu'elle comble tous ses désirs, comment en être certaine ? Comment croire que c'est pour la vie ? N'est-il pas dans la nature du mâle de conquérir ? Le meilleur moyen de lasser un homme n'est-il pas de lui appartenir corps et âme et surtout de s'accrocher à lui ?

Un autre point inquiétant : dans un pays chrétien sinon catholique, l'Armée, qui surveille jalousement sa réputation, tolérera-t-elle le concubinage ? Ne forcera-t-elle pas l'officier à vivre séparé de sa concubine ? Et devra-t-elle alors se contenter de sauteries à la sauvette le reste de ses jours ? Quand les enfants seront en âge de comprendre, ne poseront-ils pas les questions auxquelles il n'y a pas de réponses ? Et n'exigeront-ils pas un jour des comptes ? Devra-t-on alors se contenter des amours d'hôtel de passe et ne retombera-t-elle pas alors dans une situation pire qu'aujourd'hui ? Que fera-t-elle, dépaysée parmi des gens dont elle mettra des mois, peut-être des années à parler la langue ?

Un autre sujet d'inquiétude : si Rose le suit à Kingston, que faire de la maison ? La vendre, c'est simple en effet, mais si elle doit revenir un jour ? C'est une possibilité à envisager, qu'elle le veuille ou pas. Et le cas échéant, comment sera-t-elle reçue ? Dans la dérision la plus joyeuse, cela va de soi. Trop de gens seront trop heureux de lui rabaisser le caquet et de la reléguer dans le trou d'où elle n'aurait jamais dû sortir. Les gens trahis tendent rarement l'autre joue, elle en parle en connaissance de cause. Pour une, la redoutable Désirée souffrira-t-elle que sa pupille renonce à ses bonnes intentions et, ce faisant, la couvre de ridicule aux yeux de toute la paroisse ? Jamais elle ne tolérera un pareil affront et la belle amitié d'aujourd'hui se changera demain en une haine aussi active que terrible. Si donc Rose quitte, c'est pour ne plus revenir. C'est le but de l'opération, elle le sait, mais si elle devait revenir ? Où irait-elle en partant de Kingston ? Toutes ses racines sont ici. Ailleurs, elle se sentirait tellement seule, tellement perdue. Encore une fois, non ! Elle n'a pas appris grand-chose dans sa vie, mais ce qu'elle a appris, elle le sait bien. Le mâle est un animal possessif et vite repu de sa proie. Il convient de le laisser sur son appétit, de se faire désirer. Se donner entièrement, c'est trop souvent se perdre.

Par ailleurs, elle le savait, on ne lui donnerait pas une deuxième chance. L'amitié ostentatoire dont Désirée l'avait honorée avait forcé les gens à passer l'éponge sur ses anciennes débauches et à l'intégrer dans la grande famille valoise. Elle s'y sentait trop bien pour retourner légèrement à son passé de proscrite. Entre la pauvresse qui faisait marquer autrefois et la cliente qui paye aujour-d'hui comptant, il y a un gouffre qu'elle ne veut pas voir combler. L'inconsistance des hommes est un vice qu'elle ne veut pas provoquer. Conrad l'aime aujourd'hui, mais demain… Le meilleur moyen de le garder dans ses bonnes dispositions est de ne pas céder à tous ses caprices. Et ses enfants ? Ne seront-ils pas malheureux comme les pierres dans l'environnement hostile d'une ville où ils seront tout à fait isolés ? Les mauvaises langues se faisaient sans doute encore aller. Quelques personnes scrupuleuses, tout en ne jurant de rien, se demandaient s'il n'y avait pas une certaine hypocrisie dans la vertu nouvelle de l'ancienne débauchée. Certains prétendent qu'ils ne faut pas être naïf au point de croire qu'elle égrène le chapelet durant les congés que Conrad passe à la maison. Elle ne peut les en empêcher, mais ils ne peuvent nier qu'elle est assidue aux offices divins et qu'elle communie plus souvent que la plupart de ses dénigreurs. S'ils savaient combien elle s'efforce d'être vertueuse, ils seraient sans doute plus indulgents. Elle pèche sans doute encore, mais que ceux qui ne pèchent pas lui jettent la première pierre. Enfin, il est de notoriété publique qu'elle n'est plus un objet de scandale et que sa maison n'est pas un bordel ouvert à tous les vices. En fait, son seul péché c'est d'aimer Conrad qu'elle ne peut pas épouser. On peut donc lui laisser le bénéfice du doute et fermer les yeux sur des apparences certes compromettantes, mais compréhensibles dans les circonstances. Seulement, le suivre en Ontario, c'est forcer jusqu'à ceux qui comprennent à faire volte-face.

Il va sans dire que Conrad balayait les soupçons et les méchancetés avec un mépris souverain. Il comprenait le désarroi de Rose, ses hésitations et il patientait. Le temps jouait pour lui. Bien sûr, il trouvait le Val un peu loin pour venir veiller, mais chaque fois qu'il le pouvait, il prenait le train de l'est. Chaque fois, c'était des retrouvailles torrides qui les laissaient saturés d'amour et de sexe. Chaque fois, Rose retournait au confessionnal, s'efforçait d'avoir le ferme propos durant les secondes critiques que Désirée lui avait prescrites, priait tous les jours, accompagnait la bigote pendant ses neuvaines et faisait brûler des lampions pour garder la force de ne pas déménager là où le bonheur terrestre l'attirait comme les sirènes d'Ulysse. La menace de l'enfer et la terrible description que Désirée lui en faisait, l'aidait à ne pas succomber à la tentation. En somme, elle aurait pu faire sienne la devise de Luther : « Pèche fort, mais crois plus fort encore et tu seras sauvé ». Les rechutes dans le vice la laissaient torturée de remords mais surtout, inquiète sur l'extensibilité de la mansuétude divine.

❦

— Le bon Dieu va finir par s'écœurer de moé, madame Désirée.

La vieille grenouille de bénitier l'incitait à ne pas mettre en doute la capacité de Dieu pour le pardon. Un discours bien étrange dans une bouche aussi prompte à condamner sans appel. D'où lui venait donc une tolérance aussi condamnable ? Simplement due au fait qu'elle se réclamait de la conversion de l'ancienne fille publique. Pour Désirée, il ne faisait aucun doute que la Providence avait incendié la maison de Rose dans le but de la jeter dans les bras de la seule personne capable de l'amener au repentir et à la rédemption. Tancrède n'avait été que le *deus ex machina* de la tragédie. Un accessoire, en somme, pour permettre à la sainte femme de guérir la pécheresse, de la laver de ses terribles souillures. Elle avait cessé de forniquer à la mort de son pauvre mari, mais son repentir était resté passif. Il fallait plus : une foi sans les œuvres est une foi morte. Il fallait en faire un témoin de la grâce divine, un exemple à suivre. Personne d'autre ne pouvait s'atteler à une tâche aussi délicate et la mener à son terme. C'est Désirée Labbé qui avait converti la dévergondée, qui l'avait sortie de la retraite honteuse où elle s'était terrée, qui en avait fait une chrétienne exemplaire. Il lui incombait donc de la garder sur le chemin de la vertu. Pour y parvenir, il fallait la mener d'une main ferme, mais gantée de velours. Trop de brusquerie, trop de sévérité, trop d'intransigeance, pouvaient la rebuter et la plonger sans retour dans le péché. Attention ! Il fallait lui laisser un certain exutoire et, la sachant faillible, distancer ses rechutes, en atténuer la gravité et ne pas trop en exagérer les conséquences. En somme, une responsabilité proportionnée aux forces encore mal assurées de la néophyte. Voilà pourquoi elle avait besoin d'encouragements plus que de condamnations. Le chemin de la vertu est difficile, tortueux, montueux, il faut donc tenir compte davantage du progrès accompli que du chemin à parcourir. Certes, répétait Désirée, Dieu est un papa juste. Il tient une comptabilité serrée des gestes de tout ce qui bouge, gratte, rampe et grappille sur Ses terres, mais on ne Le dit pas miséricordieux pour rien. Cette épithète a même été confectionnée à Son intention. Bien sûr, les humains ont galvaudé le mot et l'ont employé à des sauces peu orthodoxes plutôt que de le réserver à Son usage exclusif. On dit : le juge Untel a été miséricordieux. Sacrilège ! On devrait dire : il a été bon, généreux, compréhensif, mais miséricordieux ! c'est comme si on osait appliquer le culte de latrie à un humain ! C'est le culte réservé à Dieu, Rose, et à Dieu seul. On n'oserait jamais le vouer à un homme, même à Maurice Duplessis le Parfait d'entre les parfaits. Certains vont jusqu'à dire le plus-que-parfait, mais digne du culte de latrie, c'est hélas impossible.

En élève appliquée, Rose suit la leçon avec une attention soutenue, encore qu'elle n'y comprenne pas grand-chose et que Désirée l'entraîne dans un cours dépassant ses capacités d'entendement. Trêve de sémantique : si Désirée a fait cette digression, c'était sans doute pour instruire Rose des beaux mystères de la religion, mais surtout pour garder la barre sur sa nouvelle convertie. Si les néophytes sont tout feu tout flamme dans les balbutiements de leur foi nouvelle, leur enthousiasme est parfois fragile parce que pas assez bien étayé sur les bases d'un savoir longuement médité. Désirée va-t-elle finir par y arriver et dire enfin à Rose pourquoi elle l'a fait venir ? Oui, mais en attendant, elle veut faire bien comprendre à sa fragile amie que si Dieu sait être terrible, il sait mieux encore être clément aux âmes repentantes. Il sait, pour l'avoir voulu ainsi, la faiblesse humaine. Il sait, pour l'avoir dit, que l'esprit est prompt, mais la chair faible. Alors, s'il y a quelqu'un qui peut excuser un écart de conduite par-ci par-là, une partie de jambes en l'air aux deux mois, c'est bien Lui, le miséricordieux.

— Miséricor… Dieux, Rose, tu voés ? Pas miséricor… curé. Miséricor… Dieux. Tu comprends ?

— Vous devez avoir raison.

— Beau dommage que j'ai raison ! J'ai assez épluché mon p'tit catchisse pis mes annales pour te le garantir. À part de ça, si tu me crés pas, demande au curé.

— Non ! Non ! Ça sera pas nécessaire, j'vous fais confiance.

— Bon !

Cela réglait la question. Rose continuera de secouer un peu l'arbre du fruit défendu et, entre les secousses, elle regrettera de l'avoir secoué. Que demander de plus à une pauvre créature incapable de l'ascétisme contrôlé de Désirée ? Pour clore définitivement le sujet, la bigote informa la pécheresse qu'elle avait, dans ses multiples oraisons, une pensée pour la femme de Conrad et qu'elle ne désespérait pas d'être exaucée.

— Mais qu'est-ce que vous pouvez ben demander pour elle au bon Dieu ?

— Qu'a crève au plus sacrant, la vache. En état de grâce, ben attendu.

Décidément, la mystique de Désirée dépassait un peu l'entendement de Rose, mais devant une femme qui communiait tous les matins et joutait avec monsieur le curé sur les grands mystères de la foi, l'ignorance devait s'incliner.

— Vous êtes ben bonne de penser à moé comme ça, s'émut Rose.

— Tu t'es convartie, Rose, j'fais rien que mon devoir. Pas plus, pas moins.

— N'empêche…

— Tut, tut ! On en parle pus. Pis pour te prouver que j't'ahis pas, j'ai pensé fére quèque chose pour toé.

— Quoi donc ?

Depuis la nuit où la maison de Rose avait passé au feu, Désirée s'était prise d'une affection profonde pour sa petite Chantale. Chaque fois que la bambine venait voir tante Désirée, celle-ci la bourrait de bonbons, s'informait de ses progrès en classe, l'incitait à être bonne fille et, à chaque Noël, elle lui faisait un cadeau qui laissait la fillette sans voix. À la vue de cette enfant, la vieille fibre maternelle de Désirée vibrait d'une tendre et belle affection. Aussi priait-elle Dieu de la faire vivre assez longtemps pour assurer les études de la petite. Elle voulait en faire une religieuse, ou, à défaut de vocation religieuse, une infirmière ou une enseignante. Elle savait trop le prix de l'ignorance pour ne pas vouloir en sortir un enfant qu'elle chérissait comme le sien propre. À l'âge où elle aurait pu imiter sa sœur Clémence, elle avait choisi d'affronter plutôt la vie. Si on excepte qu'elle avait dû se contenter de

Tancrède Labbé pour partager le traversin, elle ne s'en était pas mal tirée. Mais combien, avec quelques diplômes de plus, elle aurait pu aller plus loin ! Marier un professionnel, sans doute.

— Je l'arais runné la même maudite affaire que Tancrède, tu sais ben. La seule différence, ç'arait été pas mal plus le fun qu'avec Tancrède. Y a pas de défense, pauvre p'tit chien.

Si, à l'exemple de Clémence, elle avait fait un cours secondaire chez les Ursulines, qui sait si un signe, une grâce spéciale ne l'auraient pas attirée vers le service du Seigneur, la vie contemplative, peut-être… Après usage, elle savait qu'elle aurait pu se passer d'un homme (pour ce que ça peut servir !) et que le vœu de chasteté ne lui aurait pas pesé très lourd. Pour celui d'obéissance… oui… passons… Quant au vœu de pauvreté, elle aurait joyeusement troqué son compte en banque contre celui des filles de sainte Ursule et acheté les Sœurs du Clergé avec le change. Qui sait si elle ne serait pas devenue supérieure, voire mère générale ?

— J'arais pu te runner une communauté aussi ben que Marie-Anne Ouellet, tu penses pas ?

— Vous savez, moé, j'connais pas ben ben ça.

— Oua, on sait ben. De toute manière, y est trop tard astheure. Ce qui est faite est faite. Mal faite tet ben, mais faite pareil. Ça sert à rien de renoter là-dessus. Ce que j'voulais te dire c'est que…

Et elle confessa son rêve à sa pupille. Faire instruire Chantale à Rimouski. Pas chez les Sœurs de la Charité, non ! Pas assez de classe. Pas davantage chez les Sœurs du Saint-Rosaire. Une excellente maison, certes, mais pourquoi ne pas s'installer chez l'élite ? Ces dames donnent même quatre années de cours classique. Monseigneur Fortin lui-même y dispense des cours d'histoire. Sait-on jamais, après ces quatre années, peut-être Chantale voudra-t-elle finir le cours prestigieux qui ouvre les portes de l'université.

— Mais ça va vous coûter une fortune.

— Occupe-toé pas de ça. Si j'arais eu une trâlée de morveux, penses-tu que je les arais laissés dans l'ignorance ?

— On sait ben.

— C'est décidé. J'fais instruire Chantale.

— En avez-vous parlé à monsieur Tancrède ?

— Non ! Pourquoi ?

— Va quand même falloir que j'en parle à Conrad.

— I est pas encore ton mari. Chantale est pas sa fille. T'as pas besoin de sa permission.

— J'sais ben, mais i m'a assez dit que nos enfants iraient à l'école pour tout le temps qu'i y a pas été…

— J'sais que Conrad va avoir les moyens. Un officier, ça fait des grosses gages, mais quand même, un peu d'aide, ça peut pas nuire.

— J'vas y en parler.

— C'est ça. Pis si i rechigne, envoye-moé-lé. M'as le mettre à ma main, moé.

— Vous pensez ?

— En tout cas, j'peux toujours asseyer, non ?

— Corrèque d'abord. J'i en parle.

⊛

Rose repartit émue et reconnaissante. *Décidément*, se dit-elle, *la vertu a du bon*. Mais, à la réflexion, elle conclut : *Mais maudit que c'est pas facile.*

Conrad ne voulut pas entendre parler de la proposition et répéta qu'il n'avait pas besoin de Désirée Labbé pour faire instruire ses enfants. Et quand il disait ses enfants, cela incluait les enfants de Rose. Elle avoua qu'elle s'attendait à cette réaction mais comme elle restait un peu triste, Conrad lui en demanda la raison.

— A va être ben déçue.

— Pis ?

— Pis, ben… j'voudrais pas y fére de la peine. A l'a été assez bonne pour moé.

— Menute là ! Menute. A jamais été bonne de sa vie. Pas plus pour toé que pour un autre.

— T'es pas juste, Conrad, madame Désirée m'a gardée quand j'étais tout nue dans la rue.

— C'est Tancrède qui t'as amenée à la maison, pas elle. Elle, a t'arait laissée crever sus le banc de nége.

— Mais non, Conrad. Tu la connais mal. A l'a bon cœur. A gâte Chantale sans bon sens.

— C'est elle qu'a gâte en jouant à la mère de famille. Une vieille vache neillére…

— Conrad ! C'est pas fin, ça.

— Rose, j'veux pas qu'a fourre son grand maudit nez dans mes affaires. Y a ben assez de toé.

— J'voés ben que j'te f'rai pas changer d'idée.

— À propos des études, jamais !

— Non. À propos d'elle.

— Pas plus. C'est une maudite langue sale. Non ! Demande-moé pas ça. J'peux pas la blairer. Ça mange le bonyeu tous les matins pis ça chie le yable toute la semaine. Maudite hypocrite. A fait damner Tancrède depus cinquante ans, moé, a me fera pas damner. Pas une journée. Tu la connais pas ? Si a paye les études, a va vouloir runner Chantale, tu sais ben. I fére fére une bonne sœur, tet ben.

— C'est toujours pas un déshonneur !

— Non, à condition que ça soye pas une vocation pour fére plaisir à maman ou ben à ma tante. Si Chantale ou un autre veut porter la capuche, j'dirai pas non. J'vas même les aider tant que j'vas pouvoir, mais à condition que ça soye eux autres qui décident. Pas le curé, pas l'évêque, pis encore ben moins Désirée Labbé.

— A l'a jamais parlé de ça.

— Non, mais a va t'en parler, aussi vrai qu'y a un bonyeu dans le ciel. Tu la connais pas encore, la vieille baptême ?

— Conrad. Fâche-toé pas, là. C'est non ! C'est non. On n'en parle pus.

— En plein ça, ma belle.

— Mais comment j'vas i annoncer ça ? Tu comprends, j'voudrais pas…

— Y fére de la peine. C'est ben ça ?

— Oui.

— C'est ben simple, Rose, dis-y que j'accepte.

— Pas vrai ?

— Fais-toé pas des idées, là !

— J'comprends pas.

— C'est pourtant ben simple. Désirée est à bout d'âge, est à veille de crever. Avant que Chantale ou Charles soyent prêts à prendre le bord du couvent, les os y feront plus mal depuis une maudite secousse. Tu penses pas ?

— Pis si a crève pas ?

— Dans le temps comme dans le temps, Rose. On a cinq six ans pour penser à ça. En attendant, puisque tu veux pas fére de peine à ta chère Désirée…

— Tu me reprocheras toujours ben pas d'être bonne avec elle.

— Ben non, ma vieille, ben non ! Dans le fond a me fait un peu pitié.

— Est pas si pire que tu penses.

— Ça se peut. J'vas même te dire que si Tancrède y avait cassé une couple de manches de hache sus le dos, a serait tet ben parfaite.

— Grand fou, va.

— Bon, astheure, greille-toé.

— Pour aller où ?

— J't'ai pas dit que le grand Danjou était descendu avec moé ?

— Non.

— C'est vrai qu'on a pas eu trop de temps pour bavasser, hen ?

— Cochon, va.

— C'est ça, plains-toé, astheure.

— J'me plains pas…

— Envoye, Paul nous a invités, on va aller veiller.

— Les enfants, Conrad.

— Chantale est fiable, a va ben prendre soin de ses petites sœurs pis de ses p'tits frères.

Il ouvrit la porte et l'appela. Elle arriva en courant :

— Oui, papa ?

— On va veiller chez monsieur Danjou, ma belle, tu veux prendre soin de tes p'tits frères pis de tes p'tites sœurs ?

— Ben sûr, papa, j'vas en prendre ben soin.

— Tu voés ?

— Corrèque d'abord, répondit Rose, j'me change.

Puis, prenant Chantale, elle lui recommanda de courir la prévenir chez monsieur Danjou si le moindre accident, la moindre dispute, le feu, une mauvaise chute, une visite, le p'tit dernier…

— Vas-tu ben aller te greiller, ou si j'te sors en tablier ?

— Dépêche-toé, maman, avant qu'i se choque.

— Tu voés ? C'est une fleur, c'te enfant-là. Écoute donc plutôt de niaiser.

— Mais j'y pense, s'écria Rose, Paul t'a invité, mais moé ? J'ai jamais mis les pieds chez eux.

— Paul m'a dit : viens veiller avec ta femme.

— Mais sa femme à lui était pas là. A chante tet ben pas la même chanson, elle.

— Penserais-tu que Paul est pas assez grand pour être le boss dans sa maison ?

— La question est pas là, Conrad. J'voudrais pas me fére recevoir comme un chien sus une travée de prélat ben lavé.

— J'voudrais ben voir ça.

— C'est toute vu, Conrad, j'y vas pas.

— T'es pas sérieuse ?

— Comme un pape. Tant que la femme à Paul m'invitera pas en parsonne, j'grouille pas d'icitte.

— Ça parle au baptême, astheure ! As-tu honte de toé ?

— Non, mais j'voudrais pas la mettre mal à l'aise. Ça gâcherait la soirée de tout le monde. Vas-y tout seul, c'est mieux.

— OK d'abord, mais tu t'en fais pour rien, la femme à Paul est plus intelligente que ça.

— Ça se peut, mais ça change rien à l'affaire.

Un peu déçu, Conrad partit seul. Quinze minutes ne s'étaient pas écoulées qu'on frappa à la porte. Rose ouvrit sur Paul Danjou et sa femme.

— Habille-toé, Rose, pis viens-t'en.

— J'sais pas si je devrais…

— Écoute, Rose, Conrad est le meilleur ami de Paul, ça serait ben le boutte du boutte si fallait que sa femme soye pas la bienvenue chez nous.

— Ben, dans ce cas-là, attendez-moé, ça sera pas une traînerie. J'arrive !

Le visage illuminé d'un sourire de bonheur, Rose se dépêcha de se changer et partit avec les Danjou.

⊕

— Madame est fine gueule, ricana Conrad, a se déplace pas sans son escorte.

Assis à la bonne franquette autour de la table où trônait une bouteille de gin, les amis entamèrent la soirée et le gin. Les deux finirent fort tard, peut-être parce que Rose n'avait accepté que deux verres. Aux invitations pressantes de Paul pour un troisième service, elle trancha :

— Je me connais, Paul. Après trois, ça finirait pus, pis j'sus déjà pas assez fine à jeun sans me paqueter la gueule par-dessus le marché.

On n'insista pas. Évidemment, les femmes étaient curieuses de savoir comment leurs hommes se débrouillaient en Ontario, comment ils passaient leurs loisirs, comment cela allait dans leurs études. Voilà où le bât blesse pour

Paul. Il se lamente qu'il a une tête de cochon où rien n'entre sans bûcher trois fois plus que Conrad. À propos de bûcher, il préférerait couper chaque jour quatre cordes de bois de pulpe plutôt que de passer à travers le manuel de balistique. La géométrie, l'algèbre, c'est du chinois pour lui. Par-dessus le marché, il faut avaler cette pâtée infecte en anglais. Conrad s'amuse. « Tu peux ben rire, toé, p'tit crisse ! Tu t'amuses avec ça, mais moé… » Oui, lui il lui faut piocher très fort pour réussir ses examens. S'il n'était pas un héros authentique, on lui indiquerait sans doute la sortie, mais son acharnement, sa persévérance sont des vertus qui font oublier des notes académiques douteuses. Et puis, de savoir par cœur pourquoi et comment un corps lancé dans l'espace flotte et atteint précisément un but après avoir décrit un arc, est-ce cette science qui fait un meilleur soldat ? Après tout, une fois reçu officier, on ne lui demandera pas de transmettre son savoir à des troufions ignorants. D'autres sont formés et payés à cette fin. Lui, il prêchera par l'exemple : discipline, fierté du travail bien fait, tenue impeccable, entrain, respect du drapeau, disponibilité et, le cas échéant, bravoure et leadership. Enfin, ses supérieurs savent que le peu de théorie qu'il apprendra, il le retiendra le reste de ses jours. Comme tous ceux qui peinent pour apprendre, ce qu'il apprendra sera bien su et ne se volatilisera pas en vagues souvenirs comme il arrive souvent à ceux qui n'ont pas eu à trimer pour réussir un examen. Aussi, quand il obtiendra son brevet d'officier, on sait en haut lieu qu'on pourra compter sur un excellent officier. Quant à Conrad, il apprend avec une aisance déconcertante, mais il a tellement l'armée dans le sang qu'il ne déméritera pas plus que son ami de la confiance qu'on lui porte. N'empêche que Paul lui envie sa facilité. « Si j'serais de même, moé, j'me sentirais au paradis dans l'armée. »

Et l'absence des enfants, de la femme ? Évidemment, Paul trouve ça dur, mais plus pour eux que pour lui. Mais n'allez pas mal interpréter, c'est que lui, il a l'habitude. Avant la guerre, il prenait le bois le lendemain de la Toussaint et il revenait au printemps. Et puis en Europe, trois longues années sans voir les siens. Après de pareils purgatoires, les voir tous les deux mois, c'est une bénédiction. Bien sûr, il s'ennuie parfois à en chialer, mais comme il a vu pire… Pourquoi alors ne pas amener votre famille à Kingston, demande Rose ? À cause des enfants. On en a discuté longuement et on a conclu que le meilleur pour eux était de faire leurs études primaires en français. Et puis, une fois officier, Paul reviendra à Québec. Alors, on pourra alors réunir la famille pour ne plus jamais se quitter. Quant à l'anglais, il sera toujours temps de le leur enseigner quand ils sauront le français.

Conrad n'attendait que cette occasion pour prendre ses amis à témoin de l'entêtement ridicule de Rose de ne pas vouloir le suivre en Ontario. Sans doute pour les mêmes raisons que nous, objecta Paul. Oui, acquiesça Rose, mais pour bien d'autres raisons qu'elle se fit un devoir de leur exposer. Un peu pour se défendre, surtout pour avoir un avis à peu près neutre. Conrad plaida sa cause avec chaleur, mais sans réussir à infléchir Rose.

— Qu'est-ce que t'en penses, toé, Paul ?

— Rose a raison, Conrad. Sois pas trop saffre, tu pourrais t'étouffer. C'est beau ce que vous vivez là, demandes-en donc pas plus.

— T'as tet ben raison.

— Ben sûr que j'ai raison. Tu voudrais toujours pas être responsable du malheur de Rose ?

— Je l'aime ben trop pour ça, voyons !

— Dans ce cas-là, laisse-la donc runner ça. Est plus smatte que toé.

— T'as tet ben raison… À part de ça, mon ex crèvera ben un jour…

— Désirée prie pour ça.

— Dis-moé pas !

— Ben oui, Conrad ! Tous les jours que le bon Dieu amène.

— Ben, bout de maudit, j'commence à la trouver pas pire.

— Si Désirée prie pour ça, reprit Paul, ça devrait marcher. A l'a un tirant terrible.

— Si a réussit, j'y fais chanter une messe de son vivant. Une grand-messe, à part de ça. Santé, baptême !

Chapitre 10

« Il est besoin que le peuple ignore beaucoup
de choses vraies et en croie beaucoup de fausses. »

Montaigne

À Québec, les sessions se succédaient dans la même monotonie. François n'avait plus reparlé en Chambre où, tel un météorite, son maiden speech avait déchiré le ciel bleu pour s'abîmer aussi vite dans la nuit de l'oubli. « Le Boss aime pas se faire voler le show », raisonnait justement le co-chambreur du notaire. Il y avait cependant plus que la susceptibilité du patron pour expliquer le silence du nouveau député. Le rituel de la Chambre y était pour beaucoup. En principe, chaque ministre expose les politiques de sa compétence, en défend les crédits, répond aux questions de l'Opposition. C'est le privilège attaché à la dignité. Il en va de même pour tous les membres du cabinet. Seulement, le ministre à intérêt de posséder ses dossiers à fond, car à la moindre défaillance, le Chef prend la relève. D'ailleurs, même si son ministre est à la hauteur, il dirige l'exposé, souffle les réponses, corrige le tir, précise les chiffres. Surtout, il ne tolère jamais qu'on parle de dépenses. Celui qui, s'oubliant, dit : « Nous avons dépensé... » « Consacré, Antoine, consacré ! » Réminiscence pieuse, peut-être... ou crainte que le bon peuple prenne panique en voyant s'accumuler les millions. Le Grand

Manœuvrier ne dira jamais : nous avons dépensé deux millions en travaux de voirie, il dira plutôt : nous avons remplacé trente ponceaux dans le comté X, nous avons posé trois cents milles de fil électrique dans le comté Y, nous avons drainé cinq cents acres de terre inculte dans le comté Z. Ainsi, le voteur qui n'a pas d'argent et que le dévoilement de millions confond plus qu'il ne renseigne, visualisera les travaux en cours et retiendra l'effort colossal que le gouvernement déploie pour éclairer les campagnes, sécuriser les routes, assécher des terres marécageuses. Duplessis connaît Baptiste, il sait parler la langue qu'il comprend et il entend que ses hérauts fassent de même. Quand son porte-parole s'emmêle, bégaie ou hésite, il le fait carrément taire et achève lui-même la démonstration que le rabroué se doit d'applaudir plus fort que tous ses confrères. En somme, un cours sur le parlementarisme appliqué. Dans ces conditions, comment un simple député peut-il espérer se faire entendre ? Il lui faudrait avoir été sollicité par un ministre le sachant plus compétent que lui en la matière. Lequel ministre aurait dû en informer le chef d'orchestre et solliciter son autorisation. Aussi bien se faire hara-kiri. Et puis, il y a la fierté du ministre qui garde jalousement pour lui-même le privilège de sa fonction, même au risque de se couvrir de ridicule et de forcer le Premier à lui venir en aide. Ce qui revient à dire que tant et aussi longtemps que François Bérubé sera un back bencher, il sera muet. Et, comme la seule façon de se faire voir est le discours, autant dire que le petit député demeurera invisible, dut-il siéger vingt ans comme membre de l'Union nationale.

Le député de Matapédia devait néanmoins relancer le Chef. L'échéancier ne lui laissait pas d'autre choix. Il était de plus en plus probable qu'il y aurait des élections générales en 1948 et le collège des garçons du Val n'était toujours qu'une vue de l'esprit. Au Val, on était de plus en plus certain que l'annonce de ce projet était un autre canular pour endormir les naïfs croyant encore aux promesses des politiciens, une rumeur que le député avait laissé circuler pour se rendre intéressant. Prospère n'osait plus en parler à son ami. Il le savait assez ulcéré pour ne plus tourner le fer dans la plaie. À son habitude, le vétérinaire laissait courir et se taisait. Pour sa part, le docteur n'imitait pas la discrétion des autres et s'en prenait à Duplessis. Regrettant de plus en plus d'avoir voté bleu, il se demandait quelle était la vertu prédominante du Premier ministre, le cynisme ou l'opportunisme ? Car enfin, cet homme protestait contre le sort fait aux garçons du Val, jetait les hauts cris, se scandalisait et, du même souffle, il prolongeait l'injustice sans broncher. Quel aplomb !

— Vous verrez, il autorisera la construction au moment de déclencher les élections. Pas avant ! Eh bien moi, il ne m'aura plus ! S'il lui faut quatre ans pour traiter les urgences, ce n'est pas le genre de médecin que je veux pour guérir les maux de la province.

On protestait, bien sûr, surtout Prospère, mais sans beaucoup de conviction. Le Grand Homme décevait trop pour bondir aux barricades et le défendre au péril de sa vie. Silencieux, François ruminait son dépit.

— Qu'est-ce que t'en penses ? lui demanda Prospère.

— Je pense que monsieur Duplessis me doit enfin une explication.

— T'as pas peur d'aller i demander ça ?

— Oui, mais c'est pas ce qui va m'empêcher d'aller lui dire de tenir ses promesses, ou de ne pas en faire.

— I va te crisser à la porte.

— C'est bien possible, mais…

— C'est même probable.

— Aussi bien en finir tout de suite, n'est-ce pas ? Si je n'ai rien à offrir à mes électeurs, aussi bien démissionner avant de me faire répudier.

❀

Le docteur Legendre affirma que c'était la seule conduite qu'un honnête homme pouvait tenir. Tout en comprenant la déception du maire, Prospère avait trop été gavé de contrats pour laisser tomber son idole sans se porter à son secours. Il fallait comprendre que Duplessis n'avait pas qu'une école à construire, qu'il ne savait où donner de la tête, que tout était à faire ou à refaire, qu'il avait des priorités à respecter, que le tour du Val viendrait et, qu'en attendant, les garçons n'en mourraient pas, que le savoir, dispensé dans un hangar ou dans un château, était le même. Tout cela était juste, mais l'accent pour le dire n'avait pas la même chaleur qu'en 1936. Peut-être parce que le contracteur craignait justement de se faire dire qu'après avoir été comblé par l'Union nationale, il serait indécent de ne pas défendre le pourvoyeur. Mais le faire de façon trop voyante, n'était-ce pas, au fond, leur donner raison ? Enfin, il ne le disait pas, mais il ne pensait pas moins que François était un peu ingrat. Entre le notaire qui se désâmait il n'y a pas si longtemps pour boucler les fins de mois et le notable qu'il est devenu, il y a quand même un monde, non ? Et si son ami n'a pas la reconnaissance du ventre, comment le lui dire sans le déprimer davantage ? Il faudra pourtant qu'il y vienne, mais pas devant les autres. Il faudra le secouer, c'est indispensable, parce que lorsque le député lui-même est tiède au point de parler de démissionner, il ne faut pas se surprendre que ses fantassins les plus fidèles tirent un peu au flanc. Bon, il n'a pas été nommé ministre et ne le sera peut-être jamais. Et puis après ? Est-ce une raison pour ne plus être franc dans le collier ? Non ! François a besoin d'un bon coup de fouet pour retrouver ses esprits et il le lui donnera en temps et lieu. Entre-temps, cela il le lui dira immédiatement, il a intérêt à mettre ses ressentiments de côté et à aborder Duplessis avec le respect qui s'impose, autrement…

— J'ai ma fierté, Prospère.

— On s'en crisse-tu de ta fierté ! Ce qui compte, François, c'est le collège. Ça fait que va pas faire fouèrer ça. Un mot de travers, pis Maurice est ben capable de bloquer le contrat pour un autre quatre ans.

— Tu as sans doute raison.

— Ben sûr que j'ai raison. Pense à nos p'tits gars, pis oublie ta rancune.

— Vous autres, trouvez-vous que j'ai raison ?

Ils avouèrent que Prospère avait raison et qu'il raisonnait en homme pratique, mais ils n'en conclurent pas moins que si le notaire se présentait les mains vides devant l'électorat, il risquait de se faire renvoyer à son étude.

— Monsieur Paradis est un sage, murmura François. Quand il s'est rendu compte que le rôle d'un député se résumait à celui d'une girouette qui oscille avec le vent, il est rentré dans ses terres. Je devrais faire comme lui.

— Pis ton ministère ?

— Si tu y crois encore, mon cher, tu es bien le seul.

— Tu y crois plus ?

— Comment voudrais-tu que j'y croie encore ?

Le seul moyen qu'il avait de progresser, c'était de se faire remarquer par un coup d'éclat. L'occasion s'était présentée, il l'avait saisie et avait fait un discours qui avait retenti aux quatre coins de la province. Tout le monde en attendait d'autres. Il n'y en a eu aucun, parce que, vexé, le Grand Manitou a décrété que la scène lui appartenait à lui seul. François croyait forcer la main de son chef, il n'avait réussi qu'à l'indisposer. Au lieu de faire avancer ses pions, il se retrouvait mat. Il fallait se rendre à l'évidence, Duplessis ne voulait pas de lui au cabinet. Et comme le rôle de back bencher lui donnait la nausée, que lui restait-il à faire ? Quitter cette galère avant de gaspiller les plus belles années de sa vie dans de vaines attentes.

— C'est ce que vous devriez faire, confirma le docteur.

— Si ce n'était pas des enfants, ce serait déjà fait.

Eh oui, il y avait les enfants. Il y a toujours quelqu'un ou quelque chose pour s'interposer entre le rêve et la réalité. On passe sa vie à tuer le temps, à tuer sa joie de vivre à des tâches qui vous répugnent parce qu'il faut payer les études, l'hypothèque, la voiture, le manteau de fourrure de madame. On s'use en vains regrets, en espérances brumeuses pour se retrouver vieux avec un certificat de médiocrité en poche et des brassées de projets fumeux qui n'ont pas dépassé l'imagination d'un utopiste. La peur de l'incertitude, le besoin maladif de sentir le sol sous le pied, empêchent le peureux de sauter dans la griserie du vide qui souriait aux audacieux, ne serait-ce que le temps de l'envol qui donne le sentiment de se transcender un peu. On se répète : ça ne se fait pas, et on ne bouge pas. Un inconscient qui ignore que ce n'est pas possible s'amène et le fait.

⊛

Ramassant tout son courage, François entra chez le Premier. Avec son flair légendaire, Maurice le voyait venir avant même qu'il n'eut mis les pieds dans l'antichambre.

— Tu viens me voir pour ton collège ?

Un peu surpris, François répliqua assez froidement :

— Exactement !

— Tu pensais que je t'avais oublié, hein ?

— À ma place, monsieur Duplessis, qu'est-ce que vous auriez pensé ?

— À ta place, j'aurais fait confiance à mon Premier.

— Je n'ai pas…

— Mais oui ! Mais oui ! Tu t'es dit : Maurice a oublié.

— Pas avec une mémoire telle que la vôtre !

Tiens ! Voilà le ton. Voilà le langage que l'Ultime aime entendre.

— Je t'ai pas oublié, mon p'tit François. Seulement, le moment propice était pas arrivé. On va avoir des élections. Ton collège, on va le mettre en chantier le printemps prochain. Prospère est prêt ?

— Il n'attend qu'un signe de vous.

— À la minute où je vais annoncer les élections, tu pourras dire à Prospère de commencer. T'es content ?

Se forçant pour sourire, François répondit :

— Je suis comblé, monsieur Duplessis.

~ 233 ~

— Et c'est pas fini.

— Ah non ?

— Non ! Je vais profiter d'un meeting dans ton comté pour annoncer que nous allons maintenant construire un hôpital à Amqui.

— Une pareille annonce vous assurera le comté pour dix ans.

— Même si j'y mets une condition ?

— Je ne comprends pas…

— Je vais construire un hôpital, à condition que les électeurs de Matapédia t'élisent à nouveau.

— Ils ne me rééliront pas.

— Ah non ? Pourquoi donc ?

— Tout simplement parce que c'est vous qu'ils vont réélire. Moi, je ne suis que votre porte-parole.

— Très bien. Très bien. Continue de diffuser la bonne parole. Continue. J'pourrais avoir des surprises pour toi.

N'y croyant déjà plus, François répliqua d'une façon un peu ambiguë.

— Avec vous, monsieur Duplessis, il faut toujours s'attendre à tout.

Fronçant les sourcils, le Susceptible demanda :

— Qu'est-ce que tu veux dire par là ?

— Qu'au moment où on ne s'y attend pas, qu'au moment où on ne peut pas s'y attendre, vous confondez tout le monde en sortant, si je peux m'exprimer ainsi, un lapin de votre chapeau.

Rassuré, souriant, le vieux garçon avoua :

— J'ai plus d'un tour dans mon sac, François.

— À qui le dites-vous ! Vous me confondrez toujours.

— Très bien. Très bien. Faites-moi un beau collège.

— À une condition, monsieur Duplessis.

— Tu poses des conditions, maintenant !

— Oui.

— En bien, qu'est-ce que c'est ?

— Que vous me promettiez de venir inaugurer l'hôpital vous-même.

— Accordé.

Poignées de main. Rires. Courbettes. Une porte qui se referme. La secrétaire qui vérifie si l'enfant a eu son nanan et s'il est content. Une autre porte, l'antichambre. Des regards inquiets, curieux, fureteurs, des sourires timides. Une autre porte, le corridor, l'air libre. Ouf !

⊛

Quel cynisme ! ne peut s'empêcher de penser François. Que dix, vingt ou cinquante pauvres diables crèvent parce qu'il n'y a pas d'hôpital, pas de chirurgien pour leur sauver la vie, qu'importe ! Cela doit s'inscrire dans la logique électoraliste de Monsieur. Quel chantage odieux ! Et moi ! Je souris, je remercie, je m'aplatis. Tiens, je me dégoûte.

— Pis, demande le confrère ?

— J'ai l'autorisation de faire commencer les travaux dès que monsieur Duplessis aura annoncé les élections.

— Qu'est-ce que je te disais, hein ? Maurice a rien qu'une parole.

Téléphone.

— C'est pour toi.

François prend l'appareil. C'est la secrétaire du Premier. Elle appelle pour recommander au député de garder le secret à propos de l'hôpital. Monsieur Duplessis envisage une grande assemblée dans le chef-lieu. C'est là qu'il révélera ses intentions. En attendant, la discrétion s'impose, n'est-ce pas ?

— Chère mademoiselle, vous pouvez rassurer le Premier ministre, c'est bien ainsi que je l'entendais.

Raccrochant, François ne peut empêcher une certaine nervosité de l'envahir. Le Chef a peut-être oublié (après tout, il n'est pas tout à fait infaillible) qu'il a déjà parlé de l'hôpital quand il lui a annoncé la construction du collège en 1945. Et, gonflé par l'enthousiasme, François en a parlé à ses amis. Autant dire que la nouvelle a fait le tour du comté. Depuis le temps, l'annonce a sans doute fait long feu, mais sait-on jamais ? Plus personne ne lui en parle et, si on en parle hors de sa présence, c'est sans doute pour dire que le député aurait dû tenir sa langue et attendre avant de plonger un comté dans l'euphorie. De toute évidence, l'organisateur du comté, un confrère de classe du Grand Homme, ne l'a pas relancé, autrement le député se serait fait rappeler à l'ordre. Pourvu qu'il ne parle pas. Mais s'il parlait… Ce serait la catastrophe. Il faudra que je le voie. Pour m'excuser d'avoir désobéi à la consigne. Pour lui dire que je m'attendais à plus de discrétion de la part de mes amis qui, bien innocemment, ont ébruité une nouvelle qu'ils auraient dû traiter comme une confidence. Pour lui signaler le danger de faire avorter le projet en tisonnant une rumeur non fondée. Pour bien s'assurer que le bruit est définitivement étouffé. Il faudra encore mettre le journal local dans le secret. Le rédacteur est un homme qui a à cœur l'avancement de sa région. Il ne sacrifiera pas les intérêts généraux à la passion de propager l'information. Il lui en coûterait trop cher si l'affaire avortait par sa faute. Il est propriétaire du journal et n'ira pas risquer la perte de ses annonces les plus lucratives par une impétuosité malencontreuse. Il est cependant impératif de s'en assurer. Il est davantage important de retenir la leçon : n'être plus désormais que l'écho du Chef et prendre le plus grand soin de lui laisser propager la bonne nouvelle. Ne souffler dorénavant les trompettes que lorsque le Maestro agitera sa baguette pour donner le tempo.

⊗

Avec une majorité extrêmement fragile, Duplessis avait réussi à se maintenir en selle pendant quatre ans. Une discipline de fer, des whips actifs comme des fourmis, la bonne santé des élus, leur assiduité en Chambre avaient permis cette réussite, mais le Chef trouvait la situation terriblement inconfortable, pour ne pas dire périlleuse. Heureusement, certains députés de l'Opposition avaient souvent fait l'école buissonnière, autrement l'Union nationale aurait dû en appeler au peuple avant la fin de son terme. Pendant quatre ans, l'Union nationale avait travaillé pour conquérir les électeurs hésitants, raffermir la foi des néophytes et faire apostasier le plus de Rouges que possible. Le crédit agricole et l'électrification rurale, le drainage de milliers d'acres devaient convaincre les agriculteurs de répudier définitivement les Rouges. Pour convaincre le clergé que le ciel est bleu et l'enfer rouge, on avait construit des écoles, agrandi ou bâti des collèges, multiplié les écoles d'agriculture. À l'intention de monsieur Tout-le-Monde, les usines à ciment, les plans d'asphalte, n'avaient pas dérougi. Prospère avait remplacé tous les ponceaux de son comté et d'autres entrepreneurs avaient fait de même partout dans la province. Enfin, sans doute à cause du culte que le Premier vouait à saint Joseph, l'économie se portait bien. Autant de facteurs qui l'autorisaient à croire qu'il pouvait faire des gains substantiels dans la clientèle libérale. Il n'y avait donc pas lieu de retarder l'échéance. La conjoncture était trop favorable pour hésiter. Duplessis ajourna la session, paya une visite au lieutenant-gouverneur et déclencha les élections.

✺

Depuis des semaines la Machine était toutefois en marche. Grâce à l'efficacité du Grand Argentier, la caisse électorale était replète et l'argent ne manquait nulle part. Prospère entreprenait la construction d'un collège qui ferait l'envie des municipalités voisines et se dépensait sans aucune retenue pour s'assurer que sa vache à lait ne tarisse pas avant dix ans. Jacques cuisinait les rares cultivateurs encore réticents, mais le docteur avait déjà pris ses distances. Il ne digérait pas l'hôpital dont la construction faisait l'objet d'un chantage qu'il ne pouvait admettre. Allait-il au moins voter bleu ?

— Si je le fais, je m'empresserai de m'en confesser.

— Pis le farme propos ?

— Je l'aurai ! Avec l'immense regret d'avoir offensé le bon sens.

— C'est pas ben ben vargeux…

— C'est le mieux qui je puisse faire et encore, je ne le ferai que par amitié pour notre député qui, heureusement, a retrouvé son sens critique.

— Ça veut dire quoi, ça ?

— Corrigez-moi si me je trompe, notaire, mais je crois que le bel enthousiasme que vous aviez en 36 et en 44 s'est sérieusement amoindri.

— Vous le savez, mon cher, je suis lié par mes obligations. Ce qui ne m'empêche toutefois pas d'avoir une vue de la politique bien différente de celle que je me faisais autrefois.

— C'est ce que je disais.

— Penses-tu que ça serait mieux si les Rouges étaient au pouvoir ?

— Sans doute pas, mais j'étais justement entré en politique pour changer un peu les choses.

— Tant que tu seras pas ministre...

On y revient encore une fois. Pour spéculer sur les chances de François d'accéder un jour au saint des saints. On vérifie la liste des ministres. Ils se représentent tous. Voilà qui augure mal. Gardant quand même un certain sens de l'humour, François cite Jefferson : « Les fonctionnaires meurent peu et ne démissionnent jamais ». Et il ajoute que c'est au moins aussi vrai pour les ministres de Duplessis.

— Y en a pourtant une couple qui vont se décider à crever, souhaite Prospère.

— J'vas prier pour ça, promet le vétérinaire.

— Santé, baptême ! Pis secoue-toé un peu, notaire, astheure que t'es embarqué, faut que tu bouillonnes.

— Je dirais plutôt que je vais mijoter.

— Ben, mijote d'abord ! C'est toujours mieux que prendre au fond.

Malgré ces encouragements, le notaire restait tiède. Il avait tellement rêvé d'un ministère que d'en être privé lui enlevait son enthousiasme. Il fera son devoir le mieux possible, mais le feu sacré avait bien tiédi. Il mènera donc une campagne assez vigoureuse mais les fougueuses envolées oratoires de la campagne précédente ne sont plus là. Prospère a beau brasser les tisons, l'embrasement ne vient pas. Quelques députés menacés sollicitent son aide. Il veut bien, mais à condition que le Chef l'y autorise. Il sait trop ce qu'il en coûte de vouloir prendre la chaise du Premier Violon. Duplessis l'appelle et lui donne l'ordre de se mettre à la disposition de ses confrères :

— Je dois me préoccuper de mon comté.

— Dors tranquille. Ton comté c'est dans la poche.

— Vous croyez ?

— Ben oui, François. Envoye, va donner un coup de main à Camille, pis à Onésime.

— Très bien, monsieur Duplessis.

François se mit alors à espérer. En continuant de servir en soldat fidèle, peut-être serait-il un jour officier. Si Duplessis l'assure qu'il considère sa réélection assurée, c'est quand même un compliment. S'il lui demande de voler au secours de deux ministres menacés, c'est une marque de confiance non négligeable. En conséquence, il ne décevra pas le Chef. En mettant son éloquence au service des ministres, ils lui témoigneront peut-être leur reconnaissance en remerciant Duplessis de l'avoir laissé les aider. Après, qui sait si la chance ne tournera pas ? Requinqué, le petit député se promit de leur en mettre plein la vue tout en pilant sur son talent au cours des rassemblements que le Premier honorerait de sa présence. Alors il serait bref et axerait son discours sur les mérites du Grand Homme et sur les réalisations de l'Union nationale. Il reprendra le même thème en l'absence du Chef, mais alors il y mettra le paquet. Il en viendra bien quelques échos à son oreille. De la graine de semence, comme dirait Prospère. Le plan est simple : un grand parti, un chef irremplaçable, une équipe impressionnante, des réalisations colossales, en insistant bien sûr sur le leader grâce auquel l'Union nationale est un parti exemplaire, grâce auquel un état-major des citoyens les plus distingués a pu être réuni, grâce auquel des œuvres à confondre les plus sceptiques ont été réalisées. En somme, un démiurge qui a transformé les hommes et les choses pour le salut de la province. Et les éloges de pleuvoir sur l'Incomparable en même temps que les hyperboles : un leadership inimitable, un acharnement au travail infatigable, un sens du devoir inébranlable, une prescience de la politique incomparable, une réplique imparable, un sens de la répartie inimitable, un esprit inégalable, une mémoire infaillible, une vision du Québec insondable, une générosité inénarrable, une dignité inattaquable, une fermeté irréprochable, une connaissance des rouages politiques irréfragable, un dévouement inépuisable, une autorité indiscutable, un comportement impeccable, un flair impénétrable, une bonté ineffable, des convictions intangibles, une volonté irréductible, bref, une personnalité introuvable. Puis, le comparant aux grands parlementaires canadiens-français, on lui trouvait la sagesse de Laurier, la fougue de Bourassa, la vitalité de Chapleau, le patriotisme de Mercier, le charisme de Papineau, la fidélité de Lafontaine, l'énergie de Cartier, la noblesse de Joly, la persévérance de Taillon, le sens des affaires de Cauchon, la dignité de Boucher, le désintéressement, le don de soi, la générosité d'un saint. Jugeant la cour assez pleine, François en venait aux œuvres du Nouveau Messie : l'électrification rurale, le crédit agricole, l'assolement des terres incultes, la réconciliation de l'U.C.C. et de la Coopérative fédérée, les écoles d'agriculture régionales, le service d'amélioration des fermes, la loi relative aux salaires des ouvriers, l'amélioration de la loi des accidents du travail, la clinique de réhabilitation des accidentés, l'Office des salaires raisonnables, l'ordonnance pour le paiement du surtemps, celle sur les vacances payées, l'ordonnance sur les petits salariés, le relèvement de 40 pour cent des salaires des travailleurs forestiers, la création du Bureau d'hygiène industrielle, le service d'habitation familiale, l'aide à l'apprentissage, les pensions de vieillesse, les pensions aux aveugles, les allocations familiales, les hôpitaux construits, ceux qui ont été agrandis, les sanatoriums, l'Institut de microbiologie, l'École d'hygiène, les unités sanitaires, la guerre à la tuberculose, le Jardin botanique, l'École des mines, la faculté des Sciences de Laval, l'École du meuble, l'École supérieure des pêcheries, l'École supérieure du commerce, la création du ministère du Bien-Être social et de la Jeunesse, l'École de marine, l'École des textiles, l'École centrale de Montréal, l'École des arts graphiques, la loi d'aide à l'apprentissage, le Commissariat industriel de la province de Québec.

François termine par un tableau saisissant des travaux de voirie effectués dans la province au cours des quatre dernières années, après quoi il entreprend le panégyrique de l'équipe ministérielle, un état-major de haute qualité que l'honorable Premier ministre a eu la sagesse de regrouper autour de lui, une phalange de patriotes voués à l'avancement du peuple canadien-français, un cénacle de compétences placées par un manœuvrier sagace sur le grand échiquier d'un Québec qui vogue voiles dehors sous la gouverne d'un amiral de génie vers un accomplissement que lui envie le reste du monde.

Décidément, ce petit maudit notaire impressionne le Chef. Il faudra penser lui faire une place dans le salon pour le sortir enfin de la cuisine. Mais François en est à la péroraison. Et il pérore comme un grand : si, après de pareilles réalisations, accomplies en si peu de temps ; si, après avoir vu à l'œuvre une équipe aussi compétente, aussi dynamique ; si, après avoir pesé l'action d'un chef aussi transcendant et l'avoir comparée à celle des régimes d'antan, le peuple ne se rallie pas avec un enthousiasme sans exemple pour lui permettre de donner à la province l'essor extraordinaire auquel les qualités exceptionnelles de son chef la destine, c'est qu'il ne connaît plus ses compatriotes. Mais il les sait intelligents, réalistes et dépouillés d'un esprit de parti néfaste à leur propre épanouissement. *Mesdames et messieurs, et je termine là-dessus, si on prétend, fort justement d'ailleurs, qu'un arbre doit être jugé à ses fruits, admettez que l'honorable Premier ministre est un chêne. Droit comme l'épée du roi, fort à défier les pires tempêtes. Abritons-nous sous son ombre tutélaire et confions-nous à sa gouverne éclairée.* Baptiste en a perdu quelques bouts, mais il a saisi le message et, reconnaissant la prestation d'un artiste, il le lui fait savoir en un transport indescriptible.

Après ces triomphes, vinrent les assemblées dans le comté. Plus sobres de ton, moins fleuries, parce que le bilan était beaucoup plus modeste qu'ailleurs dans la province. François avait le bon sens de croire que les exagérations détourneraient ses électeurs bien plus qu'ils ne les rassembleraient. Il était indéniable que le parti avait abattu de la bonne besogne, mais l'effort n'avait pu être accompli tous azimuts ; il avait fallu faire des choix et le grand joueur d'échecs avait bougé ses pions là où la stratégie le commandait. En révélant le travail fait à l'échelle provinciale, François espérait impressionner suffisamment ses électeurs pour les convaincre d'approuver l'œuvre accomplie et, surtout, les empêcher de répudier un parti porteur d'aussi belles promesses. Après tout, quand on aurait satisfait aux exigences les plus criantes, quand on aurait colmaté les brèches les plus béantes, quand on aurait comblé le reste de la province, peut-être le tour de Matapédia viendrait-il. Il y avait aussi la promesse d'un hôpital pour le chef-lieu qui jouerait. Les électeurs accepteraient-ils le chantage que le Premier ministre avait fait ? Là était toute la question… Il avait posé la condition sur le ton de la plaisanterie. Cela apaiserait sans doute certaines susceptibilités. Assez pour assurer la réélection de François ? Cela restait à voir.

Le notaire s'inquiétait pour rien. Le soir de l'élection, la province avait prouvé de façon spectaculaire son appréciation pour le travail accompli, avait témoigné de sa reconnaissance et manifesté sa confiance en pulvérisant l'Opposition. Quatre-vingt-quatre comtés votaient pour Maurice. Huit comtés seulement restaient libéraux. Tous les Canadiens-français ou presque avaient endossé le bilan de l'Union nationale et prouvé à Maurice Duplessis qu'ils approuvaient ses politiques.

⊛

Prospère était euphorique : quatre autres années à s'en mettre plein les poches. Pour une rare fois Jacques Hamel était loquace. René Marchand ne regrettait plus le parjure de 1944. Désirée promettait de faire chanter une messe d'action de grâce. Le vieux notaire se confondait en excuses pour avoir incité Clémence à perdre son élection. Monsieur le curé Beaubien, qui passait pour un Rouge indélébile, souriait pour lui seul. Et le docteur avouait qu'il avait fermé les yeux par amitié pour le notaire, mais il ne pardonnait toujours pas à Duplessis d'avoir posé une condition infamante à la construction de l'hôpital. Les Matapédiens avaient cédé au chantage. On verrait bien si Duplessis était un homme de parole.

— Soyez beau joueur, docteur…

— C'est plus fort que moi, Jacques, je n'arrive pas à aimer cet homme.

— Continue de l'haïr, baptême, pis continue à voter pour lui.

— Pour lui, jamais ! Pour François, Prospère, et pour François seul. Mets-toi bien ça dans la tête.

— Merci, docteur, vous êtes un véritable ami. Je sais ce qu'il vous en coûte pour voter bleu.

— Je me le demande…

— Voyons donc, doc, tu vas toujours pas gâcher le party avec ta maudite rougeole.

— Non. Non. Maintenant que le vin est tiré je vais le boire. Le boire à m'en soûler.

— C'est comme ça qu'i faut prendre ça, doc. Ça sert à rien de t'en faire. À part de ça, sois honnête, baptême ! Tu peux pas dire que Maurice a pas faite une bonne job.

— C'est pas l'ouvrage que je critique, c'est la façon de le faire.

— Est faite, non ? C'est pas ça qui compte ?

— D'accord ! D'accord ! Je ne vais quand même pas gâter la joie du notaire.

— Merci, mon cher.

— Oua. Pis astheure, notére, te faut un ministère.

— Je bois à ça.

— Moi aussi.

— Santé, baptême !

※

Au salon, ces dames commencent à s'impatienter, mais il semble bien qu'alors comme aujourd'hui, une fois la conquête faite, les hommes préféraient laisser les femmes à leurs intérêts particuliers et parler de politique, de sport, de leurs affaires, plutôt que de magasinage, de mode, des enfants et de bobos intimes. Monsieur le député, un homme particulièrement bien élevé, rappela néanmoins à ses compagnons que faire attendre ces dames plus longtemps serait de la dernière inconvenance, et même Prospère, grognant plus fort que les autres, prit le chemin du salon avec, pour la compagnie, un compliment qu'il voulait drôle et bien senti mais qui ne leva guère plus haut que la ceinture. Ce n'était pas faute de ne pas avoir essayé de le propulser plus haut… Santé quand même !

Chapitre 11

« On n'a qu'une faible idée de l'amour tant
qu'on n'a pas atteint le point où il est pur, c'est-à-dire non
mélangé de demande, de plainte ou d'imagination. »

Christian Bobin

Fort d'une majorité qui laissait l'Opposition à peu près exsangue, Duplessis relança la machine sur la voie où il l'avait engagée en 1944. On aurait pu espérer qu'il laisse un peu tomber sa garde, un peu muser ses troupes, mais c'eût été bien mal le connaître. Il reprit plutôt la tâche avec un sentiment d'urgence laissant croire qu'il sentait venir la mort et se dépêchait de finir son œuvre avant de partir. Pour suivre le rythme, ses lieutenants devaient déployer une vigilance de tous les instants et tant pis si une pareille frénésie créait le chaos dans leur vie familiale et sociale : dans l'optique du Maître, la politique est un sacerdoce qui exige de ses prêtres une abnégation totale. On ne disait pas en vain qu'il était marié à la Province, pour le meilleur et pour le pire jusqu'à ce que la mort les sépare… Certains initiés murmuraient que s'il n'avait pas pris femme, c'était parce qu'il était affligé d'une déformation de la verge, en fait, un épispadias, et que sa fierté lui interdisait de dévoiler une virilité imparfaite devant quiconque. Il y avait bien assez de son nez qui faisait les délices des caricaturistes, sans livrer à la discrétion douteuse d'une dame un pénis qui ferait l'objet de calembours scabreux propagés dans les rires grossiers de l'Opposition. Il subissait stoïquement ce coup du destin, à tout prendre bénéfique, en ce qu'il aidait le Grand Homme à se livrer sans distraction à sa brûlante passion pour la politique. Il avait autrefois aimé une femme qu'il aurait volontiers amenée à l'autel, mais, par esprit de caste, sa famille l'en avait découragé. La blessure avait fait fuir à jamais les occasions de souffrir à nouveau. Il avait encore eu, cela était de notoriété publique, quelques amitiés auxquelles il resterait fidèle toute sa vie et qui n'avaient peut-être pas toutes été que platoniques. Par ailleurs, s'il avait succombé encore aux traits de l'amour et aimé jusqu'au besoin de s'unir pour la vie, une opération bénigne aurait pu corriger l'anomalie dont il souffrait. Il faut donc chercher ailleurs que dans une infirmité anodine la passion exclusive qu'il avait pour la politique. Il en avait fait son unique raison de vivre et il ne reviendrait pas sur ce credo. Il y consacrerait ses énergies avec une passion excluant toutes distractions. Il s'y complairait avec une volupté quasi charnelle.

Tel Napoléon, il se savait né pour travailler et pour commander. Tout jeune député, n'avait-il pas prédit qu'il serait un jour Premier ministre ? On ne commande pas à un pareil destin, on lui obéit. Aussi, dès le lendemain du triomphe de 1948, il se remit à l'ouvrage. Se reposant d'une tâche par une autre, il besognait douze ou treize heures par jour. Ses fins de semaine, il les consacrait à l'inauguration de ses ouvrages. Quand il n'y avait pas une école ou un pont à bénir, il quittait le vendredi pour Montréal où il logeait au Ritz Carlton et profitait de l'occasion pour rencontrer un magnat de la finance ou pour aller voir un match du Canadien qu'il appréciait autant que les Yankees. Il trouvait sans doute normal de n'applaudir que les deux dynasties les plus titrées de l'histoire du sport. Le dimanche, il se rendait visiter sa sœur qui résidait dans sa maison des Trois-Rivières. Et le lundi matin il revenait dans la Capitale. Voilà le rituel qu'il observera toute sa vie sauf pour assister avec Jean Barrette aux séries mondiales de baseball, se rendre une fois en Écosse et quelques fois dans les Caraïbes.

Au début de l'été 1950, son argentier et quelques ministres désireux de le distraire un peu, de le forcer à se reposer, réussirent à l'arracher à son bureau et l'emmenèrent dans les Laurentides. Au bout de deux jours, il fit revenir l'hydravion et rentra à Québec. Là était le seul environnement où il était heureux, le seul univers où il pouvait se mouvoir à l'aise. Et puis, il avait horreur de se faire manipuler et le fait d'avoir vu ses plans bousculés avait sans doute atténué les charmes d'une partie de pêche. S'il en avait décidé lui-même, le séjour se serait peut-être prolongé. Mais au lieu de s'atrophier, son besoin d'imposer sa loi devenait plus impératif à mesure qu'il s'installait dans le pouvoir. En fait, il ne croyait que timidement à la démocratie. Il était plutôt convaincu que le despotisme éclairé est la meilleure forme de gouvernement qui soit et il acceptait comme un pis-aller les règles d'un jeu qu'il ne pouvait remodeler à sa façon. Il tolérait, à condition d'être obéi au doigt et à l'œil, une quinzaine de ministres chargés d'écouter ses monologues, de se plier à ses désirs et de transmettre ses ordres. Mais comme il se serait volontiers passé d'eux! Se sachant supérieur au meilleur de ses thuriféraires, il n'avait que faire de leurs avis et, s'il les sollicitait à l'occasion, c'était pour faire approuver sa façon de voir et confirmer ses opinions. En diverger, c'était faire montre d'étroitesse d'esprit, voire de stupidité. Sa supériorité était pourtant assez évidente pour faire l'économie de leurs suggestions boiteuses. Convaincu de posséder le charisme pour rallier ses troupes et l'autorité pour les tenir en main, il se servait des deux avec la conviction d'œuvrer au bien de la province.

Il remit donc la machine en avant toute !, et ceux qui espéraient, maintenant que tout danger de renversement était écarté, faire un peu l'école buissonnière, voir à leurs affaires personnelles, furent vite rappelés à l'ordre. Le Chef les avait toujours à l'œil et sa poigne était toujours aussi ferme. Les élus n'eurent pas d'autre choix que de réintégrer leurs tristes bureaux et d'assister aux travaux de la Chambre avec une assiduité aussi militante qu'aux temps de leur fragile majorité. Le peuple avait parlé haut et fort, il avait reconduit l'équipe de l'Union nationale dans la mission de faire progresser la province et il n'était strictement pas question de le décevoir en considérant le pouvoir comme une sinécure tranquille et un bien ina-liénable. Il était plutôt une dignité qui se mérite chaque jour où on en est investi. Alors, messieurs les tire-au-flanc, veuillez rentrer dans le rang. La campagne électorale de 1952 commence à l'instant, et nous y serons jugés selon nos mérites. Donc pas de relâchement dans les rangs. Gardez la cadence. Gauche ! Droite ! Gauche ! À mon commandement : demi-tour à droite ! Droite ! Gardez l'alignement. La tête haute, messieurs. Le torse bombé. Gauche ! Gauche ! Droite ! Gauche !

⊛

François suivit le mouvement et, s'efforçant de garder le moral, il attendit un geste de Duplessis. Après des mois de vaines espérances, il se résigna enfin à son sort et ac-cepta de n'être qu'un fantassin tant et aussi longtemps que le général n'en déciderait pas autrement. Il resta assidu aux débats de la Chambre, mais à son bureau, il commença d'apporter ses livres et ses journaux. Il avait délaissé trop longtemps la politique internationale et ses classiques, il était temps de s'y remettre. S'il n'était utile au parti que pour faire réélire des médiocrités, il voulait bien, mais il n'allait pas pour autant sacrifier les seules choses qui lui tenaient à cœur. Et tant pis pour Yvonne si elle ne devenait pas madame ministre. D'ailleurs, elle n'en parlait plus que pour flétrir l'ingrati-tude d'un parti qui ne savait pas mettre en valeur ses meilleurs éléments et ré-compenser ses serviteurs les plus fidèles.

✿

Le cœur serré d'appréhension, le vieux notaire se dé-pêchait d'aller sonner à la porte de sa chère Clémence. Il l'avait appelée à quatre reprises depuis le matin et il n'avait toujours pas eu de réponse. De deux choses l'une : elle s'était absentée pour la journée, mais alors elle l'au-rait prévenu, ou elle était malade au point de ne pouvoir aller au téléphone. À moins que… Il n'osait s'arrêter à cette idée funeste, mais elle revenait sans cesse hanter son esprit. Il fallait en avoir le cœur net. Il monta l'esca-lier, appuya sur la sonnerie, cogna à la porte, appela, puis frappa rageusement, cria. Toujours rien. Affolé, il partit chercher du secours et rencontra les vieux chroniqueurs. Tout naturellement, il confia ses craintes à Tancrède. Quelques minutes plus tard, John Talbot finissait de démonter la serrure et les cinq hommes se précipitaient dans la maison. Aucun signe de vie. La voix tremblante, le vieux notaire appela : « Clémence ! Clémence mon amie, êtes-vous là ? » Toujours pas de réponse. Alors Tancrède s'avança vers la chambre et ouvrit. Une main sur la poitrine, les yeux rivés sur la porte, la bouche entrouverte, Clémence avait l'air d'attendre son cher notaire. Il était venu, mais trop tard. Elle avait dû partir sans lui. Les larmes coulant sur son col empesé, il s'agenouilla près du lit et, posant la paume de la main sur le front refroidi, il rabattit doucement les paupières sur les grands yeux éteints. Discrètement Tancrède amena ses amis dans le salon attenant, leur recommanda de veiller sur le notaire jusqu'à l'arrivée de monsieur Beaubien, qu'il appela. Puis, il quitta la maison : « J'vas prévenir Désirée… Pourvu qu'à pète pas un infractus à son tour… » John ne put s'empêcher de penser : *C'est ça que le bon Dieu arait dû faire : nous débarrasser de Désirée, pis laisser Clémence au notaire.*

⊛

Déjà monsieur le curé accourait. Il ne put que constater le décès. Par acquis de conscience, il donna l'extrême-onction et l'absolution à la morte, puis il récita quelques prières reprises en chœur par les vieux amis du notaire qui, la gorge serrée par la douleur, restait muet. Sentant que le curé voulait maintenant être seul avec son compagnon, John amena Fred et Émile. Désespéré, le vieux notaire s'abandonna alors à l'immense chagrin qui le submergeait. Il gémit sur la perte irremplaçable qu'il faisait, il pleura sur le sort cruel qui le frappait, il vanta les vertus de sa chère disparue. Le curé approuvait de la tête et laissait s'écouler la peine de son vieil ami.

— Ce n'est pas juste ! s'écria le notaire. Ce n'est pas juste ! C'est moi qui aurait dû partir. J'ai quatre-vingts ans ! Je ne sers plus à rien. Pourquoi ? Pourquoi n'est-ce pas moi ?

— Parce que Dieu en a décidé tout autrement, mon cher ami.

— Dieu n'est pas juste !

— Vous blasphémez, notaire !

— Eh bien, oui ! Je blasphème ! Dieu n'est pas juste !

— Allons ! Allons ! Reprenez-vous, là.

— Je voudrais vous voir à ma place.

— À votre place, je remercierais Dieu.

— Et quoi encore ? Faire chanter une messe d'action de grâces, peut-être ?

— Exactement !

— C'est à votre tour de perdre la tête.

— Je n'ai jamais été plus lucide, notaire.

Puis, calmant son ami en larmes, il lui rappela que pendant quarante ans, il avait vécu une longue et belle histoire d'amour avec sa femme. Pas un seul nuage, pas un seul différend, pas une seule trahison, pas un seul essoufflement. Une longue traversée sans un orage. Une vieille connivence toujours complice. Des goûts analogues, des aspirations communes, quasiment une pensée unique, tellement ils étaient faits l'un pour l'autre. Combien de gens, tout aussi bien disposés qu'eux au départ, ont fait de leur vie de couple un purgatoire interminable ?

Qui n'ont eu à pleurer à la mort de l'un que le regret d'avoir raté le seul rendez-vous important de toute une vie ? Combien de malheureux sacrifieraient leur main droite pour goûter au bonheur que le notaire a connu avec son épouse ? Des gens aussi valeureux que lui et qui n'ont pas eu la chance de décrocher le gros lot. Et cela n'est pas suffisant ? Alors qu'il attendait calmement la mort, qu'il voyait couler la monotonie des jours vides d'affection, qu'il ne croyait plus possible le bonheur du partage, voilà que Clémence entre dans sa vie. Une deuxième existence lui est donnée, gratuitement ; miraculeusement, et il ose dire que Dieu n'est pas juste.

— Je vous attends en confession, notaire. Le pire péché, c'est l'ingratitude envers Dieu.

— Demain matin, mon cher ami. Et, pardonnez-moi, je suis un parfait égoïste.

— Je ne vous le fais pas dire.

— C'est fini. J'ai compris. Je vais remercier Dieu d'avoir été aussi bon pour moi.

— À la bonne heure !

— J'ai quand même beaucoup de peine.

— Bien sûr ! Pleurez-la, votre Clémence, notaire, pleurez-la bien, elle le mérite, mais remerciez Dieu à genoux de vous avoir fait un pareil cadeau, vieil insatiable.

— Merci, mon cher !

— Je suis là pour ça, voyons.

❀

Les yeux secs, la voix sèche, Désirée arrivait. Elle dévisagea Fred, John et Émile d'une telle façon qu'ils comprirent qu'ils n'avaient plus rien à faire là. Elle salua le notaire d'un hochement à peine perceptible et, se plantant devant le curé, elle dit :

— Espérons qu'était en état de grâces.

— Désirée, vous avez mieux à faire que de douter du salut de votre sœur.

— On sait ben. C'est moé qui est pris pour tout fére, astheure.

— Faites votre devoir. Personne ne vous en demande plus.

— J'sais ben, monsieur le curé, mais va falloir que j'la lave, que je l'habille, que j'la veille.

— N'oubliez pas de prier un peu pour elle, aussi.

— Craignez rien, m'as m'occuper de ça itou.

— Elle aurait fait la même chose pour vous.

— Manquablement, oui. Mais c'est pas toute, ça, faut que je commence par quèque part. Les téléphones, mon Dieu ! J'en ai une quinzaine à rejoindre. Pis is sont éparpillés aux quatre coins de la province. Toutes des longues distances par-dessus le marché.

— Nous ferons une quête pour vous venir en aide.

— Voyons donc, monsieur le curé, vous savez bien que la question est pas là.

— Où elle est, d'abord ?

— Mais j'ai pas toutes les adresses, moé là.

— Clémence a un petit cahier, madame Labbé, osa informer le vieux notaire.

— Ah oui ? Vous savez où a le mettait ?

— Dans le petit meuble, près du téléphone.

— Bon, c'est toujours ça de pris.

— C'est effrayant comme t'as hâte d'aller la voir, s'indigna Tancrède.

— Toé, hen ! Fourre-toé le nez dans tes affaires. À part de ça, au lieu de dire des gniaiseries, tu pourrais tet ben aller dire un chapelet pour le salut de son âme. Ça sera pas de trop !

Sans dire un mot, mais la mitraillant du regard, Tancrède claqua la porte et partit retrouver ses compagnons.

— Désirée ! cria le curé. Une autre remarque comme celle-là et je vous chasse d'ici.

— Prenez pas les nerfs, là, j'dis plus rien.

— J'aime mieux ça.

— Le croque-mort, faut le prévenir.

— Je m'en charge.

— Laissez fére, monsieur le curé. De toute façon, va falloir que j'monte à Amqui choisir la tombe. Tu parles d'une corvée, toé.

— Faites-vous aider.

— Par qui ? J'voudrais ben le savoir.

— Mais par Rose ! Elle ne vous refusera pas ça.

— C'est donc bête, j'y pensais pas. J'ai pus ma tête à moé, moé là. Je l'appelle.

— Bon, notaire, si on y allait ?

Oui, mais avant, je voudrais… Madame Labbé ?

— Oui, quoi ?

— Clémence a fait un testament. Vous comprenez, un vieux notaire pense à ces choses, n'est-ce pas ? Alors, après son premier infarctus, je lui ai recommandé…

— Ousse qu'y est ?

— Ici, je ne sais pas, mais le notaire Bérubé en a certainement une copie.

— En fouillant, j'le trouverai ben.

— Je n'en doute pas, termine le curé en entraînant le notaire abasourdi par une pareille désinvolture devant la mort. La mort d'une sœur par-dessus le marché.

— La méchanceté de cette femme n'a d'égale que sa bêtise, s'offusque le prêtre.

Le notaire va répondre, quand Désirée entrouvre la porte :

— Vendredi matin, monsieur le curé, pour le sarvice ?

— Très bien, Désirée.

— À quelle heure ?

— À dix heures ?

— Parfa, monsieur le curé, pis marci, là.

— Il n'y a pas de quoi.

— Dire que je ne pourrai même pas me laisser aller à ma douleur, gémit le notaire.

— Et pourquoi donc ?

— Mais parce que ce cerbère va la veiller jour et nuit jusqu'au service. Je ne pourrai jamais être un instant seul avec elle.

— Vous pouvez y compter.

— Je ne lui ferai certainement pas le plaisir de m'effondrer devant elle.

— Elle prendrait un chagrin trop évident pour du remords.

— Exactement ! Convaincue comme elle l'est que nous vivions dans la débauche, elle prendrait ma peine pour un aveu.

— Eh oui !

— Elle voit le péché partout. Elle serait convaincue que nous avons passé la nuit à forniquer et que je pleure parce que je la sais en enfer.

— Vous lui ferez la surprise au ciel.

— Croyez-vous vraiment qu'elle ira au ciel ?

— La miséricorde de Dieu est infinie…

— Heureusement !

— Venez prendre un cognac, notaire. Vous en avez bien besoin.

— Si vous voulez, je préférerais passer d'abord par l'église.

— Pourquoi ?

— Auriez-vous déjà oublié que je viens de commettre le pire péché qui soit ? Comme Pierre, j'ai renié mon maître.

— D'accord, mais n'exagérez pas votre faute. Ce serait de l'orgueil.

— Faudrait savoir ce que vous voulez, curé. J'ai péché, oui ou non ?

— Vous avez péché, cela me semble certain mais, aussi gravement que vous le dites, j'en doute. J'ai voulu vous secouer un peu, mais pas au point de vous jeter en enfer.

— De toute façon, je me sentirai mieux après m'être accusé de ce moment de révolte.

Rose s'était empressée de venir aider Désirée. Tout le temps que dura la toilette mortuaire, Rose plaignit la pauvre madame Clémence. Tout à son affaire, Désirée restait de glace.

— J'me demande comment vous faites.

— Quoi ?

— Ben, c'est votre sœur après toute.

— Oui, pis ?

— Pis, ça vous fait pas de peine ?

— On va toutes passer par là, Rose. Le bon Dieu l'a dit : je viendrai comme un voleur.

— Était pas si vieille que ça.

— La question est pas là. L'âge a rien à y fére. Clémence avait le cœur fragile. A le savait. A l'aurait ben dû se ménager.

— Voyons donc ! Madame Clémence travaillait pas dur. Juste sa maison à entretenir.

— C'est pas à ça que j'pensais.

— À quoi d'abord ?

— Maudit que t'es naïve, toé ! Le vice, Rose, le vice ! C'est ça qui l'a tuée, tu sais ben.

— Vous pensez ?

— Je mettrais ma main au feu ! Clémence était pus d'un âge pour s'épivarder tous les soirs avec son vieux cochon. Ça l'a tuée.

— On sait ben.

— J'espère qu'a l'a eu le temps de fére une bonne acte de contrition avant de péter.

— Ça doit être le cas. Le bon Dieu est pas un sauvage, après toute.

— Une chance. En fait, c'est sa seule chance, à Clémence ! Autrement…

— Vous pensez pas, vous là…

— J'pense rien, Rose ; seulement, deux et deux, ça fait toujours quatre, aussi ben à l'article de la mort que le jour de tes noces.

— On sait ben…

— Tu voés, Rose, quand j'te dis de te watcher le cul, j'parle pas à travers mon chapeau. Faut toujours être prêt pour le grand voyage.

— Vous me faites quasiment peur, vous là.

— Pas assez pour t'empêcher de t'écraser en dessour de Conrad, par exemple, hen ?

— Madame Désirée, si vous plaît…

— Bon ! Bon ! J'dis pus rien, mais prends-en de la graine pareil.

Le travail était terminé. Clémence portait la toilette qu'elle avait pour les funérailles de son mari. Rose l'avait coiffée. Désirée lui avait entortillé un chapelet entre les mains repliées sur la poitrine.

— Est ben belle, déclara Rose, est ben ressemblante.

— Est ben ressemblante ! Tu parles d'une nouvelle, toé ! Mais c'est elle qui est là, Rose, voudrais-tu qu'a ressemble à Arcade Jomphe ?

— Arrêtez ça, madame Désirée, vous allez me faire rire, là.

— Oua, oua. C'est pas toute, ça. Faut que j'monte à Amqui astheure. J'vas appeler un taxi.

Jetant un dernier coup d'œil sur sa sœur, elle sortit de la chambre et se dirigea vers l'appareil. Elle allait décrocher quand elle se rappela le testament.

— Le testament ! J'ai manqué l'oublier, moé là. Tout d'un coup… Ben oui, a dû dire ses instructions pour le sarvice, la tombe. Faut que j'le trouve avant d'aller chez le croque-mort.

Elle se mit alors à chercher le document. D'abord mentalement. Pas dans le salon ; ça se fait pas. Pas davantage dans la cuisine, on mêle pas les papiers importants avec la vaisselle. Pas plus dans la chambre d'amis, c'est pas la place où mettre les étrangers ou les parents dans vos secrets. Il reste la chambre des maîtres. Dans sa table de nuit, sa commode ou son bureau. Si c'est pas là, a l'a laissé chez le notaire Bérubé. On va toujours ben voir. Elle rentra dans la chambre, regarda dans la table de nuit. Il n'y avait que des médicaments, un livre coupé en deux par un signet. C'était *Le Lys rouge* d'Anatole France. Elle le finirait peut-être dans l'au-delà. Il y avait encore un chapelet. Désirée le contempla un instant, fit la moue et le remit dans le tiroir qu'elle referma. Elle analysait les choses comme un détective examinant des pièces à conviction. Est-ce que Clémence le récitait, son chapelet ? Tous les soirs ? Même les soirs où… ? Hum ! En faudrait plus que ça pour pas aller chez le diable… Il n'y avait que de la lingerie dans le grand bureau. Restait la commode. Tout en haut, il y avait un grand tiroir occupant le centre du meuble. De chaque côté, un petit tiroir. Dans celui de droite il y avait un paquet de lettres attachées par un ruban vert. Faudra que je tchèque ça, se dit la belette. Il y avait encore un album de photos. Enfin, dans le tiroir de gauche il y avait une pile de papiers : contrats, polices d'assurances, factures acquittées, factures à payer, et le testament. « Je l'ai », s'écria Désirée, et elle sortit de la chambre pour entrer dans la cuisine mieux éclairée. Tirant un chaise, elle s'assit, étala le document sur la table et se mit à le lire. Clémence se déclarait saine d'esprit, « Que tu dis », s'exclama la sœur aimante ; désirait être inhumée à Trois-Pistoles.

— Ça parle au maudit, astheure !

— Qu'est-ce qu'y a ? demanda Rose, inquiète.

— A veut se fére enterrer à Trois-Pistoles.

— Ben, c'est normal, me semble. Son mari est là.

— C'est tet ben normal pour elle, mais arait pas pu penser à moé ? Va falloir que je monte là, moé astheure.

— Le sarvice, lui ?

— Icitte, tu sais ben… son cher notaire… A veut des funérailles chrétiennes. Ça s'rait ben le boutte si a en voulait des païennes… A veut dix grand-messes pour le repos de son âme. Ça sera pas de trop…

— Madame Désirée, c'est pas fin, ça…

— Dérange-moé pas, là, ça s'en vient intéressant.

Clémence instituait sa sœur Désirée exécutrice testamentaire. Elle savait son sens des affaires et lui faisait confiance pour exécuter fidèlement ses dernières volontés. À cette fin, elle autorisait le notaire Bérubé à lui remettre deux mille dollars pour couvrir les frais. Le résidu, elle le léguait en parts égales à ses enfants. J'pensais pas qu'a en avait autant de collé, pensa Désirée. Clémence expliquait ensuite que ses enfants étant installés très loin de Val-de-Grâces et, n'ayant pas besoin d'une maison additionnelle, elle la donnait à Désirée pour en disposer à sa guise. Enfin émue par cette délicatesse, Désirée laissa tomber quelques larmes et expliqua :

— A me laisse sa maison, Rose.

— Vous voyez ben que c'était du bon monde.

— J'ai jamais dit le contraire. Je l'aimais moé itou. Si ç'avait pas été de son maudit notaire, on arait pu avoir un beau règne ensemble icitte. C'est lui, l'innocent heureux, qui a toute gâché. Si seulement j'serais çartaine qu'a l'a eu le temps de demander pardon au bon Dieu…

— Vous savez ben que oui, voyons !

— Je le souhaite, Rose ! Je le souhaite… Bon, faut que j'aille à Amqui. J'braillerai un autre tantôt. En attendant, faut ce qu'y faut.

C'est-à-dire qu'elle n'avait pas le temps de penser à Clémence. Elle était morte. Pleurer sur son sort ne la ramènera pas à la vie. Prier pour elle pourra peut-être écourter son purgatoire. À condition qu'elle y soit… De toute façon une journée ou deux d'expiation additionnelle ne sera pas de trop pour la rendre présentable devant le trône de l'Éternel, là où le bon grain sera séparé de l'ivraie. Pour le moment, ce qui compte c'est de lui acheter un cercueil digne de son rang encore que dans ses moyens. C'est connu, les entrepreneurs de pompes funèbres n'hésitent pas à profiter de la douleur des gens pour leur vendre deux fois trop cher une boîte destinée à pourrir six pieds sous terre. Ils savent qu'en pareilles circonstances, les gens prendraient pour une mesquinerie inavouable et un manque de respect impardonnable de marchander le cercueil du cher disparu. Il y a aussi un orgueil d'autant plus mal contrôlé qu'on le travestit en piété filiale, voulant qu'on ne regarde pas à la dépense. Comme pour prouver aux gens, en leur en mettant plein la vue, combien on aimait le défunt, combien il nous était cher. Avec Désirée, le croque-mort va tout de suite se rendre compte que les sentiments, si louables soient-ils, n'ont aucun cours dans la négociation. Une piasse, même celle de sa petite sœur, est une piasse et il n'est pas question d'en garrocher aucune par la fenêtre. Alors, si monsieur ne veut pas couper radicalement ses prix, madame va mettre un ouvrier à la tâche et se passer de ses services.

※

— Vous feriez pas ça !
— On gage ?
Le regard portait un tel défi que le marchand proposa un rabais de vingt pour cent. Sans répondre, Désirée remit ses gants et se dirigea vers la sortie. Voyant filer son

profit, le vendeur rattrapa la dure-en-affaires et proposa trente pour cent. Désirée saisit la poignée de la porte.

— C'est le mieux que j'peux faire, madame.

— Vous pouvez fére pas mal mieux que ça.

— Soyez raisonnable, voyons !

— C'est à vous à être raisonnable, pas à moé.

— J'peux quand même pas vous la donner.

— J'vous demande pas la charité. Tout ce que j'veux, c'est pas me fére voler.

— Madame !

— J'vous offre trois cents piasses… pas une cenne de plus.

— Vous êtes pas sérieuse ?

— Comme Sa Sainteté Pie XII.

— Mais vous voyez ben que ç'a pas de bon sens.

— Écoutez, vous là. Prenez-moé pas pour une imbé-cile. J'ai été assez longtemps dans les affaires pour savoir que vous avez un mark up de cent pour cent dans les tombes. Y a quoi là-dedans ? Deux cents pieds de bois au gros chiffre. Les fanfeurluches, pis l'ouvrage, trente, trente-cinq piasses. Ça fait que votre bois avec trois couches de varnis, vous le vendez mille piasses du mille pieds. À trois cents piasses, i vous reste au moins cent piasses de profit. Ça fait que venez pas me dire dans la face que c'est moé qui exagère.

— Vous êtes dure, madame.

— J'sus pas dure, j'sus pas aveugle. Bon ! Vous me la vendez votre tombe, ou vous la gardez ? Décidez ça vite parce que j'ai pas rien que ça à fére.

— Bon ! Bon ! Corrèque d'abord. Vous voulez que je vous livre ça quand ?

— Mais tout suite, c't'affére ! Est pas morte demain, est morte à matin. On l'enterre vendredi à 10 heures, pis on la veille à partir d'à soir à 8 heures.

— Bon. Le paiement maintenant…

— Pas maintenant ! Quand ma p'tite sœur sera dedans.

— Bon ! Bon !

— Mon vieux pére me disait : « Y a deux mauvaises payes, ma fille : pas payer pantoute, ou bedonc payer trop vite ». J'ai pas oublié ça.

— Je n'aime pas beaucoup les chèques.

— Moé non plus ! Cash on déliveri, comme le disent les Anglais.

— Très bien, madame. Ça va être faite avant souper.

— Corrèque. Bon, j'm'ennuie pas, mais j'ai un taxi qui m'attend. Bonjour.

✤

Sur le chemin du retour, Désirée pensa que sa petite sœur serait fiêre d'elle. Grâce à sa gestion serrée, elle économiserait cinquante pour cent de la somme allouée. Autant de plus pour les enfants… Et puis, la vieille habitude de toujours faire baisser les prix apportait une certaine coquetterie dans le marchandage de Désirée. Elle ne serait pas peu fière, à la lecture du testament, de prouver à la famille que, malgré sa réputation de grippe-sou, elle est une femme honnête. Elle aurait pu garder la différence et personne n'aurait osé lui demander des comptes, mais elle leur remettrait les factures acquittées avec le solde du deux mille dollars. Rien qu'à l'idée de leur surprise, elle souriait d'aise. Mais trêve de rêveries, il y avait encore de l'ouvrage. Après avoir payé le taxi et demandé un reçu (les affaires sont les affaires), elle rentra. Rose était assise près du lit, son chapelet à la main. Elle vint aider Désirée à enlever son manteau qu'elle rangea dans la garde-robe.

— J'peux-tu faire quèque chose, madame Désirée?

— Non, Rose. Tu peux retourner chez vous, j'vais rester, moé. De toute façon, faut que j'attende le croque-mort. En attendant, j'vas téléphoner à la famille.

— Dans ce cas-là, j'vas y aller.

— C'est ça, ma belle. Pis marci pour toute, là. T'es ben fine.

— C'est rien, voyons!

⊛

Après le départ de Rose, la vieille sonna l'opératrice et lui demanda de la mettre en communication avec le fils aîné de Clémence. Il convenait de commencer par lui.

— Albert? Ta mère est morte. Le sarvice est vendredi à 10 heures… J'ai pas le temps, mon p'tit garçon. Je te conterai ça demain. Faut que j'appelle les autres… (Voulant éviter à ses frères et surtout à ses sœurs d'apprendre la mort de leur mère d'une façon aussi brutale, Joseph précisa qu'il se chargeait d'informer la famille, en conséquence de quoi tante Désirée pouvait être un peu moins laconique.) Tu ferais ça pour moé?… C'est vrai. C'est ta famille encore plus que moé… Ben, dans ce cas-là, j'ai tout mon temps. C'est son cœur, Albert. A l'a toujours été faible du cœur. Ça fait qu'après son infractus, est restée ben fragile… Non, a pas l'air d'avoir souffert. (Dans les circonstances, un mensonge pieux n'est pas péché.) Non,

pour moé, est morte dans son sommeil… Oua… Non !
Non ! t'aras pas à t'occuper de ça. A m'a chargée de ça…
Non, pas avant de mourir. Dans son testament. Tu comprends j'étais en place. A m'a faite confiance. Oui, c'est
ça, t'as ben assez d'autres chats à fouetter… C'est ça. On
en reparlera demain. Ah oui, oublie pas tes oncles.
Hen ?… Que veux-tu, on est tous mortels… J'sais ben,
c'est dur pareil. Une mére, c'est toujours une mére. Y a
pas d'âge pour ça… J'vas prier pour toé, là. Bon courage… C'est ça, à demain.

⊛

Elle raccrocha, contente de voir le fils aîné se charger
de prévenir la famille. Cela lui donnait enfin le temps de
penser à sa petite sœur. Rentrant dans la chambre, elle
s'agenouilla, sortit son chapelet de la poche du chandail
qu'elle portait toujours et baisa le crucifix. *Mystère dou-*
loureux, premier mystère. Non ! J'vas commencer par la
prière pour les défunts. Après, j'vas dire un chapelet pour
que le bon Dieu aye pitié d'elle, pour qu'I l'envoye au pur-
gatoire le temps qu'y faut mais qu'I la sauve. Après toute
I devrait comprendre que passer d'Oscar au notaire, y
avait de quoi i tourner la tête, pauvre p'tite fille. Quand tu
t'es écrasée toute une vie en d'sour d'un habitant qui sent
la vache pis le verrat, j'en sais quèque chose, hen ? J'ai re-
niflé Tancrède assez longtemps pour savoir ce que c'est,
l'odeur du tabac canayen. Ça fait que tomber un bon ma-
tin sus un notaire poli, délicat (le vieux maudit !) qui a
tout le temps qu'y faut, pis qu'i le prend, tu peux ben
pardre les pédales un brin. Faut pas i en vouloir, mon Dieu,

c'était ben manque plus fort que son vouloir, pis j'sus çartaine qu'a Vous aimait. C'est le temps de montrer que Vous êtes miséricordieux, là. Arrangez ça, si vous plaît. J'voudrais tellement la retrouver au ciel. Vous pouvez pas me refuser ça, hen ? Vous êtes infiniment bon, infiniment aimable. Ah, je sais que le péché Vous déplaît, mais y en a des pires que les fesses, non ? Le blasphème, le crime, le vol, le parjure, l'adultère sont pires que ça, non ? Donnez-i une chance, si vous plaît. Bon ! J'aurai faite mon possible. Astheure, c'est à Vous de régler ça. J'irai toujours pas Vous dire comment runner votre biseness… Prière pour les défunts. De profundis. Du fond de l'abîme j'ai crié vers Vous, Seigneur. Seigneur, écoutez ma voix.

Que Vos oreilles soient attentives aux accents de ma supplication.

Si vous scrutez les iniquités, Seigneur ; Seigneur, qui pourra subsister devant Vous ?

Mais parce que la miséricorde est avec Vous, et à cause de Votre loi, je vous ai attendu, Seigneur.

Mon âme a attendu avec confiance la parole du Seigneur, mon âme a espéré en Lui.

Du point du jour à l'arrivée de la nuit, Israël doit espérer le Seigneur.

Car, dans le Seigneur est la miséricorde et en Lui une abondante rédemption.

Et Lui-même rachètera Israël de toutes ses iniquités.

Donnez-leur, Seigneur, le repos éternel.

Et que la lumière qui ne s'éteint pas les éclaire.

Qu'ils reposent en paix.

Amen.

Seigneur, exaucez ma prière.

Et que mon cri parvienne jusqu'à Vous.

Que le Seigneur soit avec Vous.

Et avec Votre esprit.

Prions.

Ô Dieu, Créateur et Rédempteur de tous les fidèles, accordez aux âmes de Vos serviteurs et de Vos servantes la rémission de tous leurs péchés, afin que, par la prière de votre Église, elles obtiennent le pardon qu'elles ont tant désiré. Vous qui vivez et régnez dans les siècles des siècles. Amen.

Enchaînant avec le chapelet, Désirée n'eut que le temps de quelques *ave*, les pompes funèbres sonnaient à la porte. Sur les ordres de Désirée, ils déplacèrent quelques meubles, mirent Clémence en bière et la hissèrent sur les tréteaux. Désirée paya, déplaça légèrement les fauteuils et alluma les cierges. Elle regarda l'heure et vit qu'elle n'avait que le temps d'aller manger avant de revenir accueillir le public. Elle s'habillait quand Tancrède revint.

— Va manger, ma vieille, j'vas veiller Clémence.

— Pis toé, as-tu mangé ?

— J'me sus débrouillé.

— T'en reprends, ma parole !

— Désirée, fais-moé pas regretter ce que j'fais.

— Monte-toé pas, là, on peut ben rire un peu.

— C'est pas la place.

— Mettons… Bon, j'fais ça vite, pis je r'viens.

— Je t'attends.

Tout le village défila devant le cercueil. Madame Clémence n'avait laissé que de bons souvenirs. Tout le monde la regrettait. Vêtue de noir de la tête aux pieds, Désirée recevait les marques de condoléances de chacun avec une froideur imperturbable. Si on ne l'avait pas connue aussi bien, on aurait pu prendre son comportement pour une acceptation sereine de la volonté divine, mais on la crut plutôt incapable de la moindre compassion pour sa sœur. Sa vraie famille arriverait le lendemain. On verrait alors combien le chagrin peut terrasser les êtres qui ont été comblés d'amour. En attendant, le vieux notaire, qui s'était promis d'être la discrétion même et de ne pas prendre part à un chagrin ne devant qu'appartenir qu'aux enfants de sa bien-aimée, s'était amené vers les neuf heures. Compassé, empesé, encaustiqué, dans la raideur de l'effort surhumain qu'il faisait pour ne pas donner à Désirée le plaisir de le voir éclater en sanglots, il lui fit sèchement ses condoléances, s'agenouilla sur le prie-Dieu, regarda une dernière fois l'ultime amour de sa vie, supplia Dieu de la recevoir en Son paradis et quitta les lieux sans pouvoir dire le moindre mot aux gens qui lui donnaient la main. Dehors, il courut vers sa demeure, le corps secoué des sanglots qu'il ne pouvait plus retenir. Il aurait voulu mourir sur-le-champ, tellement l'absence lui était déjà cruelle, tellement il aurait voulu lui tenir la main durant son dernier périple.

Chapitre 12

« Tout ce qu'on gagne à se désintéresser de la politique,
c'est d'être gouverné par des gens pires que soi. »

Platon

L'héritage que Désirée venait de faire allait changer sa vie. Elle avait bien caressé autrefois l'idée de faire de la politique active, mais son rêve était demeuré velléitaire parce que l'éligibilité étant conditionnelle à la propriété, la maison appartenait légalement à Tancrède. Désirée avait parfois pensé en acheter une, au départ de Clovis Dagenais pour Rimouski, par exemple, mais elle n'avait pas osé, trouvant exagéré d'acheter une propriété dans le seul but de solliciter un mandat. Le cadeau de Clémence changeait tout. Elle y vit un signe de la Providence qui, en suscitant ce geste, lui confiait la mission de se faire élire et d'entreprendre le ménage du conseil municipal de Val-de-Grâces. Depuis trop longtemps, le gros docteur et sa clique menaient la municipalité à la ruine. Ne venaient-ils pas d'acheter un camion pour le ramassage des ordures ? Ne venaient-ils pas de construire un abri où les gars et les filles s'agglutinaient sous prétexte de se réchauffer après avoir patiné bras dessus bras dessous jusqu'à des heures où les honnêtes gens sont au lit ? N'était-il pas question d'installer des réflecteurs au terrain de baseball alors que les gens des rangs s'éclairaient à la lampe Aladin ? Ne parlait-on pas de piscine publique ? Jusqu'où irait-on pour faciliter la promiscuité et le vice ? Il fallait que ça cesse. Il fallait un chrétien engagé pour refréner des abus chaque année plus criants et, comme il ne s'en manifestait aucun, Désirée sentit la nécessité de sa sacrifier pour le bien public.

Histoire de vérifier s'il approuverait, condamnerait ou serait neutre, elle fit part de ses intentions à monsieur le curé. Elle n'attendait pas d'encouragement ; il lui suffisait qu'il ne la menace pas de la ridiculiser en chaire. Ses chances deviendraient alors à peu près nulles.

— Vous me surprendrez toujours, chère Désirée. Je croyais avoir tout vu, mais non, il fallait que je vous voie candidate à un siège municipal.

— Vous êtes pour, ou bedon contre ?

— Vous savez mon point de vue là-dessus.

— Non, je le sais pas.

— Mais oui. Mais oui, vous le savez très bien. Nous en avons parlé longuement en 1941, après l'esclandre que vous aviez fait à la grand-messe.

— Ça, monsieur le curé, c'était pour le droit de vote aux femmes. Aujourd'hui, c'est pas tout à fait pareil. Y est pas question que les femmes votent, c'est faite, y est question que le village vote pour une femme, c'est un autre paire de manches…

— Comme je vous connais, votre décision est prise et vous venez chercher ma bénédiction.

— Vous me la donnez, ou vous me la donnez pas ?

— Et si je vous ne la donnais pas ?

— Ça serait un pensez-y-ben. Mais pourquoi vous me la donneriez pas ?

— Je n'ai pas dit que je ne vous la donnerais pas.

— Qu'est-ce que vous attendez, d'abord ?

— Je réfléchis. Vous venez de le dire, c'est un pensez-y-bien.

— J'connais la politique aussi ben que n'importe quel conseiller, pis le maire avec.

— Je n'en doute pas.

— J'ai toute mon temps.

— Je sais.

— J'ai les intérêts de la municipalité à cœur.

— Je n'en doute pas.

— Y a des excès qui doivent cesser.

— Lesquels ?

— Les dépenses, monsieur le curé ! Le gros docteur dépense sans compter. Pis Prospère fait comme si tout le monde était aussi riche que lui. Les taxes ont doublé depuis cinq ans.

— C'est le prix du progrès, Désirée.

— Vous appelez ça du progrès, vous ! Une piscine ousse que les gars pis les filles vont se baigner ensemble à moitié tout nus ?

— Ils le font déjà dans le lac. La surveillance serait plus facile à une piscine municipale.

— On sait ben, vous laissez toute passer.

— Est-ce de la politique ou des sermons que vous voulez faire au conseil ?

— Les deux.

— Nous y voilà. Vous aimez la politique, mais plus encore vous désirez vous ériger en police des mœurs.

— Vous pensez pas que c'en prend une ?

— Vous empiétez sur mon domaine, Désirée.

— Mais non, monsieur le curé, mais un p'tit coup de main peut pas vous faire de tort, non ?

— Justement, si !

— J'voés pas…

— Je vais donc vous mettre les points sur les i. Qui vous a permis d'être la directrice de conscience de Rose Petitpas ?

— Rose me demande des conseils, j'i en donne. Qu'est-ce qu'y a de mal à ça ?

— La direction des âmes est une tâche délicate, Désirée, très délicate et qui dépasse vos capacités. À l'avenir, je vous saurais gré de m'envoyer Rose quand elle vous confiera ses cas de conscience.

— J'comprends pas pantoute. Auriez-vous à vous plaindre de Rose ?

— Non, mais je vous répète que le règlement des cas de conscience dépasse vos compétences.

— Si j'vous dirais que Rose attend rien que mon OK pour sacrer le camp avec Conrad ?

— Je vous dirais que vous mésestimez les forces de Rose.

— Corrèque, d'abord ! Corrèque ! J'dis pus rien, mais venez pas vous plaindre si vous vous ramassez avec un scandale.

— Je m'en garderai bien.

— Bon ! Pis ?

— Pis quoi ?

— J'me présente, ou ben j'me présente pas ?

— Si vous me promettiez de me laisser la morale, peut-être…

— OK d'abord, j'vous la laisse.

Le curé se mit à rire.

— J'voés pas ce qu'y a de si drôle…

— Votre idée est faite, Désirée.

— Mais non !

— Tut ! Tut ! Je vous connais. Vous êtes venue me voir pour que je vous confirme dans votre résolution, mais vous allez aller de l'avant, même si je vous le déconseille. Pourquoi me faire perdre mon temps ?

— J'veux pas vous fére pardre votre temps, voyons ! J'veux savoir si vous allez me descendre du haut de la chaire si j'me présente.

— Nous sommes en démocratie, Désirée. Vous faites ce qui est permis par la loi. Par ailleurs, la charité chrétienne m'interdit de descendre qui que ce soit. Surtout en chaire.

— Marci, monsieur le curé, c'est vraiment toute ce que j'voulais savoir.

— Un dernier point.

— Oui, quoi ?

— Avez-vous pensé à votre santé ?

— Ma santé ?

— Oui, votre santé. N'avez-vous pas peur qu'une campagne électorale ne soit trop pour vos forces ?

— Pas une miette !

— Vous en avez parlé à votre médecin ?

— Vous me prenez pour une folle ?

— Pas du tout.

— Comme si vous saviez pas que le docteur veut pas me voir la face au conseil, pis encore ben moins à la table du conseil.

— Qu'est-ce que vous en savez ?

— J'le sais, c'est toute. Non, j'i en parlerai pas.

— Pourquoi donc ?

— Parce qu'i va me sacrer au lit pour un mois, parce qu'i va trouver toutes les raisons du monde pour pas que j'me présente.

— Et si j'en faisais une condition ?

— Si j'm'attendais à ça... Puisque j'vous dis que j'file comme un rouette.

— Écoutez-moi, Désirée : je n'ai personnellement pas d'objection à ce que vous vous présentiez.

— Dites-moé pas !

— À condition que vous ne vous occupiez que des choses matérielles relevant de la responsabilité de la municipalité. Les autres sont de mon ressort. À condition aussi que le docteur Legendre n'y voie pas de danger pour votre santé.

— Mais vous savez ben qu'i va en voir.

— Vous sous-estimez encore l'impartialité du docteur. Il sait très bien faire la différence entre la politique et la médecine, croyez-moi.

— Corrèque, d'abord, m'as le voir.

❀

Le maire écouta le laïus de Désirée sans l'interrompre. Il était trop fin renard pour ne pas la laisser aller jusqu'au bout de son exposé. Sans rien demander, il saurait ainsi le programme de Désirée. Ce qu'elle tairait, il n'avait pas besoin qu'elle en parle. Il connaissait sa pensée intime et la savait vendue corps et âme à Duplessis. Elle avait assez souvent fait retentir la salle municipale de ses désaveux, de ses mises en garde et de ses prédictions pour qu'elle n'eût pas à les préciser. Il savait également que la menacer de mort ne changerait rien à sa détermination de tâter de l'électorat. Si elle s'était mis en tête de se présenter, ce ne sont pas les exhortations à la prudence qui y changeraient quoi que ce soit. Enfin, en l'encourageant à se porter candidate, peut-être s'en ferait-il une alliée plutôt qu'une adversaire harassante.

— Qu'est-ce que vous en pensez, docteur ?

— Je pense que c'est une excellente idée, ma chère.

— Dites-moé pas, vous là !

— Je vous surprends, n'est-ce pas ?

— Au coton, docteur !

— Vous connaissez la politique aussi bien que n'importe qui, vous êtes honnête, vous êtes dévouée à la chose publique, vous êtes disponible. Oui, vous avez toutes les qualifications. Sauf une…

— Laquelle ?

— Votre santé, Désirée.

— J'file numéro un, docteur.

— Et je voudrais que ça continue.

— Comme ça, c'est non ?

— Je n'ai pas dit ça. J'aimerais vous avoir à la table du conseil, mais je ne voudrais pas vous voir vous tuer à la tâche. Tancrède ne me le pardonnerait pas.

C'est pas de ses maudites affaires, docteur.

— Quand même un peu, Désirée. Que vous le vouliez ou pas, Tancrède est votre mari.

— Craignez rien, j'vas le mettre à ma main.

— Si c'est ainsi…

— Oua, oua. Tancrède, j'en fais mon affaire.

— À quel siège avez-vous l'intention de vous présenter ?

— J'y ai pas encore pensé ben ben…

— Que diriez-vous du siège de Sam Métivier ?

— Ah… Sam c'est du ben bon monde, mais en politique, c'est pas fort fort. Tout le monde sait que si Prospère a le rhume, Sam pogne un purésie double… Aussi ben dire que Prospère a deux voix…

— C'est surtout que Sam est souvent absent. Comme contremaître de Prospère, il passe son temps à surveiller ses chantiers. Je comprends la situation, mais j'aime bien avoir des conseillers qui siègent. Je vais lui en parler.

— Vous feriez ça pour moé ?

— À une condition.

— Laquelle ?

— Avant de critiquer ma politique, promettez-moi de m'en parler d'abord. Si, après vous avoir expliqué mon point de vue, vous ne le partagez pas, vous voterez contre moi.

— C'est mon droit.

— C'est même votre devoir, Désirée. Mais est-ce un marché acceptable ?

— Vous m'attachez pas les mains.

— Exactement. Je vous demande seulement le privilège de vous expliquer les raisons qui motivent mes décisions. Après vous agissez selon votre conscience.

— J'peux pas demander mieux.

— Une autre condition.

— En avez-vous ben d'autres comme ça ?

— C'est la dernière, et c'est dans votre intérêt.

— J'vous écoute, docteur.

— Pendant votre campagne, je veux que vous me promettiez de venir à mon bureau chaque semaine.

— Pourquoi ça ?

— Parce que je veux m'assurer que votre santé ne se détériorera pas. La politique est une chose admirable, mais pas au point de lui sacrifier sa santé.

— J'peux pas vous refuser ça, docteur.

— Marché conclu, ma chère.

Forte de l'appui des deux autorités du village, Désirée bouscula les objections de Tancrède.

— Maudite tête de cochon maudite ! Tu veux fére encore une folle de toé, hen ?

— On voira ben.

— Mais c'est toute vu, voyons ! Tu vas te fére battre à plate couture.

— Gage pas ta chemise là-dessus, tu pourrais être obligé de te promener en camisole !

— Tu changeras pas d'idée, hen ?

— Pas pour une terre en bois deboutte.

— Dans ce cas-là, tu l'auras voulu.

— Quoi ?

— J'vas me présenter de contre toé.

— J'osais pas te le demander.

— Baptême ! Est troublée, est troublée raide.

Complètement estomaqué, Tancrède courut conter la lubie de Désirée à ses amis. Cela valait une visite à l'hôtel. Les chroniqueurs s'y attardèrent jusqu'à cinq heures passées. Tant pis pour le souper qui attend, on s'est assez réchauffé pour manger froid. De retour du travail, tout le village apprit le coup de Désirée. Quelques-uns pour la désapprouver, la plupart pour en rire, mais peut-être pour pousser la farce jusqu'à l'élire. Cela était d'autant plus tentant que René Marchand parlait d'un « précéant » : c'était, à n'en pas douter, la première fois qu'une femme se présentait à l'échevinage de Val-de-Grâces et contre son mari par-dessus le marché. Sacrée Désirée !

⊕

C'est le maire lui-même qui téléphona la nouvelle à Prospère. Réticent au départ, il écouta néanmoins les raisons de son ami pour conclure que c'était, somme toute, « le meilleur moyen d'i mettre une patte à la tête ». (À cette époque, la compassion pour les animaux était une notion plutôt abstraite. Par ailleurs, personne n'avait de temps à gaspiller pour ramener au pacage des animaux égaillés dans la nature. Voilà pourquoi certains éleveurs attachaient une patte antérieure des brebis sauteuses à un carcan qu'on leur passait au cou. Pareillement embarrée, la bête baladeuse n'avait d'autre choix que de se faire sédentaire.) L'image de Prospère traduisait donc fidèlement le but que le docteur poursuivait en invitant la commère à se joindre à son équipe. Il espérait ainsi mieux la neutraliser. Pour lui faire de la place, il fallait cependant évincer Sam. Comment allait-il prendre la démotion ? Prospère rassura le maire en lui confirmant que Sam s'imposait cette corvée uniquement pour lui être agréable et qu'il serait trop heureux de céder la place, même à Désirée. « Fais-toé-z'en pas, doc : Sam a besoin de ça comme un chien a besoin de deux queues. »

⊕

Désirée se mit en campagne pour frapper, dès le départ, un coup tonitruant. Au prône du dimanche, le curé annonça, en effet, que madame Désirée Labbé se présentait au siège numéro 5, et qu'elle tiendrait une assemblée le mardi à huit heures précises à la salle municipale. On s'y bouscula dans une ambiance de carnaval. Certains par simple curiosité, quelques drôles dans l'idée de lui faire passer tout de suite le goût de la politique, la plupart pour apprendre pourquoi elle voulait se faire élire. Au fond, mais sans oser l'avouer, à peu près tout le monde était flatté que le Val fût la première municipalité de la région (certains affirmaient de la province) à laisser une femme briguer les suffrages. L'assemblée étant houleuse, Désirée arriva difficilement à obtenir le silence. Un peu éméché, Clovis Dagenais menait la claque des contestataires. Pour le calmer définitivement, Désirée se planta devant lui et lui proposa une assemblée contradictoire, elle à un bout de la tribune, lui à l'autre.

— On va voir si tu vas être aussi faraud quand j'vas te rentrer dedans.

Clovis se le tint pour dit et, avec son silence, la dissidence se calma comme par enchantement.

— Avez-vous remarqué, commença la candidate, qu'y a pas une maudite femme dans la salle ?

— C'est parce que les femmes du Val te ressemblent pas, Désirée. I's sont trop intelligentes pour faire des folles d'eux autres comme toé.

— Regardez donc qui c'est qui est là ! Tancrède Labbé qui écrit au son, pis qu'i est obligé d'épeler ses lettres pour comprendre sa gazette rouge. Si j'serais à ta place, Tancrède, j'farmerais ma gueule.

— Pourquoi ça ?

— Parce que si tu continues, c'est toé qui vas fére un fou de toé.

— T'apprendras, Désirée Landry, que j'ai été dix ans au conseil…

— Dix ans de trop, oui.

— T'apprendras…

— Tu veux pas savoir pourquoi ?

— Oui ! Oui ! Oui ! scanda la foule.

Alors, Désirée lui rappela que pendant les trente-huit ans qu'ils avaient tenu commerce, il n'avait fait que déballer les caisses, placer les cannes sur les tablettes, charger les commandes sur la voiture de livraison, balayer plus ou moins bien le plancher, jouer aux dames avec des rentiers bons seulement à faire perdre leur temps aux gens qui travaillent, ânonner sur la politique où il n'entend rien, peser une livre de sucre, emplir un cruchon de mélasse, décrocher quelques bananes de leur régime, donner le change en se trompant plus souvent qu'à son tour, bref, il avait passé sa vie à faire ce qu'une bédaine de quinze ans aurait fait aussi bien que lui. Si donc il avait pu prendre sa retraite avec l'assurance de manger plein son ventre le reste de ses jours, il le devait à la gestion impeccable que son épouse avait faite des affaires. Monsieur exige des explications ? Très bien, les voici. A-t-il jamais préparé un seul dépôt pour la banque ? A-t-il placé une seule commande auprès des voyageurs de commerce ? A-t-il négocié un seul emprunt ? À part les signer en aveugle, a-t-il jamais rédigé un seul chèque ? Ne lui a-t-il pas envoyé l'agent d'assurances chaque fois qu'il est venu au magasin ? N'a-t-il pas placé les boules dans l'arbre de Noël de la vitrine, exactement où elle lui a dit de les mettre ? A-t-il tenu les livres une seule fois ? A-t-il une seule fois écrit pour collecter les comptes en souffrance ? A-t-il une seule fois orchestré une vente de débarras ? A-t-il établi un seul inventaire ? N'a-t-il été, en somme, autre chose qu'un commis obéissant à sa femme plus futée que lui ? Et n'est-il pas vrai que, sans elle, il serait mort à la tâche, et pauvre comme le saint homme Job ?

— J'ai faite ma part.

Oui ! La part d'un abruti qui ne s'y entendait pas plus en commerce qu'en politique. La salle s'esclaffa et, humilié, Tancrède se rassit pour ne plus ouvrir la bouche.

— Vous avez pas d'affére à rire de mon mari, gang d'innocents ! Vous êtes pas mieux que lui, ni un ni l'autre.

Quelques murmures de protestation s'élevèrent mais, les ignorant, Désirée se chargea de démontrer que l'admonestation n'était que juste et méritée. La preuve était facile à faire. Y avait-il dans la salle un père de famille qui ne remettait pas sa paye à sa femme ? « Quand vous la buvez pas à l'hôtel, comme de raison. » En premier lieu, et cela est une vérité qu'on n'a pas besoin de démontrer, toutes les femmes savent lire et écrire. On ne peut pas en dire autant de plusieurs d'entre vous qui signez d'une croix. Heureusement, il vous reste assez de matière grise entre les deux oreilles pour confier l'argent du ménage à la femme qui fait des miracles d'économie et d'inventivité pour mettre du manger dans les assiettes et du linge sur le dos des enfants.

— Vrai ou faux ?

Personne n'osant protester du contraire, Désirée continue. On ne l'interrompt plus, on réfléchit aux grandes vérités que la candidate assène à son auditoire.

— Vous vous demandez ousse que j'veux en venir ?

Simplement à leur dire que ce n'est pas eux qui devraient être là, mais bien leurs femmes. Et de se lamenter sur la frilosité des femmes pour la politique. Après tout, si elles savent si bien gérer le portefeuille familial, pourquoi ne seraient-elles pas aussi adroites à administrer le bien public ? Pourquoi s'entêtent-elles à croire que la politique est la chasse gardée des hommes ? N'y a-t-il pas assez de l'Église qui ferme ses portes aux femmes ? Le temps n'est-il pas venu d'occuper l'espace que leur sérieux, leur éducation, leur honnêteté, leur sobriété, leur sens de la famille, leur dignité, les invitent à prendre ? Quant à elle, après en avoir discuté avec les personnes les plus en vue de la paroisse, elle a décidé de faire le saut. Qui m'aime, me suive.

Son programme ? Il est simple : gérer la chose publique comme elle a toujours géré ses propres affaires. Son succès n'est-il pas garant de ses aptitudes ? La municipalité s'endette à un rythme alarmant. Les quatre hommes qui mènent les affaires depuis plus de quinze ans et qui font un bloc indivisible, c'est-à-dire le maire, Prospère Rodrigue, le vétérinaire et René Marchand sont tous à l'aise et engagent les contribuables dans des dépenses légères pour eux, mais lourdes pour la plupart. Les taxes ont doublé depuis cinq ans... « Oui ! C'est vrai. Ç'a pas d'allure... » et si la tendance se maintient, elles auront encore doublé dans cinq autres années. Il est temps que cela cesse, sinon des pères de familles nombreuses, des journaliers, des bûcherons, verront leurs maisons vendues pour les taxes par le Conseil de comté. « C'est vrai ! » Nous avons une salle municipale que nous envient tous les villages du comté. J'étais contre cette dépense somptuaire, vous vous en souvenez ? À mon avis, une bâtisse plus modeste et qui aurait coûté la moitié moins aurait fait tout aussi bien l'affaire. Et le camion à ordures. Sont-elles si fières, ces maudites ordures, qu'elles n'auraient pas pu se contenter d'un camion ordinaire qui aurait fait gagner quelques piastres à un pauvre diable qui en a bien besoin ? Et la piscine qu'on a l'intention de bâtir ? Combien cette folie va-t-elle coûter ? Est-ce que le lac serait devenu trop petit pour accueillir ceux qui n'ont pas de bain à la maison ? Je suis pour le progrès autant que n'importe qui, mais je suis encore plus pour qu'on vivre selon nos moyens.

— C'est pas mon accoutumance de péter plus haut que le trou, vous le savez. Y en a plusieurs qui se pavanent avec des manteaux de fourrure sus le dos, mais qui ont pas mal moins le moyen que moé d'en avoir. J'vas être pareil au conseil.

Ce que Désirée promet encore, c'est d'être un chien de garde qui n'hésitera pas à japper et, au besoin, à mordre pour que la municipalité retrouve la voie d'une économie proportionnée à la capacité de payer de ses contribuables.

— Vous êtes d'accord ou bedon non ?

La foule ne répond pas, elle l'applaudit à tout rompre. Désirée continue pour prendre à partie quelques pseudo réformateurs qui sont entrés au conseil avec l'intention de mettre les gros au pas et qui, une fois sur place, se sont effondrés « comme des tires qui font un flat ». Désirée Landry n'est pas du genre à se dégonfler. Elle a son franc-parler et, quand elle se sait dans son droit, il n'y a personne, ministre, évêque ou pape, qui l'empêchera de gueuler pour la justice et la vérité. Est-ce qu'elle n'a pas manifesté de façon assez claire son opposition au curé qui était contre le vote des femmes ? N'est-ce pas là la garantie qu'elle saura tenir tête au maire et à sa clique s'ils veulent embarquer la municipalité dans des dépenses extravagantes ?

— Oui ou bedon non ?

Des applaudissements nourris lui répondent. Converti, Clovis Dagenais s'écrie :

— Tu devrais te présenter à la mairie, Désirée !

— Chaque chose en son temps, Clovis. Commencez par m'élire conseiller, après on voira. Bon ! Vous me connaissez, vous savez que j'ai rien qu'une parole, vous savez que vous pouvez vous fier sus moé, ça fait que si vous êtes pas une gang d'innocents, vous allez voter pour moé. Oui ! Même si Tancrède se présente contre moé. Tancrède c'est un bon garçon, mais des idées i en a pas plus que de la cendre dans sa pipe. Fâche-toé pas, Tancrède. C'est toé qui as voulu me fére de l'opposition, pas moé. Entre toé pis moé, pis la boîte à bois, tu sais que j'ai raison. Reste à maison, Tancrède. Occupe-toé pas de politique, tu connais pas ça, c'est au-dessus de ton pouvoir. T'es faite pour lire *Le Soleil*, prendre ton p'tit gin, jouer aux dames pis au 9 avec tes chums.

— C'est ça, ris de moé en public, astheure.

— J'ris pas de toé, voyons ! J'dis rien que la vérité. J'te connais, depuis le temps. Pis j't'ahis pas. Au contraire. J't'ai pas marié pour ton argent, t'en avais pas. J't'ai pas marié pour ton instruction, c'est pas de ta faute, ton père avait pas d'argent pour t'envoyer au collège. J't'ai pas marié pour ta beauté, t'es laite pour fére des remèdes à chiens, mais j'sus pas une beauté non plus, hen ? Ça fait qu'on s'équipole. Non, j't'ai marié parce que t'es un bon garçon, le meilleur garçon du monde. La preuve c'est que tu m'as pas encore estropiée.

— C'est ben la seule vérité que t'as dit à soir…

— Tu voés que j'sus honnête. Ça fait que si t'es pas trop bête, tu vas démissionner.

— Jamas !

— Tant pire pour toé. Bon ! Y commence à se fére tard. Vous êtes pour moé ?

Applaudissements très soutenus.

— Ou bedon pour Tancrède ?

Applaudissements polis.

✤

La partie était jouée, et perdue pour Tancrède. Mais Désirée n'allait pas pour autant négliger d'entretenir le feu sacré, elle savait trop combien la politique est une garce volatile pour tenir son élection pour acquise. Elle avait trop vu de ces candidats euphoriques se laisser aveugler par des suiveurs obséquieux pour s'endormir sur le succès de son discours. Elle savait trop combien la popularité est éphémère pour confondre les applaudissements que les gens lui avaient distribués avec un contrat notarié. La vigilance s'imposait, d'autant plus que les airs d'agneau immolé que prenait Tancrède pouvaient le servir puissamment. Elle l'avait dit : Tancrède est un bon garçon. En fait, il l'était peut-être assez pour qu'un courant de sympathie renverse la vapeur en sa faveur. Il est facile de rire du dindon de la farce, mais la cruauté qu'on y a mise peut provoquer le remords d'avoir abusé et inciter les gens à se faire pardonner. On ne lui connaît pas d'ennemis, tandis qu'elle-même… Il ne faudrait surtout pas exagérer son insignifiance et en faire un martyr, car cela pourrait coûter cher au tortionnaire. L'opinion est capricieuse, la faveur volage. En conséquence, il faut ménager Tancrède, au besoin, atténuer les accusations qu'elle a portées contre lui et, si possible, l'ignorer. En tout cas, ne rien faire pour amener les gens à s'apitoyer sur son sort. Après tout, il a siégé dix ans. Si les gens n'avaient pas été satisfaits, ils l'auraient évincé. Il constitue donc une menace qu'il convient de ne pas prendre à la légère.

Continuant son analyse, Désirée se demanda quels seraient les arguments qu'il mettrait de l'avant pour s'approprier le vote. Son expérience, sans doute. Comment banaliser cette vertu ? Pas facile. C'est un fait qu'il a siégé longtemps. Dire que cela ne lui confère pas un certificat de compétence, c'est délicat. Le faire passer pour un abruti n'est sans doute pas très indiqué, même si elle le pense intimement. Dire qu'il a fait son temps, c'était vrai la première journée qu'il a siégé, mais est-ce efficace de le proclamer ? Sans doute pas. Mettre en parallèle ses connaissances de la politique et les siennes ? Voilà qui serait plus efficace. Sans toutefois le dénigrer trop ostensiblement. En somme, dire qu'il est un bon diable mais que l'enfer est justement pavé de bons diables et qu'on a besoin au conseil de gens qui soient mauvais coucheurs plus que Tancrède ne l'a jamais été. Voilà : faire des qualités personnelles de Tancrède des défauts civiques n'ayant rien à voir avec ses vertus domestiques.

Il soulèvera certainement le préjugé classique que les femmes n'ont rien à faire en politique. Il lui suffira alors de reprendre les arguments qu'elle a exposés à la salle municipale et qui prouvent hors de tout doute que les femmes sont au moins aussi qualifiées que les hommes pour voir à la chose publique. Elle admettra même qu'une mère de famille chargée de l'entretien d'une maison et de l'éducation des enfants, n'a pas sa place sur les hustings, mais ce n'est pas son cas. Elle n'est pas mère et elle a tout son temps. Et le fait de ne pas avoir eu la grâce de la maternité lui a précisément laissé le loisir de suivre la politique à la trace depuis cinquante ans. Voilà une expérience qui vaut bien celle de Tancrède qui s'est mis à la lecture du journal au lendemain de sa retraite et pas une journée avant. Elle ne parlera pas non plus du journal qu'il lit. Ce n'est pas le désir qui manque et il lui serait facile de démolir la réputation d'un journal qui a endossé les pires saloperies des Rouges, mais des Rouges, il y en a encore beaucoup au Val. Il convient de ne pas les rebuter. Donc, une neutralité bienveillante à l'endroit des opinions provinciales et fédérales s'impose. Il ne faut vexer personne, même s'il y a provocation. S'élever au-dessus de la mêlée, voilà l'attitude à prendre et à garder jusqu'à la fin des hostilités.

Désirée sait qu'elle n'est pas très populaire et que c'est chez les dames qu'elle a le plus d'ennemies. Si elles avaient le moindre esprit de corps, elles l'appuieraient avec enthousiasme et plaideraient sa cause auprès de leurs maris, mais comment espérer un pareil revirement d'opinion ? En les cuisinant pendant que l'époux est au travail. En les cajolant, en leur prêchant la solidarité, en les forçant d'admettre qu'elle est plus instruite, plus renseignée, plus engagée et au moins aussi honnête que Tancrède. En leur garantissant que monsieur le curé appuie sa candidature : autrement, aurait-il annoncé son assemblée en pleine chaire ? Mais surtout, puisque ce sont elles qui gèrent les finances familiales, insister sur la tendance du présent conseil à multiplier les dépenses inutiles et à ne se contenter jamais que du plus dispendieux. En promettant de se battre comme une furie pour que la dilapidation des fonds publics cesse et que les taxes ne dépassent jamais le niveau où elles ont grimpé et qui est déjà scandaleux. Voilà le clou sur lequel il faudra frapper encore et encore jusqu'à l'entrer au complet dans la tête des ménagères. En s'efforçant de leur faire comprendre que, s'il y a une personne capable de freiner les gaspilleux qui siègent au conseil de Val-de-Grâces, c'est bien Désirée Landry-Labbé. Son programme ? Trois volets. Premièrement : économies. Deuxièmement : économies. Troisièmement : économies ! Si ce n'est pas là un langage que des payeurs de taxes comprennent, c'est qu'ils sont sourds et aveugles.

À moins d'un courant de sympathie à l'endroit de Tancrède, mais comment savoir, cela devrait aller. Et pour s'en assurer, Désirée se mit en campagne avec une diligence exemplaire. Dès le déjeuner expédié, elle prenait le chemin pour évangéliser ses sœurs. Après souper, elle reprenait la route pour prêcher aux maris. De son côté, Tancrède laissait aller les choses. Il était convaincu que ses concitoyens étaient trop intelligents pour élire une bonne femme au conseil. Il ne leur ferait donc pas l'offense de douter de leur jugement en sollicitant leur temps pour discuter de choses aussi évidentes que la nécessité de respirer pour vivre.

— Pis, si tu te fais battre ? demanda Fred Savoie.

— Ça prouvera que le monde est plus fou que j'pense.

Voilà qui était un beau témoignage à rendre à l'électorat du Val, mais qui ne tenait pas assez compte de la volatilité du vote populaire. Tancrède aurait pourtant dû savoir que des médiocrités portées par la popularité d'un parti avaient cent fois écarté du pouvoir des candidats dix fois plus valeureux qu'elles. Désirée fut élue, le maire, le vétérinaire, René Marchand et Prospère avec elle. Le parti du progrès restait solidement en selle.

Pour fêter l'événement, Prospère invita tout le monde à l'hôtel. Désirée, qui n'avait jamais mis les pieds dans un bar, se récria, mais voulant l'incorporer dans l'équipe, Prospère ne lui laissa aucun choix.

— Veux, veux pas, Désirée, t'embarque. T'as voulu fére de la politique, c'est à soir que tu vas apprendre que ça se fait pas dans la sacristie. Envoye !

Voyant qu'on l'y traînerait de force si elle s'entêtait, Désirée céda. « Le pouvoir corrompt… » On la força même à prendre un p'tit verre. Vaincue, elle accepta un brandy.

— C'est un remède, affirmait Prospère.

Le gros docteur décréta que, dans les circonstances, c'était même une ordonnance qui lui ferait le plus grand bien.

— Si c'est un remède, j'dis pas non.

Et Désirée de mouiller ses chastes lèvres dans la pisse du démon qu'elle avait si souvent anathématisée. « Le pouvoir absolu corrompt absolument… »

Après quelques heures de festivités tapageuses, le maire déposa la conseillère numéro 5 à sa porte après l'avoir invitée à venir à l'examen médical hebdomadaire. Tancrède se berçait dans la cuisine, un verre de gin dans une main, la pipe dans l'autre.

— T'es en retard pour le chapelet, Désirée.

— J'ai pas pu fére autrement.

— C'est ça, la politique, ma vieille…

— Tu m'en veux pas trop ?

— Pourquoi j't'en voudrais ? T'as voulu fére une folle de toé, c'est faite. J'voulais t'éviter ça, t'as pas voulu m'écouter, c'est ton afére.

— Tu prends ça mieux que j'm'attendais.

— Écoute, Désirée, si t'es pas du monde à 72 ans, c'est pas en vargeant sus toé que j'vas changer ça.

— N'empêche que j'arais pas voulu que ça se passe comme ça.

— T'arais voulu te fére battre ?

— Non ! Tu sais ben que non. Tu me connais assez pour savoir que j'aime pas pardre.

— Dans ce cas-là, j'voés pas…

— J'arais aimé mieux que tu te présentes pas. J'arais aimé mieux battre un autre que toé.

— Dis-moé pas !

— Ben oui, voyons ! Si ç'avait été un autre t'arais pu m'aider…

— C'est ça, prends-moé pour un fou.

— T'arais pu être fier de moé.

— Ben, j'vas te surprendre. Dans le fond, là, dans le fond du fond, je l'sus fier de toé.

— Non !

— Oui. Tu l'as dit : j'sus pas ben ben intelligent.

— Ah ben là, tu me fais plaisir.

— Oua, oua. Viens te coucher, là. Y est tard.

Oubliant le chapelet, Désirée se glissa entre les draps et chercha la cuisse de Tancrède. « Le pouvoir corrompt… »

Chapitre 13

« On dit que les loups ne se mangent pas entre eux.
Celui qui a inventé ce proverbe n'avait jamais vécu
sous un gouvernement démocratique. »

Somerset Maugham

La raclée que Godbout avait subie à la tête des Libéraux en 1948 le discréditait aux yeux de l'establishment et de la plupart des supporteurs du vieux parti. De mémoire d'homme on ne se rappelait pas avoir vu la machine de Gouin et de Taschereau à ce point diminuée. Godbout devait partir. Se rappelant sans doute l'appui inconditionnel qu'il avait apporté aux Libéraux fédéraux durant la guerre, Louis Saint-Laurent le fit entrer au Sénat. T.D. Bouchard s'était définitivement aliéné la sympathie des Rouges en stigmatisant ses compatriotes devant les Orangistes de Toronto, Léonide Perron était mort au moment où le pouvoir lui était promis, Édouard Lacroix avait flirté avec le Bloc populaire, les quelques autres candidats susceptibles d'accéder à la chefferie avaient été balayés par le raz-de-marée de 1948, la relève était trop jeune, bref, il n'y avait personne de stature à prendre la direction des troupes libérales. George Marler avait les qualités nécessaires, mais un anglophone, même parfaitement bilingue, ne pouvait devenir Premier ministre du Québec. En désespoir de cause, il fallait regarder du côté d'Ottawa, avec tous les risques qu'un parachuté ferait courir au parti. En attendant, Marler accepta d'assurer l'intérim.

Mais en 1950, il fallut réagir. Le statu quo n'était plus possible. Dans deux ans, trois au maximum, Duplessis déclencherait des élections et ne ferait qu'une bouchée de Marler. Il fallait lui trouver un adversaire plus coriace. On pesa Jean Lesage, on ne le trouva pas sans péché, et, pour l'écarter avec une certaine élégance, on allégua qu'il était un peu jeune. On arrêta enfin son dévolu sur Georges-Émile Lapalme qui, depuis cinq ans, n'allait nulle part à Ottawa, même s'il lui avait fallu battre la machine électorale de Duplessis et le prestige d'Antonio Barrette pour se faire élire dans Joliette. Deux autres poulains plus ou moins commandités entrèrent en lice : Horace Philippon et Jean-Marie Nadeau. Au fil d'arrivée, Lapalme sera seul. Appuyé par les députés libéraux d'Ottawa toujours généreux quand il s'agit d'écarter de leur chemin un confrère ministrable, plébiscité par l'establishment libéral de Québec, encouragé par Marler qui ne prenait pas le départ, protégé d'Édouard Simard, un des puissants armateurs de Sorel, Lapalme vit ses adversaires se désister et deux mille délégués réunis au Palais Montcalm l'élire à l'unanimité chef du Parti libéral du Québec. Il n'était pas le candidat idéal, mais les Mercier et les Gouin ne se trouvent pas sous le pas d'un cheval. On espérait seulement qu'il sauve le parti d'une déconfiture comme celle subie en 1948. Une chose, en tout cas, était certaine, Georges Lapalme n'était pas homme à se contenter de servir de sparring partner au champion. Le challenger était de taille à rendre coup pour coup, même les coups bas. Quand monsieur Duplessis le présenta comme monsieur Personne, porteur d'un curriculum vitæ faisant mention d'un avocat sans cause et d'un député fédéral inutile,

Lapalme trouva de bonne guerre de répondre à un potentat dont la caisse électorale ne reluit pas de propreté et dont les travailleurs d'élection se recrutent à la prison de Bordeaux. Le soir du 26 juillet 1952, l'Union nationale restait solidement au pouvoir, mais Lapalme avait insufflé assez de vie à une machine moribonde pour remporter vingt-trois sièges, trois fois plus qu'en 1948. Ce succès inattendu laissait croire que l'Union nationale n'était pas invincible. Il semblait en tout cas manifeste qu'après avoir atteint un sommet vertigineux en 1948, Maurice Le Noblet ne pouvait plus que descendre la pente et les Rouges avaient l'intention de l'y aider de toutes leurs forces. En décriant l'autoritarisme du Chef, en exploitant les scandales qui ne manqueraient pas de ternir encore le bleu du ciel conservateur et en s'acharnant sur le vieux lion, on pourrait sûrement faire d'autres gains à la prochaine élection, peut-être même renverser le gouvernement. C'était faire un peu trop bon marché du lion. Il avait certes vieilli, mais il n'était pas dégriffé le moins du monde et il demeurait un jouteur redoutable. Ils allaient s'en rendre compte en 1956.

En attendant, on aurait dit que de sentir l'Opposition un peu moins inerte avait donné un second souffle au Célibataire. Il sauta dans la mêlée avec la fougue d'un néophyte et domina complètement la Chambre. Ne se contentant pas de défendre son programme, il le mit en parallèle avec les réalisations du Parti libéral pour les tourner en ridicule. Une pareille tactique força l'Opposition à se défendre plutôt qu'à attaquer, de sorte que le Chef passa ses lois sans désemparer, la seule opposition un peu musclée lui venant du *Devoir* où Laurendeau,

Laporte et Filion continuaient sans trop d'espoir leur travail de sape. La quasi-totalité des autres quotidiens, aussi bien anglais que français, observaient une neutralité bienveillante quand ils ne louangeaient pas outrageusement le travail du Maître. Exceptés Charbonneau, puis Léger plus discrètement, l'épiscopat chantait les louanges du Bienfaiteur. Ainsi soutenu, le grand Nautonier voguait sur une mer tranquille. Sa connaissance intime de la procédure parlementaire, sa mémoire infaillible des précédents législatifs, sa connaissance encyclopédique des législations antérieures, ses traits d'esprit et ses calembours décochés au moment où l'adversaire s'y attendait le moins, avaient l'art de le désarçonner, de le plonger dans l'embarras et dans un silence prolongé. Applaudi avec idolâtrie par ses troupes, Duplessis s'amusait comme un enfant dans les sucreries. Bien entendu, il les gardait toutes pour lui, parce que se payer la tête de l'Opposition était du bonbon qu'il n'aimait partager avec personne. Il ne souffrait pas du diabète pour rien... Au fond, il aimait passionnément la vie, la rigolade, les potins, les farces, même salaces, il adorait un métier qu'il considérait le plus sérieux du monde, même s'il ne voyait aucune objection à le faire dans la joie, surtout lorsqu'elle venait de la déconfiture d'un monsieur d'en face. On n'avait pas vu un pareil comportement depuis très longtemps. Gouin n'avait pas beaucoup le sens de l'humour, Taschereau était trop grand seigneur pour s'abaisser aux calembours et Godbout n'entendait pratiquement jamais à rire. Cela donnait des séances sérieuses, solennelles, monotones où on s'amusait rarement. En fait, il fallait remonter à Olivier Taillon et Félix Gabriel Marchand, deux pince-sans-rire qui, dans leurs bons jours, auraient pu rendre des points à Duplessis et qui savaient d'un trait d'esprit assommer l'intrus qui osait s'en prendre à eux.

Inutile de préciser que les débats de la Chambre sont régis par des règles précises que le Président doit en toute neutralité faire observer à chacun des intervenants. À ce titre, il aurait dû rappeler Duplessis à l'ordre dix ou quinze fois par séance. Il n'en faisait évidemment rien. Créature du Chef, eût-il voulu lui signaler sa façon pour le moins fantaisiste d'interpréter le règlement qu'il n'eût pas eu l'occasion de récidiver. Il devait se plier à l'Autorité, aussi capricieuse fût-elle. Si le Premier interprétait le matin le règlement en faveur d'un ami du régime et le déclarait défavorable à un adversaire l'après-midi, le Président devait trouver, ou inventer un précédent, justifiant la décision de son Patron. En d'autres mots, le règlement était pour Duplessis une matière plastique qu'on moulait aux dimensions souhaitées, un élastique qu'on étirait aussi loin que le besoin le nécessitait, ou un roc qu'on ne pouvait en aucune façon entamer pour accommoder un ennemi du régime. Un peu fantaisiste, mais très efficace… Et fort commode, parce que cette flexibilité permettait au grand Artiste de faire son numéro sans s'embarrer dans les *attendu que* et les *en conséquence*.

Particulièrement au Comité des bills privés. C'est là que l'Artiste donnait son spectacle, presque un monologue, où même les accessoiristes avaient intérêt à se montrer discrets. Le numéro aurait pu s'intituler : le pouvoir en action. D'office, il s'était élu président des débats. C'était plus rapide en ce qu'il n'avait pas à indiquer comment procéder à un maladroit toujours empêtré dans les règles de la procédure. En homme pressé, économe de son temps et partant de celui des contribuables, il pouvait ainsi décupler son efficacité. Il attendait donc que la salle fût pleine, puis il entrait d'un pas rapide et prenait place dans le fauteuil présidentiel. Un public jusque-là bruyant et papotant faisait à son apparition un silence de consécration. Le Patron balayait la salle d'un regard circulaire et, reconnaissant un ami, puis un autre, les invitait à venir s'asseoir à ses côtés. On laissait toujours quelques fauteuils libres où se précipitaient, pétris de fierté, ceux que l'Illustre avait distingués. Il s'informait de la santé, des affaires, de madame, des enfants, félicitait le papa dont le fils avait décroché un baccalauréat *cum laude*, s'inquiétait d'un autre, alité au sanatorium (on se demandait, ébahi, comment il savait, mais il savait), et ouvrait la séance. Le greffier lui apportait un bill qu'il lisait attentivement dans le silence recueilli de l'assemblée. Il corrigeait, biffait, raturait, paraphait, charcutait, au point parfois de rendre le texte méconnaissable, le signait et déclarait : « Accepté ! » Il demandait alors à l'avocat chargé en principe de présenter le bill s'il avait des commentaires à faire. Un travail ainsi simplifié laissait au pauvre homme bien peu d'espace où manœuvrer. Certains incorrigibles, voulant sans doute justifier leurs émoluments, partaient parfois dans des commentaires forcément inutiles que le Juge coupait court en signalant que, s'il avait entériné, c'est forcément parce qu'il avait compris. Donc… Il était même allé, un jour, jusqu'à dire à un avocat venu présenter la requête de son client et qu'il n'avait pas laissé parler un instant : « Vous avez été très éloquent, maître ». Et l'avocat ridiculisé de rire davantage encore que le reste de l'auditoire. Sans doute avait-il compris que ne pas apprécier le sens de l'humour du Dispensateur lui aurait barré la route de toute demande ultérieure. Que restait-il à faire pour mériter son salaire, sinon de chanter les louanges du Généreux ? Même les plus coriaces se fendaient des éloges les plus obséquieux. On plaçait son placet, c'est le cas de le dire, mais, plus les remerciements étaient humbles, plus la magnificence du Pourvoyeur était chantée, moins, semble-t-il, il en semblait gêné. Oh, il faisait bien, à l'occasion, un geste de protestation signifiant vaguement que c'était assez, que la cour était pleine, mais jamais il n'interrompait le balancement de l'encensoir. Par ailleurs, la requête qui n'avait pas l'heur de plaire était rejetée à l'instant et sans appel. Si le Juge estimait que la demande était irréfléchie, exagérée ou non avenue, toute insistance eût été inconvenante, pour ne pas dire indécente. On se le tenait pour dit et on prenait bien garde de discuter le décret. Saint Louis avait parlé.

✦

À Val-de-Grâces, Désirée avait commencé de siéger à la séance de décembre, soit le premier lundi après l'élection tenue en novembre. Conformément à sa promesse, elle avait écouté les explications que le maire lui avait données et conclu, pour ne donner qu'un exemple, que le remplacement des tuyaux de bois par des tuyaux de métal était une mesure qui s'imposait. Le système remontait à plus de cinquante ans et l'employé municipal passait son temps à creuser des trous et à colmater des pertes d'eau, sans compter que la rue principale prenait de plus en plus l'allure d'un champ de guerre labouré de tranchées.

— Qu'i fasse ça ou bedon d'autre chose, faut le payer pareil, non ? avait d'abord objecté la conscillère.

Le maire admit que c'était vrai, sauf qu'il fallait réparer les dégâts, remplacer l'asphalte et, en attendant que les quantités justifient la venue du contracteur, subir les critiques des automobilistes qui brisaient leurs voitures dans les nids-de-poule et des ménagères qui se plaignaient sans cesse de la poussière qui ne retombait que la nuit. Désirée en savait quelque chose, qui n'arrivait pas à rentrer une brassée de linge propre. Elle donna son accord. Ce cas et quelques autres où elle avait voté avec les complices du maire, firent croire à ce dernier qu'elle serait facile à museler mais, quand vint le printemps et avec lui la proposition de Prospère en faveur d'une piscine municipale, Désirée, jusque-là tranquille à décevoir tous ses supporteurs, retira son appui à monsieur le maire. Sa conscience lui interdisait de patronner le vice, son sens de l'économie lui défendait d'autoriser le gaspillage des fonds publics. L'auditoire se mit aussitôt en mode jubilatoire. La vieille guerrière n'avait pas été domptée. On la retrouvait avec délectation.

À son premier argument, le maire répondit que la morale serait sauve puisqu'il était prévu que les gars et les filles se baigneraient à des heures différentes.

— Pour combien de temps ? ricana la bégueule.

— Pour tout le temps que je serai maire.

— On dit ça, oui…

— Et on le fait.

— Mettons, mais vous avez pas un contrat à vie. Vous pouvez vous fére battre, c'est pas impossible, pis, vous êtes mortel comme tout le monde.

— S'il y a quelqu'un qui est payé pour le savoir, c'est bien moi.

— Justement ! Quand vous serez plus là…

— Tu seras ben manque pus là, toé non plus.

— Toé, Prospère Rodrigue, j'te parle pas, j'parle à monsieur le maire.

— Ben parles-i avec ta tête, baptême !

— Regardez donc ça. Regardez-moé donc le gars qui a mis les springs sus les sauterelles, astheure. Tu sauras, Prospère Rodrigue, que ma tête vaut la tienne.

Pour une fois pris de court, Prospère se contenta de rire avec l'auditoire, conseillers inclus. Profitant de son avantage, Désirée poursuivit :

— Supposons, monsieur le maire, que ça soye Prospère qui soye maire.

— Le bain mixte, Désirée, pis tout nu à part de ça.

— C'est ben ce que j'disais. La menute qu'on s'ra pus là, ça va s'épivarder là-dedans comme des cochons dans la bouette. Vous voyez ben que c'est une idée de fou.

— Je vous remercie, Désirée.

— Pourquoi ?

— De me faire passer pour un fou.

— Y a pas de quoi, monsieur le maire.

— Et vous persistez, ma parole !

— Ben quoi ! Vous charchez les coups, j'sus là pour ça.

Riant de bon cœur, le maire indiqua qu'on s'éloignait du sujet et rappela que tant et aussi longtemps que la morale chrétienne serait ce qu'elle est, lui-même ou un autre maire, voire Prospère, ferait en sorte que la piscine soit tenue de façon à ne blesser la pudeur de personne.

— Gage pas là-dessus si j'prends ta place, doc.

— Qu'est-ce que j'disais ? triompha Désirée. Vous voyez, docteur, vous serez pas parti que c'te maudite piscine-là va virer en bordel.

— Il n'y a donc qu'une solution.

— Pas la bâtir. Y a pas d'autre solution. Charchez tant que vous voudrez, y en a pas d'autre.

— Il y en a une autre, Désirée : prendre ma succession quand je démissionnerai.

— Si a se rend jusque-là.

— Crains pas, grand escogriffe, j'irai ben à ton service.

— Vous vous éloignez encore du sujet, s'impatiente le maire.

— Bon, reprend Désirée, supposons…

— Je ne suppose rien du tout. Vous voulez des faits, je vais vous en donner. Et, puisqu'il est question de morale, restons-y. Quand les bruits courent, quand on suppose, par exemple, que mademoiselle Unetelle est enceinte, c'est de la spéculation. Moi, je me tais (mon serment), mais je le sais, parce que je l'examine.

— Chanceux, va.

— Prospère, je t'en prie, hein !

Revenant à Désirée :

— Quand vous prétendez que la grossesse a été provoquée par une baignade suivie d'une partie de fesses (excusez l'expression)…

— Gênez-vous pas pour moé, docteur, j'sus pas scrupuleuse.

— Ah ben, baptême ! Désirée pas scrupuleuse, astheure ! J'aurai tout entendu, moé.

— Prospère, s'il te plaît ! Puis-je terminer ?

— Envoye, doc ! Envoye à ta force, mais tu perds ton temps à asseyer de fére comprendre le bon sens à c'te maudite mule-là. A raisonne pas plus du cul que de la tête.

— Occupez-vous-en pas, docteur, i est fêlé.

— C'est mieux qu'être bouché à l'émeri, Désirée. Les fêlés laissent passer un brin de lumière, eux autres, tandis que les bouchés…

— Ça va finir, ce petit jeu-là ? Vous allez vous relancer comme ça encore longtemps ?

— J'm'agrafe, doc.

— Merci. Je disais donc que je sais mieux que vous tous où et comment se font les enfants de l'amour…

— Du vice, oui…

— Désirée ! Je ne me répéterai plus ! La prochaine intervention et j'appelle le vote.

Corrèque, d'abord. Corrèque, j'dis pus rien.

— Merci ! Les enfants illégitimes se font bien davantage dans les chalets et dans les fourrés…

— Le mot le dit, doc !

Obligé de rire avec tout le monde, le docteur se rassied sans terminer son exposé. Comme on ne sait pas trop où il va se ramasser, Prospère insiste :

— Envoye, doc. Fais pas le fou, continue, ça s'en venait intéressant, là.

— Vous êtes incorrigibles. Pires que des enfants.

— C'est pas de ça qu'y était question ?

— Exactement ! Il s'en fait moins sur les rives de notre beau lac qu'il y a de malheureux qui s'y noient. Je vous signale que nous déplorons jusqu'à maintenant quinze noyades dans notre lac. Ce qui pose manifestement le problème de la sécurité. Vous ne prétendrez tout de même pas qu'il n'est pas plus sécuritaire de se baigner dans une piscine de quatre pieds de profondeur que dans un lac où il y a des fosses de cinquante pieds. Donnez-moi au moins raison sur ce point.

— Mettons, mais la morale, elle, qu'est-ce que vous en faites ?

— Mais la morale… la morale, ce n'est pas de notre ressort.

— Pardon ! Pardon, là ! C'est la responsabilité de tout le monde, pis du conseil encore ben plus.

— Vos scrupules vous honorent, Désirée, mais ils montrent également votre étroitesse d'esprit.

— Ah oui ?

— Exactement. Vous pensez bien qu'avant de m'aventurer dans un domaine aussi délicat, j'en ai bien pesé le pour et le contre.

— Ah oui ?

— J'en ai même parlé au curé.

— Oui, pis ?

— Il m'a donné son aval.

— Ça me surprend pas, pis malgré tout le respect que j'i dois, monsieur Beaubien, c'est pas une référence. I laisse toute passer.

— Non, madame. Entre deux maux, il choisit le moindre, parce qu'il est convaincu, tout autant que moi, que la morale va être mieux servie avec une piscine publique qu'avec l'île du cul.

— Vous pouvez ben rire, gang d'innocents. Que vos filles virent en putains, pis qu'is aillent débouler à la Miséricorde, ç'a pas l'air de vous déranger pantoute. Gang d'imbéciles heureux.

— Raisonne donc avec ta tête, Désirée ! Tu sais toujours ben que pour empêcher le mettage, faudrait châtrer tout ce qu'y a de mâles dans la place.

— Ça s'rait pas une mauvaise idée pantoute.

— En attendant, qu'est-ce qu'on fait ?

— On bâtit la piscine, pis on en parle pus.

— Menute, Prospère, menute ! As-tu pensé aux p'tits vieux, aux rentiers ?

— Ceuzes qui veulent pas se laver, on les crisse dans la piscine tous les samedis matin à 8 heures, pis après on nettoye à grandes eaux.

Encore une fois, la salle s'ébroue. Encore une fois, le maire actionne le maillet pour ramener l'ordre. Quand enfin il y arrive, il demande à Désirée :

— Je ne vois pas très bien où vous voulez en venir. Qu'est-ce que des vieillards viennent faire dans votre argumentation ?

— J'vas vous fére un dessin, docteur.

— Ça me semble nécessaire.

— J'parlais des p'tits vieux parce que, votre piscine, ça va être une occasion prochaine de pécher, voyons !

— Expliquez-moi donc ça.

— J'les voés d'avance, les vieux maudits cochons. Mine de rien, au lieu d'aller au Local, ou ben à l'Accommodation pour reluquer ceux qui arrivent au Val, au lieu d'aller jouer aux dames chez René ou bedon chez Prospère, is vont se ramasser à la piscine, ben craire.

— Pour se baigner, j'en doute.

— Pas pour se baigner, docteur, pour se rincer l'œil !

— Ça f'ra toujours ça de lavé, Désirée, tu devrais pas t'en plaindre.

— Innocent heureux ! Comme si tu savais pas ce que j'veux dire.

— Ben non, j'peux pas voir. À première vue, là…

— À première vue, fais-toé pas passer pour plus innocent que t'es, c'est déjà assez pire de même.

— Où voulez-vous en venir, précisément ?

— Précisément ?

— Oui, précisément.

— Jouez-vous à l'innocent vous itou ?

— Plus on est de fous, plus on rit, non ?

— C'est ben ce que j'pensais. Toutes une gang de vicieux. Vous savez ben ce que j'veux dire mais vous voulez me le fére dire, hen ? C'est ben ça ?

— C'est en plein ça, Désirée. Ça fait que si t'as pas peur, envoye, crache.

Le maire précise :

— Si vous voulez que votre argumentation figure au livre des minutes et prouve votre désaccord, vous n'avez pas d'autre choix.

— Ce que j'veux dire, c'est que vous êtes ben assez cochons sans vous faire pomper par des p'tites maudites putains à moiquié tout nues. J'parlerai pas pour les autres, j'vas parler jusse pour moé.

— Dis-moé pas que Tancrède peut encore fére son devoir, Désirée.

— I peut le fére assez que quand Rose s'écrase pour laver mon plancher, faut que j'le sacre dehors.

— Dis-moé pas qu'i sauterait Rose.

— Ah si j'serais pas là, j'garantis rien. Ben attendu, Rose se laisserait pas fére, mais i asseillerait, le vieux snoro.

— Oua, c'est un pensez-y-ben.

— Tu l'as dit. Ça fait qu'avant de bâtir une piscine, faut y songer à deux fois.

— Si ça peut redonner une certaine verdeur à nos vieillards, je dirais plutôt que c'est un argument additionnel en faveur de la construction.

— Docteur, j'vous pensais plus sérieux que ça.

— Vous avez raison. Passons aux choses sérieuses. Chacun des conseillers a entendu les objections de madame Labbé, de même que les raisons que j'ai exposées, nous allons donc passer au vote. Ceux qui sont en faveur, s'il vous plaît ?

Quatre mains se lèvent, mais pas celle de Prospère.

— Et toi, Prospère ? demande le maire.

— Sais-tu, doc, Désirée m'a convaincu. J'voudrais pas être responsable des péchés contre le 6e pis le 9e commandements.

Un tel aveu venant de Prospère Rodrigue jeta la frénésie dans la salle. Tout le monde le savait chaud lapin, il ne s'en était d'ailleurs jamais caché. Tout le monde savait également que sa largeur de vue à propos des mœurs était extensible à l'infini. Même Désirée fut obligée de rire :

— Dis-moé pas, Prospère, que tu connais les commandements, toé ! Tu me surprends.

— Si tu savais tout ce que j'sais, Désirée, pis que ma femme sait pas, t'en tombrais sus le cul.

— J'voés ça, là.

— Adopté, cria le maire.

⊛

On parla longtemps de cette séance. Le public avait retrouvé la Désirée qu'il avait élue et qui l'avait un peu déçu jusque-là. Maintenant, on savait qu'elle n'arrêterait pas la course du maire, mais on savait qu'elle le combattrait sans broncher chaque fois qu'il voudrait plonger la main dans la poche des contribuables et plus encore quand il mettrait la morale publique en danger. Cela promettait des séances endiablées.

Informé des allusions que Désirée avait faites à propos de sa fringance matrimoniale et de l'interdiction qu'elle lui avait faite de contempler Rose à l'œuvre, Tancrède fulminait.

— Qu'est-ce que t'avais d'afféré à aller déballer nos afférés en public ? Penses-tu que c'est des afférés à tout le monde de savoir si je bande ou si je bande pas ?

— Tu devrais être fier de ça, au lieu de me bouder.

— J'serais fier si ça laissait pas à penser que faut que j'voye les cuisses à Rose pour arriver à féré mon devoir d'état.

— Parlons-en du devoir d'état. Faut pas avoir grand-chose à féré pour prendre le cul pour un devoir, pis d'état par-dessus le marché.

— Change pas le sujet, là. Tu m'as faite passer pour un vieux maudit cochon.

— C'est pas ça que t'es ?

— Ouo là ! Ça va féré ! Tu m'as faite passer pour un cochon pis pour un à moitié pas bon, par-dessus le marché.

— J'voés pas…

— Tu voés mauditement trop ben. Ça fait que si tu veux ouvrir la chambre à coucher en public, ouvra-la au moins comme y faut.

— J'voés pas pantoute…

— Dis donc au conseil que Rose ou pas dans les parages, j'sus capable de féré un homme de moé tous les soirs. Pis tant qu'à y être, ajoute donc que j'ai pas besoin d'une piscine pleine de viande fraîche, non plus.

— Comme ça, tu iras pas à la piscine ?

— J'irai si j'veux, mais pas pour m'aider à bander.

— Dans ce cas-là, tu vas y aller pour te laver. Dis-moé pas ! T'arais dû me dire ça avant, j'arais voté pour.

Insulté, Tancrède claqua la porte et ne rentra qu'après le chapelet. Décidément, le pouvoir était en train de corrompre toute la maison.

On construisit la piscine, on la ceintura d'une clôture, on l'enjoliva d'arbustes et de jeunes arbres qui jetteront un jour une ombre complice sur les eaux troubles du bain public, on ajouta deux cabanons pour le déshabillage des utilisateurs, et monsieur le curé, flanqué du maire et de monsieur le député, agita son goupillon sur la mare artificielle en marmonnant une prière latine de circonstance. Quelques athlètes aux muscles bronzés y plongèrent tête première sous les applaudissements de la foule. Pas une fille n'osa dévoiler ses charmes devant le pouvoir ecclésiastique. Peut-être monsieur Beaubien le déplora-t-il, mais, beau joueur, il ne le signala pas dans son speech. Comme on s'y attendait, Désirée brillait par son absence. Elle n'allait pas endosser publiquement un lieu de débauche, pas plus qu'elle n'allait parapher une dépense aussi extravagante que malvenue. Riant in petto, elle attendait, souhaitait presque la première noyade pour clamer qu'une idée de fou, bénite ou pas par un curé qui a perdu la poigne séante à son état, reste une idée de fou qu'elle a eu raison de combattre. Après l'engouement des nouveautés, les baigneurs se désintéressèrent cependant peu à peu de la piscine et retournèrent aux eaux moins pures du lac.

Désirée resta perplexe sur l'attitude à adopter. Elle aurait eu envie de crier : « Je l'avais ben dit », mais alors, elle aurait envoyé de l'eau au moulin du curé qui avait voulu encadrer les baigneurs pour les éloigner des occasions de pécher. Le fait qu'ils retournaient majoritairement au lac semblait lui donner raison. Si donc, Désirée tonnait sur l'inutilité de la piscine et se réjouissait de la preuve que les événements lui fournissaient, on interpréterait son triomphe comme une sanction du péché. Les gens sont si méchants… qu'ils n'hésiteront pas à affirmer que Désirée préfère la baignade à deux, et sans surveillance par-dessus le marché, à la piscine. Et cela, dans le seul but d'avoir raison. Oui, l'esclandre qu'elle avait fait au conseil en s'appuyant surtout sur la morale se révélait un argument plutôt fragile. Se taire signifierait son contentement de voir la piscine désertée, mais du même coup, sa préférence des culbutages dans les buissons qui bordent les anses où les baigneurs s'ébaubissent. Sans parler de l'île de la Demoiselle. Les géographes peuvent bien la dénominer ainsi, tout le monde, incluant le curé, savent très bien la toponymie que le village entier lui a donnée. Par ailleurs, Désirée ne pouvait quand même pas fermer les yeux sur le vice. Si seulement elle n'avait pas été conseillère, elle aurait pu fustiger le maire et ses acolytes mais, en le faisant maintenant, elle leur donnerait raison et elle ne le voulait à aucun prix. On ne peut pas se prétendre le chien de garde d'une institution et donner raison à ses gestionnaires fautifs. Après y avoir mûrement réfléchi, elle décida d'attaquer l'autre point faible de la mesure. Ignorant à regret la moralité publique, qui en prenait manifestement pour son rhume, elle frappa là ou ça fait mal et tourna en ridicule une dépense de cinq mille dollars garrochés, c'était le cas de le dire, à l'eau. Chlorée, d'accord, mais à l'eau quand même. Désirée marquait là des points.

Le maire, déçu par la tournure des événements, avait cependant réfléchi lui aussi à la question et avait préparé sa parade. Aussi, quand la contestataire proclama :

— À l'avenir, quand j'dirai qu'une afféré a pas de maudit bon sens, vous m'écouterez tet ben.

Il répliqua :

— Oui, Désirée, je vous donnerai raison, mais certainement pas ce coup-ci.

— Qu'est-ce qu'y vous faut, s'étonna la vieille peau, cinq mille piasses chez le diable, ça vous suffit pas ?

— Ma chère Désirée, au rythme où vont les choses, dans dix ans au plus, la piscine sera pleine.

— Pleine de feuilles mortes, oui.

— Non, de baigneurs.

— Vous allez tet ben ouvrir une saison de chasse pour les tirer dans le lac ? Autrement, vous savez aussi ben que moé qu'is vont rester dans l'eau du péché.

Une dizaine de coups de maillet, vigoureux les coups, parce que monsieur le maire n'aime pas particulièrement faire rire de lui.

— Ça ne sera pas nécessaire, Désirée. Ils y viendront parce qu'ils n'auront pas d'autre choix. Vous voulez savoir pourquoi ?

— Oui, pis j'sus pas tout seule.

— Parce que le lac sera à ce point pollué que seuls les rats musqués oseront s'y baigner.

— C'est un fait que, musqués ou pas, les rats aiment patauger dans la marde, commente Prospère.

— Exactement.

— C'est ben beau tout ça, enchaîne la contestataire, mais j'ai jamais vu un rat musqué dans le lac, à part qu'à la gappe.

— Soyez sans crainte, nos usines s'occupent de ce problème. C'est dommage, mais c'est le cas.

— Ça parle au baptême ! s'offusque Prospère. Es-tu en train de nous dire que va falloir sacrer nos moulins à terre parce que les bédaines pognent des boutons dans le lac ? Pardrais-tu les pédales, doc ?

— Pas du tout, mon cher ami. Nos moulins sont là pour rester.

— C'est mieux, parce que si tu me forces à mouver, m'as mouver assez loin pour pus voir le lac en aéroplane.

— Tu me fais encore dire ce que je n'ai pas dit.

— Ben explique-toé, bonyeu !

— Je dis simplement que les vents dominants poussent les déchets des moulins dans le lac. Sans compter ceux qui poussent le bran de scie à l'eau à pleins bulldozers.

René Marchand se dérhume. Parce qu'il y a de quoi...

— Donc, reprend le maire, avant longtemps, le lac sera impraticable pour la baignade et les baigneurs reviendront à la piscine. C.Q.F.D.

— Ça veut dire quoi, votre c'est cul f d ?

— Ça veut dire : ce qu'il fallait démontrer, traduit fièrement Prospère.

— Ça démontre rien en toute.

— Plaît-il ? demande le docteur.

— Ça démontre rien pour astheure, en tout cas. C'est ça que j'voulais dire. Ça va prendre comment de temps, votre prédiction, quinze, vingt, trente ans ? Quand ça va être mûr, votre affére, la piscine va l'être avec.

— Seul l'avenir peut répondre à cette question. En attendant, je persiste et signe : la piscine était la chose à faire et les événements vont me donner raison, que ça vous plaise ou non.

— J'vous donnerais raison, docteur, si vous ariez attendu que le lac soye plein de marde avant de garrocher notre argent à l'eau. Pas avant.

— Faites-en un argument pour vous présenter à la mairie, Désirée, mais en attendant, SACREZ-MOI PATIENCE ! S'il vous plaît.

— Montez-vous pas, monsieur le maire ! Si on peut pus parler, on est aussi ben de fére siéger les chaises à notre place.

— Y a pas de faute, docteur.

— C'est drôle, hen, Désirée, mais Tancrède va être obligé d'aller se rincer l'œil au lac.

— Pourquoi ça ?

— Ben, parce que y a pus de jeunes poulettes à la piscine, c't'affére.

— J'ai rien contre ça.

— Pis la morale, qu'est-ce que t'en fais ? Tu nous a écœurés une séance de temps avec ça. T'en parles pus ?

— J'vas te surprendre, Prospère, j'vas te donner raison.

— Dis-moé pas !

— Y a rien que les fous qui se trompent pas.

— Pis tu veux pas passer pour une folle, hen ?

— Justement !

— Moé, en tout cas, j'sais pas pour les autres, mais mon idée est faite là-dessus…

— On la connaît ton idée : y a rien que t'aimes mieux qu'un bon p'tit scandale.

— Pas quand la morale est en jeu, Désirée.

— La morale, tu sais même pas ce que ça veut dire.

— Vous voilà encore partis à gauche et à droite. On pourrait savoir où vous voulez en venir ?

— Désirée ou ben moé ?

— Toi, je sais très bien où tu vas…

— Envoye, Désirée ! Tu voés ben que c'est toé qui es au batte.

— Ce que j'voulais dire avant que tu viennes encore fourrer ton grand nez dans mes afféres, c'est que le maire pis monsieur le curé avaient raison. La piscine, c'est mieux que le lac pour la morale.

— Je ne vous le fais pas dire.

— Ah docteur, j'sus capable de reconnaître mes torts. J'pourrais pas en dire autant de tout le monde qui est icitte.

— Expliquez-nous donc ça.

— Ça crève les yeux, docteur. Y a pus de morale au Val.

— Tiens donc !

— Ben oui. Si le monde se respecterait un peu, les péres de famille ramèneraient leurs enfants à coups de pied dans le cul à la piscine. Mais non, is les laissent se pognasser dans le lac. C'est *cul f d*, Prospère.

— Désirée, j'te donne raison, t'es une championne. Tout le monde est corrompu au Val. Le curé, le député, le maire, les péres de famille, les méres de famille, les enfants, les Sœurs du Clergé, les Pères du Saint-Esprit, tout le monde, excepté Désirée Labbé, ben attendu.

— J'ai pas dit ça.

— Mettons que j'ai arrondi, un peu…

Laissant la salle se dilater la rate et ne s'en privant pas lui-même, le maire donna en partie raison à Désirée. Il lui concéda que si tout un chacun y mettait du sien, la piscine municipale serait trop petite, mais qu'alors elle serait bien forcée d'admettre que la piscine était souhaitable et que le conseil avait posé le bon geste. Par ailleurs, on avait sans doute sous-estimé la puissance du Malin qui avait vite ramené ses victimes dans les eaux troubles où il se complaît. On aurait dû mieux évaluer l'attrait du vice et attendre que la pollution prenne le dessus sur l'impureté avant d'investir à fonds perdus dans une infrastructure un peu inutile. Cependant, compte tenu de l'inflation : matériaux, machinerie, salaires, qui aurait doublé le coût de la construction au moment où la piscine serait devenue indispensable, un capital qui semble aujourd'hui improductif deviendra dans dix ans le meilleur placement que la municipalité ait jamais fait. Pour clore le débat, le maire signale que s'il y a un coupable, car il faut bien qu'il y en ait un, c'est la pollution. Alors, de deux choses l'une, on démolit les usines de sciage, mais alors, Désirée l'a prouvé, le village manque à ce point de moralité qu'il ne l'acceptera jamais, ou on laisse nos usines faire du lac un cloaque tel que, malgré l'attrait de la promiscuité et des attouchements plus ou moins accidentels, les baigneurs réintègrent la pudique piscine que des édiles éclairés ont érigée dans le but précis de sauvegarder la morale d'une paroisse en grand danger de perdition.

— C.Q.F.D., Désirée.

Insultée, la conseillère numéro 5 quitta la salle sous les risées de ses concitoyens. Assénant des claques à lui faire plier les genoux, Prospère regardait le maire les yeux humides d'une admiration sans bornes :

— Doc, t'as été parfait. Parfait, j'te dis.

— J'espère seulement que je n'entendrai plus parler de cette maudite piscine avant dix ans.

— Au fond, doc, c'est Désirée qui avait raison. On arait dû attendre.

— Je le sais, merde ! C'est bien pour ça que je suis fatigué qu'elle tourne le fer dans la plaie.

— A va se calmer, astheure.

— Oui. Mais elle va m'en vouloir à mort.

— Bof… ça va i passer.

— Espérons !

Chapitre 14

« Les prêtres dont la fibre paternelle est vouée
à ne jamais vibrer que pour les enfants des autres. »

Michel de Saint Pierre

L e temps était venu pour le curé Beaubien de prendre
sa retraite. Depuis quelques années, sa santé décli-
nait et il arrivait de plus en plus difficilement à soutenir
le rythme. À 80 ans bientôt, la situation ne risquait pas
de s'améliorer. Voilà pourquoi il choisit de déposer les
armes avant de devenir un sujet de gêne pour ses ouailles.
Il avait vu trop de curés s'accrocher jusqu'à l'extrême limite de la décence pour finir comme eux : titubant autour de l'autel, perdant le fil de leurs sermons, oubliant le
nom de ceux qu'ils ont baptisés, forçant les pénitents à
crier leurs péchés au confessionnal, bavant sur leur col romain. Le refuge de ces croulants est dans la prière, pas
dans un presbytère.

L'idée lui trottait depuis un bon moment dans la tête
quand il s'endormit durant le sermon qu'il avait demandé
au vicaire. Il lui donnait quelques fois par année l'occasion d'affronter le public, de maîtriser le trac, de faire ses
classes, quoi. Le pauvre vicaire, parfait ailleurs, devait trimer dur pour maîtriser l'éloquence sacrée, mais son effort n'était pas à ce point soporifique que son curé dût y
succomber. Or cela se produisit. Confus, monsieur Beaubien rougit de honte en se demandant s'il n'avait pas

poussé l'impudence jusqu'à ronfler. Le sourire épanoui des enfants de chœur le laissant entendre, il choisit le prône du dimanche suivant pour annoncer son départ. « Nunc dimittis servum Tuum, Domine. » « Eh oui, mes chers frères, le temps est venu pour moi de partir. »

— Non ! ne put s'empêcher de s'écrier Désirée.

— Eh oui, ma chère Désirée, vous devrez désormais discuter de théologie, de morale, de politique, avec un autre curé. Comme le vieillard Siméon, je me retire après avoir vu mon rêve se réaliser. Je n'irai pas très loin d'ailleurs, puisque mes chères Sœurs du Clergé m'attendent dans leur hospice où je continuerai de prier pour vous et de suivre les progrès de notre belle paroisse avec le plus grand intérêt.

Puis, dans un discours empreint de simplicité quoique teinté d'un peu de nostalgie, il remonta le fil du temps pour raconter sa vie au Val. C'était en même temps dresser la monographie de la paroisse parce qu'il avait été Valois avec une passion allant jusqu'au chauvinisme, parce qu'il avait présidé à toutes les étapes de la paroisse quand il ne les avait pas provoquées lui-même. Les succès de ses paroissiens, académiques, sportifs, financiers, l'illuminaient de fierté. Leurs déboires, leurs échecs, leurs malheurs lui jetaient le froid au cœur. Leurs intérêts étaient les siens et il les avait défendus avec une opiniâtreté exemplaire. L'harmonie de leurs rapports était un but qu'il avait poursuivi toute sa vie. Leurs besoins, il les avait fait siens. Leurs richesses, il les avait couvées avec la passion qu'une mère nourrit pour ses enfants. Leur santé morale, il l'avait mise au premier rang de ses préoccupations dans la conviction qu'une âme, en paix avec elle-même et son semblable, fait s'épanouir la joie de vivre dans une communauté. Il avait scrupuleusement gardé sa place et n'était intervenu dans les affaires temporelles que lorsqu'on avait sollicité son avis avec la dernière insistance. Jour et nuit, pendant cinquante ans, il avait été à l'entière disposition de tous, malades, inquiets, désespérés, hésitants, chercheurs d'idéal, fatigués de ne pas y parvenir, découragés de la dureté de la vie, déçus de la légèreté des serments imprudents. Et la plus délicate de ses vertus : la reconnaissance pour le don impayable de la vie qui lui avait toujours fait renier un Dieu vengeur, revanchard, inhumain ; la joie de vivre qui lui avait toujours fait voir un saint triste comme un triste saint.

Parti de chez lui à treize ans, absent de la maison dix mois par année jusqu'au grand séminaire, puis visiteur occasionnel connaissant à peine ses frères et sœurs, il avait quitté pour toujours son village natal où les dernières attaches s'étaient rompues à la mort de ses parents. À partir de ce moment, sa seule famille avait été le Val. Sevré de la joie de la paternité, il avait été le père de centaines d'enfants qu'il avait vu naître et vieillir et dont il avait suivi la trace avec une discrétion bienveillante. Avec la même délicatesse, il prenait aujourd'hui une certaine distance et, pour la première fois, on voyait le bon monsieur Beaubien trop ému pour terminer son homélie. Dans le vieux soubassement, l'émotion courait tout autant dans les rangées de fidèles. Une époque était révolue et tous savaient que cette race de curés, voués aux leurs avec un abandon sans calcul, avait été un cadeau du ciel qui serait désormais distribué avec plus de parcimonie. Tous se sentaient un peu orphelins et Prospère, à qui Aurélie annonça la nouvelle, regretta pour la première fois de sa vie de ne pas avoir assisté à la messe.

Ⓥ

Il dîna en silence et monta au presbytère. Il voulait serrer la main d'un homme qui ne lui avait laissé aucun autre choix que de le respecter et de l'aimer.

— Aurélie m'a appris la nouvelle.

— Si tu l'avais accompagnée à la messe, tu te serais évité le déplacement.

— Pour l'amour du saint bonyeu, monsieur Beaubien, j'ai pas envie de fére des farces.

— Comme ça, tu vas me regretter un peu ?

— Arrêtez donc de dire des bêtises, si vous plaît.

— Alors, cesse de tourner autour du pot et dis-le.

— Oui, j'vas vous regretter. Pis en crisse à part de ça !

— Encore un défaut dont je n'aurai pas réussi à te débarrasser.

— Attendez d'être mort pour fére des miracles.

— Disons que c'est ta façon, une façon un peu particulière, de louanger Dieu.

— Vous avez ben manque raison, je sacre, comme ça, mais le bon Dieu, je l'ahis pas.

— Ça serait bien le bout ! Avec toutes les faveurs qu'Il t'a accordées.

— J'le remarcie à tous les jours que le bon Dieu amène.

— Ah oui ! Tu me surprends.

— Monsieur le curé, c'est pas nécessaire de se laver les dents dans le bénitier tous les matins pour aimer le bon Dieu.

— Tu as parfaitement raison, encore que témoigner de sa foi en public… mais tu es un peu claustrophobe, n'est-ce pas ?

— Pour vous répondre, faudrait que je save ce que ça veut dire.

— Ça veut dire que tu étouffes un peu quand il y a foule.

— C'est en plein ça, j'manque d'air.

— Sais-tu, Prospère, je te crois rien qu'à moitié.

— Moé aussi.

— Oui, ton évanouissement durant la grand-messe… Ça remonte à quand, donc ?

— En 35.

— Oui. Cela t'a bien servi, n'est-ce pas ?

— Qu'est-ce que vous voulez dire ?

— Que cela t'a donné un fameux bon prétexte pour ne plus remettre les pieds à l'église.

— J'fais mes Pâques !

— Pourquoi ?

— Parce que j'veux pas être enterré dans le clos des enfants morts sans baptême, c't'affére ! Vous voyez pas Aurélie obligée de m'acheter un épitaphe de cinq cents piasses pour moé tout seul.

— J'ai vu des motifs plus valables de faire sa religion.

— Vous savez, moé, la religion…

— Je sais. C'est pas ton fort. Au fond, tu serais plus à l'aise chez les Méthodistes.

— Ça s'peut, mais j'voés pas pourquoi.

— Parce qu'ils ne s'encombrent pas du rituel qu'affectionne l'Église catholique. Ils préfèrent faire directement affaire avec Dieu, sans cérémonie.

— I's sont pas bêtes pantoute.

— Je veux bien, mais tu es catholique. Cela implique certaines obligations, comme aller à la messe le dimanche.

— C'est pas ceuzes qui crient *Seigneur, seigneur* qui vont entrer au Royaume des cieux.

— Elle fait ton affaire, cette citation, hein ?

— Ça s'peut. Mais pour revenir à ça, votre décision, c'est final ?

— J'ai bien peur que oui. Tu sais, je me fais vieux.

— Vieux ! Vieux ! Vous jouez toujours pas encore dans votre pisse.

— Justement ! Et avant d'en arriver là, il est préférable de prendre congé. Je ne voudrais pas laisser le souvenir d'un vieillard qui retombe en enfance.

— Me semble qu'avec un autre vicaire…

— Non, Prospère, non ! La multiplication des vicaires n'a jamais rajeuni un vieux cheval blanchi sous le harnais.

— C'est triste pareil, monsieur le curé. Pis ça fait réfléchir itou. Pour la première fois, j'me sens vieux.

— Et moi donc !

— Me semble que c'était hier quand on a commencé notre règne, pis v'là ça que vous sacrez le camp.

— Toute bonne chose doit avoir une fin, Prospère. Tu ne voudrais tout de même pas que je me tue à la tâche.

— Non, c'est pas ça…

— Qu'est-ce que c'est d'abord ?

— C'est difficile à dire. C'est ben sûr que vous avez assez travaillé pour vous reposer, mais j'arais aimé que vous restiez jeune encore dix ans.

— Moi aussi, Prospère, moi aussi. C'est ça le plus dur, tu vois : avoir la tête pleine de projets et devoir admettre qu'on ne pourra jamais les réaliser, qu'il faut céder la place à un autre. C'est comme si on demandait à un père de cesser de l'être sous prétexte que ses enfants sont majeurs.

— Parlant de ça, j'me demande quelle sorte de cow-boy l'évêque va nous envoyer à votre place.

— Je l'ignore.

— Y a rien qu'un affére qui est sûre, ça sera pas un autre monsieur Beaubien.

— Tu vas me faire rougir, Prospère.

— Parlant de rouge, ça aura été votre seul défaut.

— Tu crois ?

— Baptême ! J'en sus çartain. J'me demande, un homme intelligent comme vous, pourquoi vous avez jamais voté pour Duplessis.

— Ta question laisse entendre que tu me prends pour un imbécile.

— Non, seulement que vous êtes pas tout à fait parfait.

— Si tu veux me promettre de garder ça pour toi, strictement pour toi, je vais te faire un aveu.

— Vous savez ben que vous pouvez vous fier à moé.

— Eh bien, mon cher, j'ai voté pour Duplessis à la dernière élection.

— Non !

— Oui. Et pire encore, je ne m'en suis pas confessé.

— Ah ben baptême ! Me semblait ben aussi que vous étiez un homme intelligent.

— N'en parle pas, je pourrais passer pour un imbécile. Et tu comprends, je tiens à ce que mes paroissiens croient que j'ai encore tous mes esprits.

Plusieurs concitoyens avaient eu la même idée que Prospère et s'amenaient dire un bonjour un peu spécial au vieux curé qu'ils avaient cru immortel et dont la démission leur faisait mesurer la fragilité de la vie. Le docteur Legendre arriva le premier et, la voix un peu chevrotante, exprima le regret de voir partir un ami très cher.

— Pour une fois, docteur, laissez-moi jouer au médecin. Vous avez besoin d'un bon cognac.

— Puisque vous êtes la cause de mon malaise, je veux bien.

— Et toi, Prospère ?

— Ah moé, pour un bon p'tit boére, j'sus toujours partant.

Le curé s'excusa et revint de la cuisine avec des verres ballons dans lesquels il versa une généreuse lampée de fine Napoléon. Santé ! Prospère fit cul sec pendant que ses amis humaient encore le fumet du blond élixir. Se dérhumant un peu, il s'exclama :

— Oua, i signale son passage.

— Un autre ? demanda le curé.

— Non, monsieur Beaubien, un autre de même, pis j'vas venir sensible comme une p'tite fille.

— De grâce, supplia le docteur, épargne-nous les larmes. T'es déjà pas si beau au naturel…

— Docteur ! Vous n'êtes pas charitable !

— Laissez-lé s'amuser, monsieur le curé, i est jaloux.

— Et pourquoi je serais jaloux de toi ?

— Parce que tu pognes pas la moitié autant que moé avec les femmes.

— Tu veux plutôt dire que je les poigne pas la moitié autant que toi.

— Monsieur le curé, i est pas bête, c't'enfant-là. Si on avait pu i payer des études, i arait pu ben tourner, vous savez.

— Vos chicanes vont me manquer.

— On ira se pogner à l'hospice, monsieur Beaubien.

Comme il arrive parfois dans un groupe restreint, le silence s'installa un moment et se prolongea un peu, comme si, tout naturellement, les trois amis étaient attirés par une pensée commune. Exhalant un profond soupir, le curé reprit la conversation.

— Quel chemin parcouru tout de même! Si les pionniers revenaient, ils ne reconnaîtraient jamais la bourgade qu'ils ont fondée.

Et le vieux prêtre se mit à raconter les débuts. Il était là depuis 1905, alors qu'il n'y avait pas d'église, pas de couvent, pas d'académie, pas de salle municipale, pas d'aqueduc, pas d'hospice, pas d'oratoire, pas d'électricité, pas d'asphalte, pas de terrain de jeux, pas de Sœurs du Clergé, pas de Sœurs du Saint-Rosaire, pas de noviciat des Spiritains, pas de médecin, pas de notaire, pas d'usine Price, pas d'usine Fenderson. Un petit village sortant difficilement de l'enfance et se cherchant un avenir. Des rues poussiéreuses en été, bourbeuses en automne et ensevelies sous la neige en hiver. À partir de la Toussaint et jusqu'à Pâques, des maisons sans hommes, des femmes écrasées sous la marmaille et les responsabilités. La forêt toute proche, trouée ici et là de quelques abattis. Deux ou trois usines de sciage, petites, brinquebalantes et n'employant qu'une poignée de travailleurs. Des écoles de fortune avec des enseignants de fortune. Des hivers interminables avec leurs blizzards qui enterraient les petites maisons, comme pour souligner, si possible, l'isolement, la solitude, la misère des premiers arrivants. Une seule note de modernisme, un seul signe prouvant qu'on était au vingtième plutôt qu'au dix-huitième : le train. Les Acadiens qui se battaient dans la forêt, et qu'on voyait le dimanche seulement, isolés le reste du temps dans leurs particularismes, leur esprit de clan, leur accent.

— C'était quand même le bon temps. J'étais jeune.

— Très peu pour moi, curé. Je me trouve bien assez arriéré comme ça.

— Si vous aviez connu les débuts, docteur… Vous arriveriez à peine à mesurer le chemin parcouru.

— Je veux bien, mais je n'ai jamais été un adepte de la lampe à l'huile. J'ai assez fait d'accouchements au fanal pour m'écœurer à jamais du bon vieux temps.

— On a faite du chemin, conclut Prospère, mais y en reste encore à fére. Pis là, ç'a ben l'air que le bon Dieu va nous envoyer un autre foreman pour runner ses affaires…

— Avez-vous idée qui ça pourrait être ?

— Pas la moindre, docteur.

— Un père du Saint-Esprit, peut-être ?

— C'est une possibilité, mais j'en doute.

— Pourquoi donc ?

— Parce que monseigneur est très séculier. Ça me surprendrait qu'il laisse une communauté étrangère s'implanter dans la gestion de ses paroisses. Et puis, les prêtres ne manquent pas. Nous ordonnons une quinzaine de séminaristes chaque année. Enfin, nous verrons bien.

On sonnait à la porte. C'était René Marchand. Puis Tancrède avec Désirée. Puis tout le village. Comme si la population avait eu une pensée commune : aller dire un petit bonjour à son vieux pasteur, lui témoigner par une démarche spontanée combien on avait apprécié ses services, combien on le regrettait. Sur le chemin du retour, Prospère suggéra au maire qu'il fallait faire quelque chose. Une visite de politesse, c'était bien, mais une municipalité qui se respecte ne peut pas laisser partir celui qui, en quelque sorte, a été son père, sans lui faire des adieux dignes de ses mérites et de l'appréciation que sa famille lui porte.

— J'y pensais justement, déclara le maire. Nous allons attendre que le notaire revienne de Québec et nous allons en reparler.

La session achevait justement et le député aborda dans le même sens que ses amis. Il fallait souligner le départ de monsieur Beaubien et le bien faire. Le Val avait eu un curé fondateur exceptionnel, il convenait de le souligner de façon adéquate. On créa un comité organisateur, on mit les organismes paroissiaux à l'œuvre, on répartit les responsabilités, bref, à peu près tout le monde fut mis à contribution. Il en résulta une fête grandiose, couronnée par la remise d'une bourse de dix mille dollars. Il avait manqué quelques centaines de dollars que Prospère avait versés «pour faire un chiffre rond» et, puisque monsieur Beaubien laissait la sienne au presbytère, on lui donna une grande horloge grand-père pour ses appartements de l'hospice. Ainsi, jusqu'à sa mort, il pourrait entendre la voix de ses anciens paroissiens lui dire, à chaque heure, un petit bonjour d'amitié. Le tout avait commencé par une messe solennelle présidée par monseigneur l'archevêque qui avait donné le sermon pour vanter les accomplissements du curé partant et annoncer qu'il serait remplacé par un père spiritain. Un banquet de trois cents couverts avait clôturé les festivités. Comme il fallait s'y attendre, monsieur le député, qui n'était toujours pas ministre, y alla d'un discours fleuri à souhait et lardé de citations latines qui échappèrent hélas à la plupart. Monsieur le maire se leva à son tour pour raconter à la bonne franquette la longue amitié qui l'avait lié à son curé depuis son arrivée au Val. Trente années au service des mêmes gens, soignant leurs bobos physiques, veillant à la santé de leurs âmes. Trente années de camaraderie, presque de connivences. Trente années sans heurt parce que monsieur Beaubien n'avait jamais empiété sur le terrain du maire et que celui-ci n'avait jamais mêlé la politique municipale à la religion, même quand la ligne les séparant était à ce point ténue que la frontière aurait facilement pu être violée. Quelques frictions étaient bien survenues : après tout, le maire n'est pas, comme son ami, un saint en attente de canonisation. Toujours à propos du même sujet : monsieur le curé a toujours cru, c'est son droit, c'est même son devoir, que les derniers sacrements réconfortent un agonisant. Or, le médecin a toujours prétendu que le curé réussit à ce point son opération que les malades se laissent aller, alors que s'il ne les préparait pas si bien, ils vivraient quelques années de plus. C'est de la concurrence déloyale et tout autre qu'un ami très cher en paierait le prix. Après tout, les honoraires d'un médecin sont son gagne-pain et il a bien assez de se défendre contre l'ignorance, les potions de grand-mère, les charlatans et les rebouteux, sans voir un curé trop dévoué lui expédier ses patients au ciel avant l'heure.

— J'espère, cher curé, que votre remplaçant, mais je devrais dire votre successeur, parce que personne ne vous remplacera dans le cœur des gens du Val, j'espère, dis-je, que votre successeur me laissera faire mon travail et qu'il attendra mon signal avant d'asperger et de huiler mes mourants, parce que s'il est aussi doué que vous à sauver des âmes, je n'aurai bientôt plus d'autre choix que de prendre ma retraite à mon tour.

Un discours plus applaudi encore que celui du député dont c'est pourtant le métier. Madame docteur s'en gourme au point que madame notaire aurait envie de lui dire que ce n'est pas la faute de son mari si on compte sur les doigts d'une main ceux qui ont compris le discours du député qui, faut-il le souligner, ne parlait pas pour être entendu des péquenauds, mais de son ami le curé qui, lui, parce qu'il a toutes les lettres voulues, aura compris et apprécié la finesse des propos du notaire.

Le tour d'un orateur absolument improbable était venu. À la stupéfaction générale, Prospère se leva, se dérhuma vigoureusement et déclara :

— Monsieur le curé, c'est la première fois de ma vie que j'fais un discours, pis j'peux vous garantir que c'est la dernière. Ça prenait vous, pis parsonne d'autre, pour que j'fasse un fou de moé-même. Arait fallu que j'me soûle, mais Aurélie m'arait estropié. Ça fait que me v'là icitte, devant toute la paroisse, à shéquer dans mes culottes comme un p'tit gars qui sait pas sa leçon pis que l'inspecteur d'école en parsonne questionne. J'peux ben vous le dire, j'ai jamais eu la chiasse de même de toute ma vie. J'aimerais mieux marcher douze heures à la raquette dans la neige molle, ou bedon sciotter quatre cordes de pitoune par jour que de prendre la parole après des gars instruits comme le notaire pis le docteur, mais le fallait. Ah, j'ai ben manque engueulé des gars qui étaient pas francs dans le collier pis qui faisaient mal leur ouvrage. De loin, des fois, un étranger arait pu prendre ça pour un sarmon par rapport que toute la sacristie y passait, mais un vrai speech, c'est un autre paire de manches. Mais comme je vous l'ai dit, fallait. Fallait que j'vous dise tout le bien que j'pense de vous. Ça prenait un homme comme vous pour m'endurer. Vous allez dire qu'Aurélie m'endure elle itou, mais a l'a des compensations, elle, tandis que vous… Vous avez essayé de fére du monde avec moé toute votre vie, pis gratis à part de ça. On n'a pas toujours été d'équerre, mais on s'est toujours respectés, parce qu'on peut pas fére autrement que vous respecter. Vous m'avez faite fére des afféres que j'arais jamais faites pour parsonne d'autre. Parce que j'vous respectais. Vous m'avez même faite r'prendre les gars qui avaient voté contre moé en 39. Je l'arais pas faite, même si Godbout en parsonne me l'avait demandé. Parce que vous, j'vous respectais. Oui, même en politique j'vous ai respecté, pis le bon Dieu seul sait comment j'ai de la misère à accepter qu'un homme intelligent vote rouge. Mais vous, pis mon ami le docteur, vous m'avez faite poser des questions. Assez pour que j'me demande, des fois, si c'était pas moé qui étais un innocent.

— Tu en doutes encore ?

— Non, doc ! Y a rien que deux trois afféres que j'sus çartain : y a un bon Dieu dans le ciel ; le plus beau cadeau qu'un homme peut avoir, c'est une femme qui l'aime pis des amis qui le respectent ; on va toutes mourir un jour, riches ou pauvres, innocents ou génies ; pis Maurice Duplessis est le meilleur Premier ministre qu'on a jamais eu. Le reste, ça peut se discuter, mais pas ça. Pour revenir à monsieur Beaubien, j'voudrais dire que si toutes les paroisses avaient la chance d'avoir un curé comme le nôtre, les afféres iraient pas mal mieux dans le monde. C'est ça que fallait que j'vous dise, pis je vous l'ai dit parce que j'le pense. Reposez-vous, astheure, vous l'avez ben mérité.

Puis, levant son verre, il s'exclama :

— Santé, baptême ! Oh pardon, monsieur le curé, ç'a m'a encore échappé.

Confus, légèrement confus, Prospère se rassit sous les applaudissements mêlés aux rires que son juron avait provoqués. Riant autant que les autres, monsieur Beaubien se leva à son tour pour remercier une dernière fois les gens qui lui avaient tant fait aimer le village dont il avait fait sa patrie et où il voulait prendre son ultime repos. Il les assura qu'il suivrait avec attention l'évolution de la paroisse et qu'il se tiendrait informé de tous et chacun. D'ailleurs, sa porte serait toujours grande ouverte à ceux qui viendraient le visiter. Quant à ceux qui se feraient plus discrets, il continuerait quand même de percer leurs secrets. Au besoin il demanderait à Désirée d'enquêter à son profit.

— Vous me rendrez bien ce petit service, n'est-ce pas ?

— Comptez sus moé, monsieur Beaubien, vous allez savoir c'qui se passe au Val.

— Pis même un peu plus, précisa Prospère.

Il remercia pour la bourse qu'on lui avait offerte et précisa que, n'ayant désormais besoin de rien, ou de si peu, il verserait cette somme dans la fondation qu'il entendait créer pour payer les études des enfants doués que leurs parents ne pouvaient malheureusement pas envoyer au collège et à l'université. Ayant toujours été frugal, ayant travaillé toute sa vie, il n'avait eu que les livres comme distraction. Il les laissait à la bibliothèque municipale. Et l'argent qu'il avait mis de côté depuis son arrivée au Val, il le verserait également à sa fondation. Ainsi, il retournerait un peu à sa famille valoise, les bienfaits dont elle l'avait comblé.

— On peut-tu vous donner un coup de main ? demanda Prospère.

— Je me ferai un point d'honneur d'accepter l'aide que mes paroissiens voudront bien me prêter pour assurer le succès de la belle œuvre que je veux laisser en héritage à mes enfants du Val. Et maintenant, mes chers amis, laissez-moi vous bénir du fond du cœur et appeler sur vous tous la mansuétude du Seigneur : *Benedicat vos omnipotens Dei, in nomine Patris, et Filii et Spiritui Sancti. Amen !*

Tous, même Désirée, furent d'accord pour dire que monsieur Beaubien avait bien parlé.

— I aurait faite un maudit bon député, proclama la vieille bigote, mais en faut des prêtres qui savent parler au monde. Pis si vous voyez ce que j'veux dire, ça court pas les rues. Oua, i va être dur à remplacer. Ben dur !

Le bilan était excellent. En fait, il n'y avait qu'un élément à inscrire au passif. Monsieur Beaubien l'avait d'ailleurs signalé au cours de son allocution. Son seul regret, c'était de ne pas avoir pu rebâtir l'église incendiée en 1932. La Crise avait sévi qui avait mis à mal les finances de la Fabrique. Même le modeste soubassement, on avait eu du mal à le payer. La guerre était ensuite venue qui interdisait toute dépense somptuaire. L'eût-on d'ailleurs voulu que la main-d'œuvre et les matériaux eussent manqué. La reprise économique s'était enfin amorcée quelques années après la fin du conflit. La Fabrique en avait profité pour faire des économies mais, au moment où les finances auraient permis d'amorcer le chantier, monsieur Beaubien s'était senti trop fatigué pour mener une pareille œuvre à bien. Il appartiendrait à son successeur de doter le Val d'une église à la hauteur de ses moyens et de ses espérances.

On avait évidemment demandé au vieux notaire Gendron de parler au banquet, mais il avait décliné l'invitation. Il était tellement fragile depuis la mort de sa Clémence qu'il avait eu peur de crouler sous l'émotion. Il ne se serait pas pardonné de jeter une ombre sur une fête où perçait bien une pointe de nostalgie, mais où la chaleur de l'amitié dominait tous les autres sentiments. Un peu las, monsieur Beaubien se retira un peu après dix heures, mais la fête continua deux heures encore. Quelques enthousiastes, croyant peut-être que se soûler en l'honneur d'un curé était une œuvre pie, retournèrent chez eux d'un pas plus ou moins assuré, en fait, moins assuré que plus. Et ces dames, considérant que la vertu est une affaire de tous les instants, de leur rappeler que, dans une circonstance aussi solennelle, elles étaient en droit de s'attendre à un comportement un peu plus digne. On a beau aimer un curé dépareillé, c'est pas en allant lui morver son admiration sur le col romain qu'on va l'en convaincre. « C'est le maudit vin, ma femme. J'arais jamais cru que c'était aussi traître. » Évidemment, le vin Saint-Georges, c'est traître. Surtout quand c'est gratis et que ça coule pour une bonne cause. En somme, un peu comme la bière des comités électoraux est ingurgitée par sens du devoir patriotique !

Le vieux notaire se retira tôt. La mort de son Héloïse, la retraite de son vieil ami étaient des coups trop durs. Cachant sa tristesse, il avait salué ceux que le civisme lui ordonnait de voir et avait filé à l'anglaise. Seul dans son salon vide, il avait écouté les disques qu'il partageait il n'y a pas si longtemps avec son ultime amour et avait médité jusque tard dans la nuit sur la fragilité des choses et des êtres. Qu'allait-il faire maintenant que son cher ami allait se réfugier chez les Sœurs ? Certes, il irait le voir de temps à autre, mais il ne se sentait plus la force de monter tous les jours la raide côte qui sépare l'hospice du village. Et l'hiver ce serait à toute fin pratique impossible. C'est alors que le vieil homme prit toute la mesure de sa solitude et pria pour que l'épreuve prît fin le plus vite possible. Tant que le curé était là, il avait tenu le coup. Chaque soir, il allait faire un bout de veillée au presbytère et la sérénité de son ami de toujours déteignait sur lui, lui faisait oublier un peu les deuils qui avaient parsemé sa vie et le laissait requinqué jusqu'au lendemain. Il lui arrivait même sur le chemin du retour de penser à l'avenir, de tisonner quelque vieux projet. Maintenant, il ne pourrait plus contempler le lendemain, il ne pourrait plus se tourner que vers le passé avec son cortège de rêves brisés, d'échecs, de disparus. Comme tout le monde, il avait pris le curé pour une institution intemporelle, toujours présente, toujours disponible. Maintenant, il réalisait que monsieur Beaubien était mortel, qu'il était vulnérable, qu'il avait, après cinquante années de labeur, le droit de se reposer un peu avant de s'endormir pour l'éternité. Il ne lui manquerait pas moins affreusement.

Le départ officiel ne devant se faire que quelques semaines plus tard, cela laissait au notaire le temps de se faire à l'idée de passer désormais ses soirées avec ses livres et ses disques. En attendant, fidèle à l'habitude qu'il avait prise après la mort de Clémence, il irait passer une heure ou deux avec son vieil ami, un rituel qui lui avait permis de ne pas sombrer dans la désespérance. Mais ayant broyé du noir toute sa vie (il y a de ces gens heureux qui amenuisent leur bonheur dans la peur de le perdre), le pauvre notaire se demandait s'il aurait jamais la force de surmonter cette dernière épreuve. Le curé, qui lisait en lui comme dans un livre ouvert, se rendit bien compte du désarroi du notaire et, après quelques soirées où celui-ci arrivait difficilement à dire trois ou quatre phrases, il lui demanda ce qui le rendait aussi taciturne.

— Comme si vous ne le saviez pas.

— Je m'en doute bien un peu, mais j'aimerais vous l'entendre dire.

— C'est votre départ qui me déprime.

— Mais, mon cher, je ne pars pas pour l'Afrique !

— Oh, vous savez, la Côte croche, ce n'est pas tellement mieux. Avec mon cœur…

— Nous y voilà ! Mais faites-le travailler un peu votre cœur. Je veux dire physiquement.

— Vous n'aviez pas besoin de préciser…

— Comme le disait Talleyrand, si cela va sans dire, cela ira encore mieux en le disant. Vous vous ménagez trop, notaire. Un peu d'exercice physique vous ferait le plus grand bien.

— Vous voulez donc me tuer. Un mille de marche et cette maudite côte pour finir. Non, c'est trop.

— Je vois.

— Moi, je vois que je vais bientôt être seul, complètement seul.

— Il y aurait peut-être un moyen.

— Acheter une voiture ? À mon âge, vous n'y pensez pas. D'ailleurs, je ne sais pas conduire. Et puis, l'hiver, à quoi me servirait une automobile ?

— Je ne pensais pas vraiment à un achat, mais plutôt à une vente.

— À une vente ?

— Mais oui, vendez votre maison, ou louez-la.

— Et où irais-je ?

— Mais à l'hospice ! Avec moi.

— Ce serait sans doute l'idéal, seulement…

— Seulement quoi ?

— Jamais on ne m'acceptera.

— Et pourquoi donc ?

— Parce que je suis trop en santé.

— Tiens donc ! On n'est plus à l'article de la mort ? On n'a plus de palpitations, plus d'étourdissements, plus d'angoisse ?

— C'est ça, riez de moi en plus.

— Bien, branchez-vous, mon cher, ou vous êtes en santé, et alors la Côte croche n'est plus l'Himalaya et vous venez me voir à l'hospice, beau temps mauvais temps, hiver comme été ; ou votre santé est défaillante et alors vous entrez à l'hospice. Vous avez le choix.

— Je veux dire, d'ailleurs vous le savez très bien, mais je le précise, je suis autonome, je fais ma popote, je tiens plus ou moins bien ma maison, en tout cas, je ne suis pas grabataire, alors les Sœurs vont me dire, et avec raison, qu'il y a des gens plus mal en point que moi.

— Notaire, c'est quand même moi qui ai fondé la communauté. Alors, si je demande à la mère de vous prendre à l'hospice, je ne crois pas qu'elle me le refuse.

— Mais ce ne serait pas juste pour ceux qui attendent.

— Si vous n'êtes pas assez en santé pour assumer ce péché, laissez-le-moi.

— Vous feriez cela ?

— Qu'est-ce qu'on ne ferait pas pour un ami ?

— Ah, mon cher, vous me redonnez goût à la vie.

— Que ça ne paraisse pas trop, notaire. Je veux bien arranger un peu votre dossier médical, mais il ne faudrait pas que votre fringance me fasse trop mentir.

— Je veux bien boiter, tousser, cracher, morver…

— N'exagérez pas dans l'autre sens, là. De la mesure, notaire, de la mesure. Et parlant de mesure, si on en prenait une de cognac ? Pour fêter la fin de votre vie de garçon.

— Avec le plus grand plaisir, mon cher. Je vends tout.

— Pas vos livres, notaire ! Je vais enfin avoir le temps de les lire. Si Dieu me prête vie, comme de raison.

— Il vous faudra seulement dix ans.

— Vous croyez que c'est possible ?

— C'est moi le pessimiste, curé. Et vous voyez où je suis rendu ?

— Dans ce cas, buvons à l'avenir.

— Oui. Comme disait Prospère : santé, baptême !

— Mon cher notaire et futur poteau de vieillesse : santé, baptême !

Chapitre 15

« Un homme politique ne doit pas devancer les circonstances.
C'est un tort que d'avoir raison trop tôt. »

Anatole France

Dès les festivités entourant le départ de monsieur Beaubien terminées, le notaire Bérubé se mit en campagne car Duplessis appelait le peuple aux urnes le 20 juin. Les paris étaient ouverts sur les chances du vieux Leader d'obtenir un neuvième mandat et de mener son parti à la victoire. Le cas échéant, le député de Trois-Rivières deviendrait le premier chef à diriger la province une cinquième fois. Pourrait-il réaliser cet exploit ? Avait-il encore la vigueur nécessaire pour mener une campagne exténuante ? Après tout, il avait 66 ans et, c'était un secret de polichinelle, sa santé était déclinante. Avait-il quelques cartes cachées dans son jeu ? Réussirait-il à renouveler son programme ou ferait-il campagne sur les thèmes qu'il serinait depuis quinze ans : autonomie, électrification rurale, éducation, voirie, crédit agricole ? Solliciterait-il un plébiscite pour sa personne ou proposerait-il une avalisation de son équipe ? Le vote urbain serait-il assez consistant pour porter les Libéraux au pouvoir, ou le vote rural assez unanime pour contrer cette tendance ? En un mot, la longue domination de l'Union nationale tirait-elle à sa fin ?

Partagés, les experts ne s'entendaient que sur un point : la lutte serait serrée parce que Duplessis demeurait un adversaire redoutable et que les caisses de son parti débordaient d'argent mal acquis. Près de dix millions seront en effet semés pour conforter les consciences timorées. Même si la maison mère fédérale allait se montrer généreuse, les Libéraux n'étaient pas aussi bien nantis. Cela pourrait-il faire la différence et la formidable coalition des forces adverses renverser l'Idole ? Bien malin qui aurait pu le dire.

L'atout principal des Libéraux était que, pour une fois, ils avaient réussi à regrouper en un seul faisceau toutes les forces de l'opposition. Les universitaires, les chefs syndicaux, les intellectuels, les artistes s'étaient ligués pour une mission commune : chasser le Tyran. On partait littéralement en croisade, on oubliait les dissensions, on pardonnait les injures passées, on prêtait serment de rester unis jusqu'à la défaite du Dictateur. La télévision d'État appuyait ouvertement l'équipe libérale, *Le Devoir* plongeait la plume dans le vitriol, jusqu'aux partis qui se rangeaient sous une bannière unique. Les Libéraux, les anciens du Bloc populaire, les Créditistes, les nationalistes, les indépendants, unis à la vie à la mort, partaient en guerre contre le Despote. Le mouvement semblait irrésistible. Les preneurs aux livres donnaient les Libéraux vainqueurs. Comment Duplessis contiendrait-il la menace, si tant est qu'il le pût ? Le vieux Renard avait quand même ajouté une recrue formidable à son équipe. Camillien Houde, qui avait décidé de ne pas solliciter un autre mandat à la mairie de Montréal en 1954, avait accepté la direction de la campagne dans la métropole. Cela suffirait-il à faire pencher le vote urbain en faveur de l'Union nationale ? Houde demeurait un chef populiste extrêmement populaire. Il savait parler à ses concitoyens, les faire rire, les mettre en colère, canaliser leurs énergies vers un but commun. Il savait trouver le point faible de l'ennemi, découvrir la faille qui le rendait vulnérable, faire mouche sur la cible, frapper quelques slogans que le vent charriait vite aux quatre coins de la province. Serait-ce suffisant pour disloquer une opposition sans faille ? On pouvait en douter parce que la tête de Maurice Le Noblet était mise à prix et que les justiciers surgissaient de tous les horizons.

Réal Caouette se portait candidat dans Abitibi-Est ; Gilberte Côté-Mercier changeait son béret blanc de bord et, après dix ans de guerre contre les Libéraux, se joignait à eux ; René Chalout, l'éternel mal-aimé, se présentait comme Libéral indépendant dans Jonquière ; Pierre Laporte faisait de même dans Montréal-Laurier ; Jean Lesage, ministre des Affaires du Nord, délaissait Ottawa pour entrer en lice auprès de Lapalme (cela ne l'empêchera pas de l'évincer un peu plus tard). L'intelligentsia de la province se donnait la main pour faire du récurage de la politique provinciale « une œuvre de salubrité publique ». Est-ce que Laurendeau, Filion, Trudeau, Drapeau, Dupuis, Marchand, le père Lévesque, son homonyme René, Léon Dion, l'évêché de Montréal, *Le Devoir*, Radio-Canada, domineraient la voix du vieux Soliste ? C'est, en effet, de cela qu'il s'agissait parce que, fidèle à lui-même, Duplessis avait décidé d'assumer seul le poids de la victoire ou du rejet. Il en avait encore l'énergie et ses détracteurs se rendront compte qu'ils avaient voulu lui donner le coup de pied de l'âne un peu trop vite. Le vieux Leader avait en effet réagi avec une vigueur étonnante et, le soir du 20 juin, il avait remporté la plus belle victoire de sa carrière. En comptant Frank Hanley, élu indépendant, qui se joignait à lui, il contrôlait soixante-treize comtés. Il avait fait mieux en 1948, mais face à une Opposition divisée contre elle-même. En 1956, il avait battu sévèrement toutes les forces coalisées et il demeurait le Maître absolu de la politique québécoise. Comme les vaincus réclament toujours un traître, on désigna Lapalme, un chef valeureux que l'on sacrifia à la déception d'un parti qui avait, à tort, tenu la victoire pour certaine. Il faudra manifestement attendre la mort du Chef pour pavoiser enfin. Lui vivant, il semblait chimérique de convoiter le trône.

Comme d'habitude, François avait prêté main-forte à quelques-uns de ses confrères. Il avait laissé l'organisation de sa campagne à Prospère et au notaire Lavoie. Comme on avait enfin mis l'hôpital en construction dans le chef-lieu, la tâche avait été facile. Plusieurs vieux Libéraux, lassés de la défaite, avaient même voté pour Duplessis en attendant des jours meilleurs… Il y avait cependant un nuage dans le ciel bleu de François : encore une fois, tous les ministres avaient été réélus. Comment accéder au Conseil suprême si la vieille équipe des familiers du Chef revenait à chaque élection comme les saisons se suivent et que, malgré les brimades, personne ne démissionnait jamais ? Il faudra attendre deux ans encore pour que le Premier laisse enfin partir Albiny Paquette et Onésime Gagnon, tous deux exténués. Le premier ira au Conseil législatif, le second au Bois de Coulonge. La même année, Omer Côté se verra indiquer la porte de sortie pour avoir pensé tout haut que le temps était venu pour le Chef de prendre sa retraite. Les ministres ne mouraient pas davantage. Depuis 1945, seuls Thomas Chapais, Jonathan Robinson, Bona Dussault et Daniel French avaient trépassé. François s'était donc habitué à l'idée qu'il ne serait jamais ministre, mais Duplessis se sentait en dette vis-à-vis son petit député. Il lui avait promis gros en 1939 et il était conscient qu'il n'avait toujours pas livré la marchandise. Cependant, malgré la déception, malgré des capacités qui l'autorisaient à jouer un rôle plus important, François avait rongé son frein en silence, s'était montré assidu en Chambre, avait toujours répondu présent à l'appel, avait évité soigneusement de mettre les pieds en eau trouble, bref : sa conduite lui avait mérité un avancement. Duplessis le récompensa enfin en le nommant ministre. Sans portefeuille, toutefois. En attendant mieux.

Un rêve caressé depuis 1939 devenait enfin une réalité. La surprise, la joie, la reconnaissance le firent pleurer devant le grand homme. Ému lui-même, mais ne voulant pas, par une sensiblerie trop affichée, se diminuer devant son obligé, Duplessis le poussa tout doucement vers la sortie en s'excusant de l'avoir fait attendre aussi longtemps. Mais comment aurait-il pu faire autrement ? Ses ministres s'étaient toujours comportés avec une soumission et un dévouement qui ne lui avaient laissé d'autre choix que de les garder tous. La seule occasion de renouveler son équipe et de donner un tour de vis additionnel à l'autorité qu'il maintenait sur ses troupes lui était venue avec l'affaire du gaz naturel. Après mûre réflexion, il avait conclu que le prix était trop élevé. Sévir eut été sacrifier ses meilleurs éléments, à peu près tous compromis. Il avait choisi de les sermonner comme des gamins et de leur remettre dix fois le nez dans leur caca, mais il les avait gardés après les avoir défendus avec une vigueur exagérée dans les circonstances. Humiliés, secoués, mortifiés, les coupables n'avaient trouvé de salut que dans le repentir et dans le serment de ne plus jamais remettre le bon papa dans l'embarras et François avait dû laisser passer son tour. Non sans maugréer intérieurement, et avec raison, car il ne faisait pas l'ombre d'un doute que certains ministres n'étaient pas du calibre d'une équipe championne. Duplessis le savait sans doute mieux que personne et ne se gênait pas pour proclamer que, sans lui, ses ministres ne seraient rien, ni personne, mais il y a en politique de ces impératifs tellement incontournables que des hommes valeureux doivent céder la place à des incompétents. Dans le cas de François, le mauvais sort avait encastré son comté entre ceux de deux ministres intouchables. Le premier représentait Matane, le second Gaspé. Comment rétrograder son bras droit et évincer un saint homme qui quittera la politique pour le cloître ? Comment installer trois ministres dans la péninsule gaspésienne ? Le plus jeune, le plus docile avait été sacrifié. Cependant, le ministre des Finances était à ce point fatigué que, depuis deux ans, il sollicitait son congé. Duplessis ne pourrait lui refuser ce repos bien longtemps encore. Alors, le choix de François se justifiait. En attendant, il ferait ses classes et, n'ayant pas de portefeuille, il ne pourrait faire l'objet d'aucune contradiction pas plus qu'il ne pourrait compromettre l'équipe ministérielle. En somme, les critiques seraient forcés de conclure que le Chef avait voulu récompenser un député exemplaire en lui décernant un honneur qui ne compromettait rien ni personne.

En apprenant la nouvelle, Yvonne faillit défaillir. Elle n'y croyait plus, et s'était faite à l'idée qu'elle ne serait jamais madame ministre. Ne se contenant plus de joie, elle commença à se demander comment souligner un pareil accomplissement. Appeler Félicité et Aurélie au Val ? Oui, sans doute, mais après réflexion, était-ce bien indiqué ? Après s'être fait attendre si longtemps, la nomination ne ressemblait-elle pas à un prix de consolation et, le cas échéant, n'était-il pas préférable de garder une certaine réserve ? On conserverait ainsi toute sa dignité, on pourrait même se permettre de déplorer que le Chef eût tellement tardé de reconnaître les mérites d'un homme qui lui avait fait don de sa jeunesse et de son talent. Oui, cela vaudrait mieux que de laisser éclater une joie trop tapageuse qui confirmerait les gens sérieux dans l'opinion que la soif des honneurs aveuglait les Bérubé. En restant modestes et froids, ils prouveraient ne pas êtres dupes et se hausseraient dans l'estime de ceux qui suivaient leur carrière depuis 1944. François refréna donc son envie d'inviter ses amis de la capitale à un festin d'allégresse. À ses enfants qui le trouvaient bien calme, il recommanda la modestie. Certes, l'honneur était de poids, mais ce n'était pas le pactole. Il fallait par ailleurs bien se rappeler qu'un ministère n'est en rien un titre nobiliaire héréditaire. Il convenait donc de demeurer lucide, car la politique est infiniment capricieuse. Il convenait même de demeurer un peu critique vis-à-vis la générosité tardive du Chef et de se rappeler que leur père aurait dû être de la toute première fournée de ministres. La flagornerie de quelques nullités, les impératifs géopolitiques ont fait en sorte que des gens beaucoup moins méritants jouissent depuis dix ans d'un privilège qu'une analyse impartiale des talents leur aurait refusé. En résumé, mes enfants, ne pavoisez surtout pas et montrez bien à ceux qui vous féliciteront que, primo, ce n'est pas vous qui avez été appelés au Conseil des ministres et, secundo, que vous êtes parfaitement conscients que l'honneur vient vraiment un peu tard. Ainsi vous passerez pour des gens qui gardent les pieds sur terre et à qui les vapeurs de la renommée ne montent pas à la tête.

François et madame ne changèrent rien à leurs habitudes. Ils attendirent des semaines avant d'aller dîner en ville. Assez longtemps pour que le maître d'hôtel, ni les connaissances rencontrées, ne puissent faire de lien entre le festin et la consécration. Même chose au Club Renaissance où François avait très rarement mis les pieds avant sa nomination. Il y avait invité Prospère quelques fois, le maire du Val deux fois et, occasionnellement, quelques personnalités qui lui avaient rendu service. Quand il retourna au Val une fois la session finie, il convia ses amis à veiller chez lui, mais sans déployer le moindre signe d'ostentation. C'est l'attitude qu'ils avaient espérée. À l'exemple du notaire, ils avaient attendu trop longtemps la reconnaissance de ses mérites pour manifester un enthousiasme débordant. Ils sentaient de plus que François était soulagé, sans doute, de voir enfin un rêve se réaliser, mais déçu qu'il ait été si long à venir. Pour être vraiment significative, cette nomination aurait eu besoin de durée.

Or, Duplessis avait sans doute mené sa dernière campagne électorale. Plusieurs de ses ministres étaient aussi vieux et aussi fatigués que lui. Ils quitteraient probablement en 1960. Alors seulement, des portefeuilles seraient disponibles, mais comment en disposerait le dauphin du Chef ? Était-il même assuré qu'il inviterait François à faire partie de son conseil ? Ne voudrait-il pas plutôt faire table rase de tout ce qui rappellerait l'ère de Duplessis ? Les initiés savaient que, depuis quelque temps, un certain froid s'était installé entre le Chef et Paul Sauvé. Leurs points de vue n'étaient pas toujours concourants. Par ailleurs, tout le monde savait que, convention ou pas, il était écrit dans le ciel que le député des Deux-Montagnes succéderait à celui de Trois-Rivières à la tête de l'Union nationale. Alors, le temps était-il à ce point aux réjouissances ? Pour des esprits rassis, l'heure se prêtait davantage à l'inquiétude qu'à l'euphorie. C'est ce que le notaire dut expliquer aux dames qui gazouillaient d'allégresse et n'en finissaient pas de donner du Monsieur le ministre au notaire. Agacé, il précisa la portée de sa nomination et pria les dames de contenir un enthousiasme injustifié. En tout cas, pour le moment. Il n'eut qu'un succès relatif, les épouses étaient vraiment trop heureuses de l'honneur qui échéait à leurs amis pour bouder longtemps leur plaisir. La sobriété du nouveau ministre le rehaussa cependant encore, si possible, dans l'estime de ses vieux amis. Voilà un homme à qui les vapeurs ne montaient pas la tête. C'est aussi précieux que rare.

Pendant les vacances législatives, François prépara cinq ou six mémoires qu'il comptait soumettre à Duplessis à la rentrée des Chambres. Il voulait de cette façon lui témoigner sa reconnaissance, lui prouver qu'il n'avait pas obligé un ingrat qui se contenterait de se sentir arrivé. Il voulait apporter sa contribution aux législations futures, donner, si possible, quelques idées au Premier. En toute humilité, cela va de soi. Vantant la gestion de son Chef, François notait l'excellente santé des finances publiques et se demandait si le temps n'était pas venu de rendre l'instruction gratuite, du moins au secondaire. Il s'interrogeait encore sur un système d'assurances sociales qui garantirait l'hospitalisation sans discrimination de fortune. Il se questionnait également sur la possibilité de rétablir un ministère de l'Éducation. Le temps n'était-il pas venu de redonner aux sciences leurs lettres de noblesse ? Les nombreuses écoles techniques, de commerce, les facultés des sciences, les écoles d'agriculture que le Premier avait eu la sagesse et l'énergie de mettre en place ne pavaient-elles pas la voie à une pareille réforme où la culture gréco-latine céderait un peu d'espace à l'empirisme socio-économique ? Les Canadiens-Français n'étaient-ils pas parvenus à un stade où ils avaient le droit et le devoir de prendre leur avenir économique en main ? Duplessis recevait les mémoires en marmonnant quelque vague commentaire, remerciait François et le congédiait en lui promettant d'étudier le dossier. Au fond, il regardait aller son nouveau ministre, il le pesait, le soupesait. Jusqu'à arriver à la conclusion qu'il avait affaire à un libéral avancé, égaré dans un gouvernement conservateur ; un rêveur qui n'avait pas tout à fait les pieds sur terre ; un bonhomme, somme toute bien sympathique, mais sur qui il ne fallait pas asseoir de grandes espérances. Un homme qui, en voulant aller trop vite et trop loin, perdait contact avec la réalité. À vouloir brûler les étapes, on crève sa monture et on se retrouve à pied. N'aimant pas les rêveurs, Duplessis conclut que François n'irait pas plus loin. Il se demanda même s'il ne l'avait pas surestimé et s'il n'était pas qu'un bon orateur d'élections et rien d'autre. Voulant lui signifier de rentrer dans le rang et de laisser le Chef décider des étapes du cheminement de son gouvernement, il profita d'une visite au cours de laquelle François lui apportait une autre étude, pour lui dire de cesser de lui faire perdre son temps à lire des utopies.

— Quand j'aurai besoin de tes idées, je te ferai signe. En attendant, je pense en avoir assez tout seul.

Assommé, François prit congé pour ne plus revenir et se contenta d'assister aux réunions du Conseil sans ouvrir la bouche autrement que pour approuver les décisions du Chef.

C'est alors que François mesura vraiment l'inutilité de son passage en politique. Il avait gaspillé sa vie pour un idéal contrarié par un patron qui avait refusé à ses adeptes le droit de penser par eux-mêmes. Combien de fois, lié par la solidarité ministérielle, avait-il voté contre ses convictions les plus intimes ? Combien de fois avait-il dû faire taire sa conscience pour voter en faveur de politiques qu'il savait injustes ? Combien de fois n'avait-il été qu'un autre mouton de Panurge parmi le troupeau des suiveurs ?

Il croyait qu'en accédant au Conseil des ministres, il aurait enfin une certaine possibilité d'influencer le Chef, de lui faire accepter quelques idées, mais cet homme n'en faisait qu'à sa tête et, les rares fois où il sollicitait un avis, c'était pour se faire dire qu'il avait raison, qu'il n'y avait rien à changer à ses projets, qu'on ne pouvait abonnir son œuvre. Que faire alors ? S'affirmer ? Revendiquer ? Donner du poing sur la table ? Dérisoire ! Duplessis l'eut cassé à l'instant. Se résigner ? Voilà qui était plus lâche mais plus sage. Après tout, il n'était pas né pour changer le monde à lui seul ! Il avait honnêtement offert son concours. On l'avait refusé. Que pouvait-il y faire ? Traverser la Chambre et joindre les rangs du Parti libéral ? À son âge, était-ce bien raisonnable ? Non. Il lui restait à profiter de la situation, durer jusqu'à l'élection de 1960 et prendre sa retraite. Les enfants n'étaient plus à charge, son étude du Val ne brassait pas des millions, mais elle était assez rentable pour lui assurer une vieillesse tranquille. Il pouvait encore vendre ses parts à son associé. Bref, il n'avait plus à s'imposer une vie qui ne lui donnait que des déceptions. Il pouvait quitter ce monde factice de mirages et de miroir aux alouettes. Faire un long voyage en Europe, remonter aux sources de notre civilisation et revenir, comme Ulysse, vivre auprès de ses amis le reste de son âge. Voilà ce qu'il ferait. En attendant, garder ses projets pour lui et se payer un peu de bon temps tout en faisant attention de ne pas faire de vagues qui gêneraient le cours tranquille du bateau de l'État.

Au moins, il quittait son « duplex ». Son vieux compagnon le félicita avec une chaleur inattendue. Il s'était attaché au petit notaire qui avait partagé ses heures avec une discrétion et une délicatesse exemplaires ; qui l'avait conseillé précautionneusement ; qui avait rédigé ses lettres les plus délicates, qui l'avait informé sur les points de droit concernant certains dossiers épineux ; qui, en résumé, s'était révélé un compagnon tellement sympathique qu'il en garderait un souvenir impérissable. Confus, François le remercia de penser tellement de bien de lui et l'assura que sa porte lui serait toujours grande ouverte et qu'il continuerait de lui rendre tous les services qu'il voudrait bien solliciter. Au fond, voilà un homme qui l'avait parfois suprêmement agacé, mais qui avait largement compensé par une amitié sincère et une confiance à l'avenant.

Quoique modeste, son nouveau bureau n'avait rien de commun avec la triste chambre qu'il quittait. Il laissait un loyer à prix modique pour une résidence cossue, sinon somptueuse. Si seulement il y avait eu quelque chose à faire. On l'avait adjoint au Secrétaire de la province, qui n'avait pas besoin d'adjoint. L'expérience lui ayant appris le danger des initiatives non sollicitées, François se contenta de se mettre au service de son nouveau patron dans toutes les tâches que celui-ci voudrait bien lui confier. Le Secrétaire n'abusa surtout pas de la situation. À telle enseigne que François échangea le désœuvrement du troisième étage pour celui du premier. Bonnet blanc, blanc bonnet… Mais il y avait la secrétaire. Voilà au moins qui était nouveau. Pour la première fois de sa vie, le petit notaire devait confier à un autre le travail qu'il avait toujours fait seul. Il aurait pu voir le Chef et lui dire qu'il pouvait se tirer d'affaire seul, et qu'à cela le travail serait mieux fait, mais c'eût été demander au Patron de minimiser le présent qu'il venait de lui faire. Pire, c'eût été déprécier la fonction. Un ministère, même sans portefeuille, donnait droit à certains privilèges. C'eût été déchoir que de les refuser. Il y a dans l'appareil gouvernemental une hiérarchie incontournable, un décorum à respecter. Un bureau vide peut vouloir dire qu'il n'y a rien à faire, soit, mais cela peut également signifier que le titulaire est un homme d'ordre qui se fait un devoir d'expédier ponctuellement ses dossiers et de laisser chaque soir son bureau immaculé. Pour le bon renom de l'État, voilà comment il convient de regarder la situation. Mais comment occuper une personne débordant de bonne volonté et ne demandant pas mieux que de mériter son salaire ? Heureusement que le ministre demeure député. Le ministre inutile peut y trouver de quoi occuper une secrétaire en lui dictant ses réponses aux nombreuses sollicitations de ses électeurs. Évidemment, quand on est un fin lettré, il faut corriger quelques fautes d'orthographe ou de syntaxe, mais la petite est tellement pleine de bonne volonté que ça devient presque une mission de lui enseigner les traîtresses règles de la grammaire française. Il faut souvent lui faire reprendre la lettre sans toutefois se faire une faute morale de dépenser un peu trop du papier de l'État. Monsieur le notaire arrivait encore difficilement à refréner la vanité qu'il éprouvait à se servir d'un vélin au chiffre du Secrétariat de la province. Modestie ou pas, cela vous change de la tablette de papier achetée à la librairie du coin. Est-il besoin de préciser que François en abusa un peu ?

Voilà en résumé tout le changement que l'accession à un ministère amena dans la vie du député. Sauf qu'il y avait la secrétaire. Son dévouement aurait pu s'expliquer par le désir tout à fait légitime de satisfaire aux exigences de sa tâche assez bien pour conserver son emploi. Mais elle en faisait un peu plus que ce à quoi le patron le plus exigeant eut été en droit d'attendre. Peut-être parce que François la traitait avec plus de condescendance que ses prédécesseurs. Peut-être par sa façon de lui enseigner la correspondance sans jamais l'humilier. Peut-être à cause de la délicatesse innée, quoique un peu vieillotte, avec laquelle il la traitait. Peut-être parce qu'il avait l'habitude de se comporter toujours en parfait gentilhomme en présence d'une dame. Quand elle faisait une faute grossière, il s'excusait presque de la corriger. De là à faire exprès… Et puis, le petit notaire avait bien vieilli et la beauté un peu mièvre de ses vingt ans s'était burinée juste ce qu'il fallait pour lui donner une virilité d'excellent aloi. Les tempes à peine grisonnantes, la taille toujours svelte, droit de stature, vif de mouvements, il respirait d'une santé qu'aucun excès n'avait brouillée. Bref, s'il eût été un peu moins court, il aurait pu passer pour un beau Brummell, car il avait en plus l'art de se vêtir avec élégance. Apparemment, autant de charmes combinés à une délicatesse sans faille touchèrent la secrétaire. Était-ce voulu ou pas, elle s'enhardit peu à peu et, du respect compassé des premiers jours, elle passa à une exubérance bon enfant qui, lentement mais sûrement, conquit son professeur. Au point qu'il eut bientôt hâte d'arriver au bureau où un tourbillon de jeunesse et de joie de vivre l'attendait. Sans penser à mal, il lui demanda s'il pouvait l'appeler Nadine, sans la tutoyer, cela va de soi. Elle répliqua qu'elle en serait honorée, qu'elle se sentirait plus à l'aise, qu'elle prendrait cette familiarité comme une marque de sympathie et de satisfaction de la part de son patron. Pouvait-elle ajouter qu'elle n'aurait pu rêver d'un meilleur patron ? Mais voyons donc ! C'est trop ! C'est beaucoup trop ! Il ne s'efforce que de rendre un peu moins guindés les rapports de patron à employée. Quoique, à bien y réfléchir, il l'aime bien, sa secrétaire…

Était-ce voulu ou pas, il lui arrivait maintenant de tourner le dos pour remonter un bas mal ajusté, mais pas assez pour cacher tout à fait un galbe affriolant. Il lui arrivait encore de frôler du sein le bras du ministre en lui remettant un dossier ou de se trouver sur son chemin en décrochant son téléphone, ou de lui barrer la route en ouvrant son classeur. Et de s'excuser, mais de continuer à diminuer les aires d'un bureau pourtant assez vaste pour éviter les collisions. De plus en plus troublé, François surveillait plus que nécessaire les agissements de sa Nadine dans l'espoir que le hasard ou la maladresse lui feraient voir un peu de chair interdite ou humer d'un peu plus près un parfum enivrant. Un jour qu'il lisait par-dessus son épaule une lettre qu'il avait compliquée exprès pour avoir le plaisir d'en corriger les fautes, il plongea la vue dans une robe échancrée juste ce qu'il fallait pour dénuder la naissance de seins à donner le vertige. Il détourna la vue, mais pas assez vite pour que Nadine ne vit pas qu'il avait vu. Prenant un petit air gêné, elle sourit en boutonnant le chemisier d'une ganse additionnelle.

— Où en étions-nous ? murmura François.

— Au bail *amphitéotique*, monsieur le ministre.

— Non, Nadine, non ! *e* et *phy*.

— Excusez-moi.

— Mais non ! Vous ne pouvez pas savoir, c'est un terme légal, d'ailleurs rarement employé.

— Qu'est-ce que ça veut dire ?

— L'emphytéose, ma chère enfant, c'est un droit de jouissance sur la chose d'autrui à la suite d'un bail de vingt-cinq, cinquante, voire quatre-vingt-dix-neuf ans.

— Dommage que les jouissances physiques ne durent pas aussi longtemps…

— Taisez-vous, petite polissonne !

— Je n'ai pas raison ?

— Hélas, oui…

Rassurée et souriante, Nadine continua de prendre la dictée oppressée de monsieur le ministre.

✿

Était-ce le hasard ou encore la secrétaire jugea-t-elle que les choses traînaient trop en longueur, toujours est-il que le lendemain elle arriva au bureau longtemps avant monsieur le ministre et se réfugia dans les toilettes. Quand François arriva à son tour, il s'y dirigea comme il le faisait tous les matins. Nadine était assise sur le bol, culottes sur les pieds, jupe hautement troussée. François resta bouche bée, braguette ouverte, rougissant d'embarras. Nadine se releva lentement, remonta la petite culotte et laissa tomber son jupon. Si, après cette mise en scène, le petit ministre ne se dégourdissait pas, c'est qu'il serait fait de bois.

— Excusez-moi, monsieur, j'ai oublié de barrer la porte.

Comme tous les timides poussés à bout, François réagit violemment et, enserrant la secrétaire, il l'embrassa à pleine bouche. Elle se laissa faire juste le temps de lui faire comprendre que la chose ne lui répugnait pas, puis se dégagea avec fermeté :

— Pas ici, monsieur Bérubé, c'est trop dangereux.

— Mais où, alors ?

— Mais chez moi.

— Quand ?

— Ce soir, si vous voulez.

Trop ému, François quitta le bureau pour ne revenir qu'en fin d'après-midi. Pas un mot ne fut échangé, le ministre faisant mine d'étudier un dossier, la secrétaire l'observant, l'air amusé. Avant de partir, elle s'approcha du bureau de François et y posa un papier qu'elle déplia. L'adresse, le numéro de l'appartement, le numéro de téléphone et « Je vous attends ». Puis elle quitta en silence.

Après un combat cornélien qu'il savait perdu d'avance, il appela Yvonne pour lui dire qu'une rencontre importante (en cela au moins il ne mentait pas) l'empêcherait de venir souper. Il ne savait pas à quelle heure il pourrait se libérer. En conséquence, elle n'avait pas à l'attendre. Il raccrocha, tremblant déjà de remords, et appela un taxi.

À SUIVRE

CET OUVRAGE, COMPOSÉ EN NEW CALEDONIA 13/16,
A ÉTÉ ACHEVÉ D'IMPRIMER
À CAP SAINT-IGNACE, SUR LES PRESSES
DE IMPRIMERIE MARQUIS,
EN AOÛT DEUX MILLE SIX.